The Discovery of Machu Picchu

マチュピチュの「発見」

Hiram Bingham
著 ハイラム・ビンガム
Shimizu Osamu
訳 清水 修

INCA LAND

The following pages represent some of the results of four journeys into the interior of Peru and also many explorations into the labyrinth of early writings which treat of the Incas and their Land. Although my travels covered only a part of southern Peru, they took me into every variety of climate and forced me to camp at almost every altitude at which men have constructed houses or erected tents in the Western Hemisphere—from sea level up to 21,703 feet.

まちごとパブ リッシング

▲左　そこに何かが隠されている。それを探しに行け。失われた秘密が隠されている。それがお前を待っている。さあ行くのだ!（キプリング『探検家』）［『INCA LAND』掲載写真／1922年発刊］　▲右　ペルー高原地帯に生息する動物リャマ

Inca Land

マチュピチュの「発見」／ハイラム・ビンガム

Preface

はじめに

はじめに

これから記すことは、私が過去四度にわたって訪れたペルー内陸部への旅行記であり、インカ帝国とその大地について書かれた黎明期の文献がいざなう探検記でもある。私が旅をしたのはペルー南部の一部に過ぎない。しかし、西半球のあらゆる環境のなかに身をおき、人々が家を建てたり、テントを張ったりして生活を営む、ほぼすべての高度（平地から海抜21,703フィートまで）で、キャンプ生活を余儀なくされた。豪雪と極寒のアンデス山脈の峠を越え、巨大な峡谷を抜け、世界でもっとも高温多湿なアマゾンの密林にわけ入った。

インカの人たちは、鮮やかなコントラストを描く劇的な大地に住んでいた。世界中で、（ペルーの）シワスやマジェスといった砂漠ほど、植物が育つのに厳しい砂漠、コンセビダヨクの密林ほど、豊富な植物の繁茂する熱帯の峡谷は存在しないだろう。インカの大地では、氷河からシダの木の茂る緑地へ移動するのに、わずか数時間ほどしかかからない。このように極端なコントラストは、インカ最後の時代に書かれた『年代記』の迷宮ぶりについても同様であろう。正確な事実や史実から、グロテスクなフィクションに極端に移るストーリー性、また重要な詳細を頻繁に省略して、しばしば見られる矛盾の残された記述。それらは、いかなる歴史家、またいかなる著述家の手にもなし得るものではない。「インカの物語は、いまだに疑惑と矛盾の迷路のなかをさまよっている」と言えるだろう。

私は、一九世紀にある探検家の撮ったすばらしい写真の神秘性と、ロマンに魅せられて、アプリマック川とウルバンバ川のあいだの、これまであまり知られてこなかった地域（「インカのゆりかご」）にはじめて足を踏みいれた。本書に掲載された私の写真は、もちろん芸術家の想像力、豊かな絵筆に匹敵するものではない。しかし、そのいずれかの写真が、未来の旅行者がインカの地をさらに深く掘りさげ、「『年代記』に記載されているものの、いまだ特定できていない場所をあきらかにする心踊る探検（ゲーム）に足を踏みいれるきっかけとなることを願っている。

私の旅行記の一部は、すでに『ハーパース』や『ナショナル・ジオグラフィック』に掲載（けいさい）されている。そして、現在のかたちでの使用を許可していただいた編集者には謝意を示したい。書誌に目を通していただければ、イェール大学とナショナル・ジオグラフィック協会のペルー遠征の成果として、五〇以上の記事や論文が出版されていることを確認できるだろう。その他の報告書は今、準備しているところだ。私は、これらの論文や私以前の旅行者の著作、仲間の作成した地図やメモ、11,000枚以上のネガをふくむペルーの写真コレクションをもとに研究を進めた。さらに、仲間の探検家たちと頻繁（ひんぱん）に話を交わす機会があったことも、貴重な情報源になった。まったく異なる経験をした頭脳が、同じ課題にとりくむことは、大規模な探検の大きな利点になる。

これら四回の旅行に参加していただいた私の仲間は、実施年別に以下の通りとなっている。

一九〇九年：クラレンス・L・ヘイ氏
一九一一年：イザイア・ボウマン博士、ハリー・ウォード・フート教授、ウィリアム・G・アーヴィング博士、カイ・ヘンドリクセン氏、H・L・タッカー氏、ポール・B・ラニウス氏
一九一二年：ハーバート・E・グレゴリー教授、ジョージ・F・イートン博士、ルーサー・T・ネルソン博士、アルバート・H・バムステッド氏、E・C・エルディス氏、ケネス・C・ヒールド氏、ロバート・スティーブンソン氏、ポール・ベスター氏、オスグッド・ハーディ氏、ジョセフ・リトル氏
一九一五年：デビッド・E・フォード博士、O・F・クック氏、エドモンド・ヘラー氏、E・C・エルディス氏、E・L・アンダーソン氏、クラレンス・F・メイナード氏、J・J・ハスブルック氏、オスグッド・ハーディ氏、ジェフリー・W・モーキル氏、G・ブルース・ギルバート氏

不安や危険と、常に隣りあわせだったこの探検の同志として、私は彼らに大きな責務を感じている。これから記す内容には、彼らが「自分の仕事だった」と感じるものもあれば、「なぜあれが見落とされているのか？」と思うところもあるかもしれない。すでに進行中の別冊で、「マチュピチュ1」とその周辺を、よりくわしくとりあげたいと考えているので、そのときには、ここでは語られなかったものの多くをご覧いただけると思う。また資金の確保がもっとも困難な時期に、手を差し伸べてくださったエドワード・S・ハークネス氏、ギルバート・グロブナー氏と、ナショナル・ジオグラフィック協会の寛大（かんだい）で、熱心な支援、もっとも重要な行政による公的援助をしてくださったアメリカのタフト大統領と、ペルーのレガイア大統領、誠実でたゆまぬ協力をしてくださったペルー法人のW・R・グレース社、ウィリアム・L・モーキル氏とL・S・ブレイズデル氏、ドン・チェーザレ・ロメリーニ氏とドン・ペドロ・ドゥケ氏とそのご子息たち、フレデリック・ベッカム氏に、心からの謝意を表したい。そして最後に、この本の執筆を可能にしてくれた妻のアルフレッド・ミッチェルに感謝したい。

ハイラム・ビンガム

イェール大学 一九二二年一〇月一日

しばしばマチュピチュの発音について聞かれることがある。インカ帝国以来のペルーのケチュア語は、できるだけ文字のとおりに発音するのがよい。「表音式綴り法（フォネティック・スペリング）」である。スペイン人作家がこの表音式綴り法を行なうと、「weel-ka」と発音される「huilca」のように、単語の最初にサイレントの「h」を入れることがある。そして単語の途中の「h」は必ず発音される。マチュピチュは、「Mah'chew Pick'chew」。ビトコス（ウイティコス）は、「Weet'-ee-kos」、ビルカバンバ（ウィルカパンパ）は「Weel'-ka-pahm-pah」。クスコは「Koos'-koh」である。

南米とペルー
アメリカ
メキシコ湾
メキシコ
キューバ
大西洋
メキシコ
シティ
ドミニカ
ホンジュラス
カリブ海
コスタリカ
パナマ
カラカス
ベネズエラ
コロンビア
ボゴタ
キト
エクアドル
イキトス
アマゾン河
マカパ
マナウス
ペルー
ペルー
ブラジル
リマ
クスコ
ボリビア
ラパス
アレキパ
サンタ
クルス
ブラジリア
太平洋
スクレ
パラグアイ
チリ
アルゼンチン
ウルグアイ
サンティアゴ
ブエノス
アイレス
N
0km
5000km

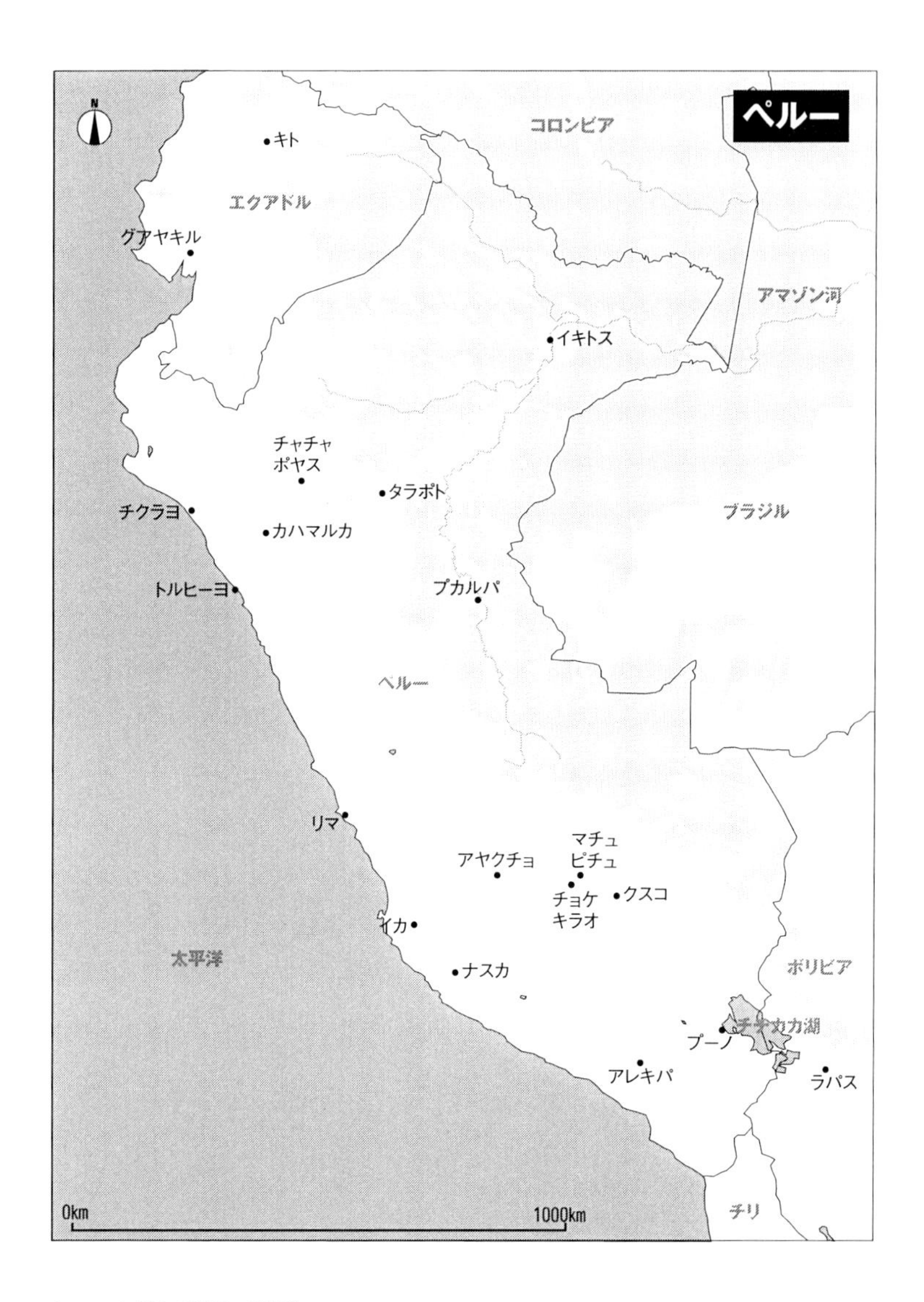
ペルー
N
コロンビア
キト
エクアドル
グアヤキル
アマゾン河
イキトス
チャチャ
ポヤス
タラポト
チクラヨ
カハマルカ
ブラジル
トルヒーヨ
プカルパ
ペルー
リマ
マチュ
ピチュ
アヤクチョ
チョケ
キラオ
クスコ
イカ
太平洋
ナスカ
ボリビア
チチカカ湖
プーノ
アレキパ
ラパス
0km
1000km
チリ

Chapter I
Crossing the Desert

第1章
砂漠を越えて

第1章／砂漠を越えて

ある日、ボリビアに住む親切な友人が、故E・ジョージ・スクワイアの著『ペルー～インカの地の旅と探検』と題された、興味深い本を私に届けてくれた。そこにはすばらしい景観をもつアプリマック渓谷の挿絵が一枚おさめられていた。手前には断崖絶壁にぽっかり開いたトンネルから続く、吊り橋がかかっていて、その橋のはるか下には轟音を響かせる激流が渦巻いている。吊り橋のはるか奥には、雪をいただいた山々がそびえている。「このアプリマック渓谷を見てみたい」「この吊り橋を渡る感動を味わってみたい」という想いは募り、私はリマ（ペルー）への陸路の旅を決意した。

まず私は栄華を誇ったインカ帝国の古都クスコを訪れ、そこでペルー当局から、新たに発見されたインカの遺跡を訪れるよう勧められたのだった。拙著『南米横断』を読まれたかたはご存知だろうが、その遺跡はチョケキラオの地にあった。アプリマック渓谷の激流が轟く高度数千フィートの、密林におおわれた尾根にある興味をかきたてられる場所だ。この地の原住民についてはまだよくわかっていない。役人の話では、この遺跡はピサロをはじめとするスペイン人の征服者から逃れるために、アプリマック川とウルバンバ川のあいだのアンデス山脈に避難した、「（名目上）インカ帝国最後の皇帝マンコ・インカ・ユパンキとその息子たちの住居である」とのことだった。

クラレンス・L・ヘイ氏と私がチョケキラオの丘陵に着いたころ、ときおり雲の切れ間に、雪をかぶった山々が見えたりしていた。山々の背後には、大きな可能性を秘めた未知の世界があるように思えた。そして、その地（未知の世界）については、私たちのガイドですら、何も知らないようだった。書物にも、何も掲載されていない。もしかしたら、インカ皇帝「最後の都」がそこに隠されているのかもしれない。それから数か月のあいだ、私の

▲左　崖のうえに展開するオリャンタイタンボ遺跡　▲右　E・ジョージ・スクワイアの著『ペルー ～インカの地の旅と探検』に収められた挿絵。アプリマック渓谷に吊り橋がかかる

心はこのチョケキラオ、そしてさらなる未知の世界へと惹かれていった。キプリングの詩『探検家』の一節が胸に浮かんだ。

「心の声が、音を変えながら絶え間なく聴こえている。永遠に続くそのささやきは、昼となく夜となく繰り返される」

「そこに何かが隠されている。それを探しに行け。失われた秘密が隠されている。それがお前を待っている。さあ行くのだ！」

次の年の夏に出版されたばかりのバンデリアの『チチカカとコアティの島々』を読んだことも、さらに私を急きたてた。そのなかに「ペルー西部、海岸地帯の主要な山の高さを測定することが望まれる」と書かれていた。おそらく、ペルー西部、アレキパの海岸近くにそびえるコロプナ山が南米大陸の頂点であろう。これまで西半球の最高峰とされてきたアコンカグア山が海抜22,763フィート（6,940メートル）であるのに対し、「コロプナ山は23,000フィートを超える高さがある」という。これはペルー南部鉄道の土木技師が、線路の一部を基準に測量した結果にもとづいている。それを知ったときの感動は、言葉で言い表せないほどだった。私は一〇年以上も南米の歴史と地理を学んできたが、コロプナ山という山の名前は記憶になかった。ほとんどの地図にも、載っていなかったように思う。そして、ライモンディの『ペルー大地図』に、アレキパの北西一〇〇マイル、西経七三度線あたりに「コロプナ山（アコンカグア山より9m高い6,949m）」という文言をようやく発見したのだった。

アマゾン上流域から太平洋に向かって、ペルーを縦断する西経七三度線を上下にたどってみる。すると西経七三度線はチョケキラオのすぐ近くを通過し、山々の奥にある（私を誘う）「未知の世界」を縦断している。私は、この偶然の一致にさらに興味を惹かれた。「隠された何か」を求めて旅を渇望する気持ちは、「本当に、コロプナ山が大陸で一番高い山なのか？　を確かめたい」という気持ちに変わってきた。その後、この七三度線にそってペルーの地理調査をする目的で、ウルバンバ川をカヌーで進み、太平洋の海水までたどるという探検隊が組織された。そして、探検隊は期待以上の成果を出した。

この成果は、ハリー・W・フート教授と私との協力で生み出された、「ユニット・フードボックス（大きな弁当箱）」によるところが大きい。それはバランスのとれた食事を探検隊に供給するために考え出された。そして、ある探検の期間に、人間が必要な食料（栄養）をひとつの箱に詰め込んでしまうことで、探検隊の食料調達をかんたんにした。この「ユニット・フードボックス（大きな弁当箱）」は、探検家ばかりでなく、その健康を気づかう同行の医師もふくめて、隊員全体に満足をもたらした。この道具（ツール）の特徴について、少し触れてみよう。「ユニット・フードボックス（大きな弁当箱）」は、隊員ふたりの八日間分の、バランスのとれた食事を可能にする。そしてジャガイモ、トウモロコシ、卵、羊肉、パンなど、ペルー南部のものを使って、食事をできる限り色とりどり豊かなものにした。そこにはスライスベーコン、コンビーフの缶詰、ロースト・ビーフ、チキン、サーモン、ロールド・オーツ（オーツ麦の砕いたもの）、牛乳、チーズ、コーヒー、砂糖、米、軍用パン、塩、甘いチョコレート、ジャム、ピクルス、乾燥野菜、果物などが詰めあわされていた。とくにジャム、ドライフルーツ、スープ、乾燥野菜をうまく組みあわせることで、食事のバランスをくずさず、充分な栄養をとることができた。

アンデス山脈地帯では、物資の輸送に手間がかかるため、グリンピース、ベイクドビーンズ、果物の缶詰など、水分を多くふくむものはどんなにおいしくても避けなければならなかった。そして食べもののほかに、洗濯用の石鹸ひとつ、布巾二ヤード分、ランチの弁当や採取した標本を入れるための綿の袋を三枚ほど、もっていくのが望ましかった。箱詰めしたこれらの食料のなかで、もっとも人気があったのはロールド・オーツ（オーツ麦の砕いたもの）であった。この料理は半分調理済みなので、米をうまく炊けない高地でもかんたんに調理できる。砂糖は適量を分配する方法にしていたため、探検隊のメンバーへの配慮が大変だった。探検がはじまったときには、ひとりあたり一日三分の一ポンドの砂糖が支給されていたが、「それは多すぎる」と批判された。しかし、一か月後には「それでは少なすぎる」との声があがり、すこし追加しなくてはならなかった。

多くの人は、「探検家の食料調達は荒々しく、運まかせにしている」と考えているかもしれない。私がこれまで行なった二度の探検は、ベネズエラとコロンビア、そして南アメリカを横断するものだったが、どちらも行きあたりばったりの食生活で、まったく満足のいくものとはならなかった。経験の浅い探検家にとっては、「荒々しく」やるほうが魅力的かもしれない。しかし、私は数か月前から、ペルーで充分な種類と健康のバランスがとれた食事をしっかり準備するというあたり前の方法のほうが、「勇気ある行為」だと学んでいた。食欲をそそる色とりどりの料理をふるまうことこそ、探検隊のメンバーによい影響をあたえるのだから。もちろんチームの輸送担当者にとっては手間と費用がかかってしまうし、若い男性にとってはイチゴジャムや甘いチョコレート、ピクルスが頻繁にメニューに載っているのは、「探検家のプライドが許さない」と感じることもあるだろう。とは言っても、運を信じたり、現地人と同様の生活をしたりすると、一日の仕事の効率が落ちるだけでなく、観察力が低下し、科学的に探求することへの意欲が失われることは、経験上わかっている。刺激的なことはどんな生活をしていてもかんたんにできる。しかし、日々の雑務をこなす仕事にくらべて、大きな成果が得られないということもまたよくあることだ。つまり、日々行なう仕事の結果のよし悪しは、健康的な食べものを、いつも、あたり前のように食べられるかどうかにかかっている。

ともかく一九一一年六月、私たちはコロプナ山登頂の拠点となるアレキパに到着した。そして、ペルーの冬は、（北半球とは反対の）七月から八月にもっとも厳しくなることを知った。吹雪のなかで、コロプナ山にいどむことは愚の骨頂であった。一方、一一月からの夏のあいだは、くもりがちで、霧やもやのなか、登山しなくてはならない。また六月から七月にかけては、アンデス山脈の東斜面山麓のモンターニャ（熱帯雨林）、アマゾン上流域の「山脈の奥」と呼ばれる土地の探検に最適な季節だという。このモンターニャではいつも雨が降っているが、他の季節にくらべると降雨量が少ないので、まずウルバンバ渓谷に向かうことにした。そして、そこで「発見」したもの。つまり、インカ「最後の都」ビトコス、そしてマチュピチュについては、あとの章で紹介したい。

九月、私はアレキパに戻って、コロプナ山登頂のため、砂漠を横断するために必要な交通手段の手配を進めていた。ハーバード大学の天文台がアレキパにあることは知られているが、一方で、アレキパは大型ラバの産地でもある。しかし残念なことに、アメリカ人による「ラバ組合（ミュール・トラスト）」は結成されたばかりで、充分な手配を整えることに苦労した。

二週間ほど、あれこれとラバの調達を続けていると、テハダ兄弟というラバ追いが現れて私たちの計画に耳を傾けてくれた。私たちはテハダ兄弟と、「一一頭編成のラバの隊列を二か月借りること」「私たちの目指す目的地へ移動すること」「ただし一日平均で七リーグ以上は移動しないこと」などを条件に、1,000ソル（五〇〇ドル）で契約を交わした。この交渉はかんたんに決まったように思われるかもしれないが、アレキパの友人たちの果てしない交渉と説得の結果、得られたものだった。ラバ追いの彼らは、「自分たちの大切なラバを、今回の旅で失うかもしれない」という心配していた。多くのラバ追いたちと同様に、彼らは「ラバがコロプナ山へ続く砂漠を進むことの危険性」を知っていて、この未知のルートを恐れていた。テハダ兄弟はこの道のりがどれだけ危ないかを大げさに誇張し、悪い想像をふくらませていた。「ラバの荷は一週間が過ぎると減り、少なくとも二頭分のラバ荷は空になる」と、私が約束したことで、結局、言い争いにけりがついた。テハダ兄弟は、荷を背負う動物（ラバ）がすぐに腰を痛めたり、足を悪くしたりすることをよく知っている。私の提案した約束通りにすれば、足を痛めたラバを休ませる余裕もできる。彼らは安全性を考慮して、私の提案を受け入れたのであった。

九月末には、すべての準備が整った。H・C・パーカー教授が一九一〇年に実施したマッキンリー遠征隊のメンバーであり、雪山登山に精通しているH・L・タッカー氏には、探検隊に必要な装備品の手配を依頼した。そして、今回のコロプナ登山の計画と、指揮を任せることにした。登頂に成功したのは、このタッカー氏の技量と先見性によるところが大きかった。私たちには(アルプスのような山脈を熟知する)スイス人のガイドがいなかったので、当初は他のふたりの探検隊員(測量隊)に一緒に登ってもらうつもりだった。しかし、そのふたりの探検隊員(測量隊)は、西経七三度線にそって、ほとんど知られていない地域を進み、アンデス山脈でもっとも高い峠(17,633フィート)を越えなくてはならず、しかも地質学また地形学をふまえた断面図を作成するという任務を抱えていた。そのため、行程が遅れてしまい、測量隊は一一月一日までにコロプナ山へ到着できない運びとなった。そして、くもりがちになる季節が近づいていたため、「彼らの到着を待つことは賢明でない」と判断した。

私はアレキパで、イギリス人博物学者のカジミール・ワトキンス氏と、ハーバード天文台のF・ヒンクリー氏の協力を得ることができた。エル・ミスティ山(19,120フィート)への二度の登頂経験のあるヒンクリー氏には頂上まで同行してもらい、大病から回復したばかりのワトキンス氏にはベースキャンプの責任者になってもらうことにした。

アレキパの知事は、親切なことに、私たちに護衛として軍のガマラ伍長をつけてくれた。彼は人並み以上の身長と、人並み以上の勇気をもっていて、この国のことを知り尽くしている生粋のインディヘナだった。ガマラ氏は騎乗憲兵隊の一員として、数か月前に州都コタワシに駐屯していた。ある日、彼がパトロールをしていると、酔っ払った革命派の暴徒が、政府の建物を襲撃してきた。ガマラ氏はそこに立ちはだかり、突破しようとした暴徒のリーダーを撃ち、それを見た暴徒たちは散り散りになったという。知事は、そのことに感謝して、彼

（ガマラ）を伍長に任命し、コタワシにいては身が危険なので、アレキパに転任させたのだった。しかし、ガマラ伍長はインディヘナの常として、アレキパで「アルコールの虜（酒びたり）」になってしまっていた。砂漠を横断する私たちの護衛を、県知事から命じられたアレキパの騎兵隊長は、「渡りに舟」と（部下の）ガマラ伍長をその役に任命し、厄介払いしたというところだった。ガマラ伍長の勇敢さを疑う者はいないが、彼の気質はやや面倒なことを起こす可能性がある。そして、ガマラ伍長は、私たちが（あの事件のあった）コタワシに行くことを知らずにいた。もし彼がそのことを知っていたなら、そしてコロプナ山で彼の身にせまる危険を予知していたなら、彼はこの任務を断っていただろう。しかし、私はガマラ伍長を信じ、期待さえしていた。

　一九一一年一〇月二日、タッカー氏、ヒンクリー氏、ガマラ伍長と私はアレキパを出発した。ワトキンス氏はその一週間後、私たちに続いた。コロプナ山登頂の第一段階として、まずアレキパからビトールまでの三〇マイルを列車で移動した。そしてラバの隊列で、荷物を送ってもらうことにした。食料品（例のユニット・フードボックス）のほかに、テント、ピッケル、スノーシュー（雪山歩行具）、気圧計、温度計、測角儀、ファイバーケース、スチールボックス、ダッフルバッグ、折りたたみ式ボートなどがラバの積み荷で運ばれた。

　ラバの隊列は、前日にアレキパを出発したはずだった。そのため私たちの到着と同時刻にビトールに到着すると見込んでいたが、それを旅の初日から求めるのは、ラバ追いにとって荷が重すぎたようだ。結局、私たちはビトールの小さな鉄道駅近くで、一日中待つことになった。私たちは、近くの平原（パンパ）を歩きまわったり、沿岸部の大砂漠によく見られる三日月型の砂丘について調べたりして楽しんでいた。南米の広大な熱帯雨林や、人を寄せつけない密林の話ばかりを読んでいると、北のエクアドルから南のチリの中心部にいたる大陸西海岸部が、広大な砂漠のなかで、ぽつりぽつりとオアシスが点在する大砂漠であることを忘れてしまう。ここでは、アンデス山脈の雪解け水を源流とする河川の水を、灌漑目的であちらこちらに流している。そして、ペルーの首都リマは、これらのオアシスのなかでも、もっとも大きなもののひとつにあげられる。

ペルー海岸地帯の街は、しめった霧におおわれることはあっても、雨に降られることはほとんどない。この気候現象の原因は、かんたんに説明できる。大西洋やアマゾンの水蒸気をふくんだ東からの風が、アンデス山脈の東斜面で急激に冷やされ、モンターニャ（東山麓の熱帯雨林(ジャングル)）に水蒸気が蓄積(ちくせき)される。そして東からの風が巨大なアンデス山脈を越えるころには、雨の原因となる水分は残っていない。逆に、暖かい太平洋から吹いてくる西の風は、南米大陸の西海岸に並行して北上する寒流のペルー海流（フンボルト海流）に衝突する。この寒流は、太平洋からペルーへやってくる偏西風(へんせいふう)から水分を奪う。そのため、この西の風は暖かい陸地に到達するまでに湿度が低くなっている。

もちろん、年によってはアンデス山脈西斜面（ペルー）に大量の雨が降り注ぎ、丘陵の斜面が花でおおわれる月もある。しかし、この緑の繁茂(はんも)はそれほど長く続かず、私たちの目の前に広がる大砂漠のパンパ（平原）に大きな影響をあたえることはない。この地域のほかの平原と同様、大地は海に向かって傾斜している。そのうえを吹く風によって砂が舞い、最後には三日月型(メダノス)の砂丘になる。これらの砂漠は、私たちに大きな感銘(かんめい)をあたえた。夜の砂漠に吹く風は比較的穏やかで、涼(すず)しい山の斜面から海に向かって降りてくる。この風は、軽い砂の粒子(りゅうし)を吹き飛ばし、何度も転がして、重たい砂の粒をその場に残していく。そして、昼の砂漠では、逆の現象が起きる。正午に向かって暑さが増すと、熱せられた平原から急激に熱気流が上昇する。そこに真空がつくられ、それを埋めるため海からの風が吹きあがってくる。この風は、午後の早い段階で風速を増していき、より重たい粒子(りゅうし)の砂をはるか上空に吹きあげる（砂を雲に巻き込んでいく）ほどの強風になる。重い砂の粒子(りゅうし)は砂丘の基部に押し寄せ、砂丘両側の尖(とが)った尾根(おね)に堆積(たいせき)する。夜になると、軽い砂の粒子(りゅうし)が斜面を吹きくだるあいだ、重たい粒子(りゅうし)は静止する。しかし、翌日午後の強風で、再び砂丘全体の砂がゆっくりと吹きあがる。その結果、美しい三日月型(メダノス)の砂丘が生まれるのであった。

夕方五時ごろ、クスコ近郊で手に入れたものよりも、はるかに立派な見た目のラバが、小さなほこりっぽい広場で、元気よく走っていた。積み荷の調整に時間をとられ、ビトールのオアシスに向けて出発したのは、すでに月明かりのさす一九時近くだった。高原から遠ざかって暗い峡谷(きょうこく)に入り、砂塵(さじん)舞う曲がりくねった道を進むと、はるか北西の地平線にかすかな白い光が見えた。コロプナ山だ。それからしばらくして二一時少し前に、ラバの荷をおろすための小さな家畜小屋に到着した。私たちは、きれいな石を敷き詰めた床をもつ部屋を見つけ、そこで旅装(りょそう)をといて休むことにした。しかし、昼間の砂漠の酷暑(こくしょ)をさけて移動するキャラバン隊の通行音で、夜中に何度も起こされる羽目(はめ)になった。キャラバン隊は、隣りあうオアシスが数マイル程度の距離ならば、日中に移動するのが一般的だ。しかし、砂漠の横断に八時間も、一〇時間もかかり、休むところも、水も、日陰もない場所では、キャラバン隊の動物たちの歩みは苛酷(かこく)なものとなる。そのため、そうした場合にはほとんどのキャラバン隊は、できる限り、夜に移動するのであった。私たちの通る最初の砂漠(シワスの平原)はそれほど広くないと聞いていたので、昼間、渡って、そこで何が見られるかを確認することにした。

朝四時半ごろに起床し、七時前には出発した。そして、ここから想定外のトラブルに巻きこまれた。アレキパ在住だからか？　それともよい騎手に見えたからか？　あるいは彼らが感じとった何か別の理由からか？　テハダ兄弟はヒンクリー氏にとても気性の荒いラバを割りあてていたのだった。気がつくと、ヒンクリー氏はもっていたカメラやプレートホルダーの梱包(こんぽう)、ハーバード天文台から借りた大きなメルキュール気圧計(きあつけい)などもろとも、真っ逆さまに砂漠に振り落とされてしまった。さいわいなことにヒンクリー氏にケガはなく、暴走したラバはガマラ伍長(ごちょう)が懸命に追いかけて連れ戻した。ヒンクリー氏がそのラバに再び、騎乗したあと、私たちはトウモロコシ畑やブドウ畑、柳(やなぎ)やイチジクの木が茂る、のどかな小道をしばらく進んだ。

ビトールのおもな産業は、スペイン植民地時代に植えられた、ブドウの木からつくられるワインの製造であった。ワインは地面に埋められた六フィート以上もある巨大な樽で熟成される。私たちは、一七個もの樽がならべて売られている様子を見た。まるで『アリババと四十人の盗賊』を彷彿とさせる光景だが、この巨大な樽ならアリババが隠れるのにも、うってつけであっただろう。

ビトール・オアシスと砂漠の境界は、灌漑用水路の跡が走る等高線上にある。ここでは、徐々に緑が少なくなり、次第に砂漠になっていったりはしない。ある地点から突然、砂漠がはじまる劇的な変化を見せる。そして振り返れば、その先にはイチジクの木やブドウ畑の鮮やかで、豊かな緑が広がっている。オアシスの水は豊富だが、その水の多くは無駄になってしまっている。ワイン生産者たちだけでは使いきれないほど、ありあまる水があるので、もっと多くの土地を耕すことだってできるだろう。問題は、農産物を対外向けに出荷できる港が少ないこと、オアシスと鉄道のあいだに横たわる砂漠をキャラバン隊で移動するのに費用がかかること、そして資本がないことがあげられる。これらの問題が解決したなら、今は人が住んでいないこの火山性土壌地帯にも、灌漑システムが広がっていくかもしれない。

一五分かけて、渓谷の北側の縁まで登ってみた。すると七〇・五マイルを隔てた北西方向の彼方に、雪をいただくコロプナ山が太陽の光を受けて輝いているのが見えた。しかし、その景観も束の間のこと、三分もたたないあいだに渓谷を下らなくてはならなかった。渓谷を越えると、シワスの平野に出た。周囲には見るべきものはほぼ何もないが、遠くにコロプナ山がそびえている。私は「どのようにこの峰を登るか」という登山ルートの検討をはじめたところだった。するとヒンクリー氏のラバが、私の目の前を勢いよく横切り、後ろ足を蹴りあげて、再び気圧計、カメラ、プレートなどと一緒に彼を砂漠に放りだした。今回は運悪くヒンクリー氏の足が鐙に引っかかってしまい、遠くまで手綱を握ったまま引きずられていった。ヒンクリー氏は必死に立ちあがって

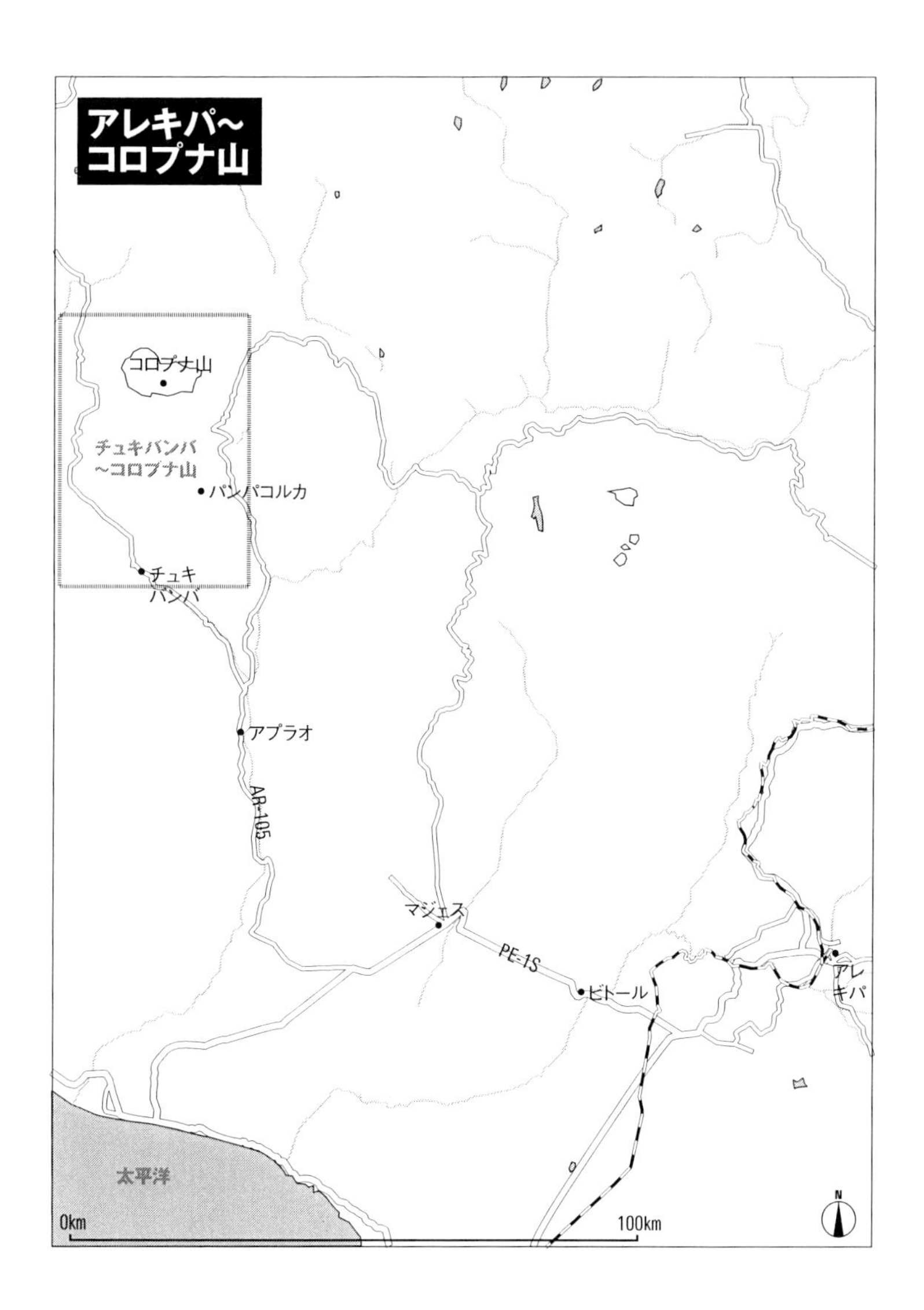
アレキパ～
コロプナ山
コロプナ山
チュキバンバ
～コロプナ山
パンパコルカ
チュキ
バンバ
アプラオ
AR-105
マジェス
PE-1S
ビトール
アレ
キパ
太平洋
0km
100km
N

ラバが逃げないように抑えていたが、ラバの激しい蹴りで気絶してしまった。私たちは熱くなった砂漠の砂のうえに、すぐに小さな簡易テントを張り、ついていない天文学者への応急処置をほどこした。この凶暴なラバは、蹄の先の鋭い蹄鉄で、ヒンクリー氏の足の静脈を傷つけてしまっていた。生命にかかわるほどではないが、それは山登りをするには深すぎる傷だった。

ガマラ伍長の助けを借りて、その夜、ヒンクリー氏はアレキパに到着し、この旅からやむなく離脱することになった。ヒンクリー氏にとって、コロプナ山登頂の夢がついえた一方、残された私たちふたりにも問題が起こった。雪山で氷河を渡るのに必要な「三人用ロープ」をふたりでどのように使うか？　インディヘナ（ガマラ伍長）は雪山が好きではないはずだ。どうするか？　ともかく私たちは簡易テントをかたづけて、再び、砂漠を進むことにした。

午後四時ごろ、渓谷の谷あいにある庭園のように美しいシワスのオアシスに到着した。そして、その地のカトリック司祭が「ブドウの木の陰で休むように」と私たちを快く迎えてくれた。もしその好意がなかったら私たちはそのあたりで野宿をしなくてはならなかったかもしれない。司祭は私たちにケーキとこの地の甘口ワインをふるまってくれ、「好きなだけ滞在していただいて構わない」と言ってくれた。目の前に広がるマジェスの砂漠は、この地域でもっとも広く、気温が高く、不毛地帯でもあった。ラバ追いたちは、昼間、この砂漠を進むことを嫌がった。水飲み場と水飲み場のあいだは、四五マイルも離れているという。私たちは、次の日の夕食後まで、あの親切な司祭のもてなしを受けることになった。

この地のオアシスの住人は、雨はもともと降らないものだと思い込んでいる。そのため、彼らの家はもっぱら太陽の陽射しと、風を避けるためのつくりになっている。そして、その家は熱帯雨林の木や、灌漑水路の堤防に生えているサトウキビを素材としていた。屋根に葺かれたサトウキビのあいだには、アドベと呼ばれる日干しレンガがおかれている。家の壁に漆喰を塗る必要もなく、空気は自由に入れ替わっているし、隙き間から外の景色を見ることもできる。

その夜、私たちは月明かりを受けながら、ラバに乗った。ゆっくりと谷を登り、時間をかけて夜の砂漠を進んでいった。月が沈むころ、丘陵地帯に入り、日の出とともに、自分たちが巨大な砂丘のまっただなかにいることに気がついた。深さ一マイル、幅二マイルもの規模の大峡谷ということもあって、峡谷全体を見渡せる場所から、谷底のオアシスに降りてくるのに三時間もかかった。谷底のオアシスは鮮やかな緑を見せ、そのなかをマジェス川の急流が走っている。そして、そのマジェス川は乾季でも深すぎて歩いて渡ることはできない。荒ぶるマジェス川の氾濫原のほとんどは耕作されておらず、野生の密林になっている。つまり乾季でも近寄りがたく、雨季には川の増水で近づけない。巨大な砂丘と、植物の緑がつくる鮮やかな対称は印象的だった。しかし、そのなかで私たちが「もっとも美しい」と感じたのは、真っ白な姿のコロプナ山であった。

朝八時、朝食をとるタイミングを考えていたところ、ピタス（またはセロ・コロラド）という場所で、判読しづらい絵文字の記された巨大な火山岩を発見した。さらに周辺を探索すると、一〇〇個ほどの同様の巨石が見つかって、それぞれに粗雑な絵が描かれているのが確認できた。この巨石の近くには、人が生活している形跡は見あたらなかった。何度もこの地方ピタスを訪れているテハダ兄弟も、ピタスの住民も、この「絵文字の岩（絵文字礫群）」が何なのかわからないようだった。そこには、ヒョウや鳥、人間、（ダックスフンドのような）犬といった絵が見られた。これは慎重に調査したほうがいい。そして、私はこの遺跡「絵文字の岩（ロカス・ジェログリフィコ）」への好奇心と興奮に寝食を忘れ、何時間も調査に没頭していた。そして、数枚の写真を撮ってから、先を急ぐことを決めた。私たちは危なかっしい仮設の橋で、マジェス川を渡った。この橋は乾季にしか使えないいつくりとなっていた。洪水に耐えられるような立派な橋をつくるのは、今のところ採算がとれないという。そして、この日はコリリという小さな村で休んだが、無数のハエに悩まされて、ほとんど眠れなかった。

次の日、渓谷の西側にそって、カスティーリャ州の州都アプラオの街にたどり着いた。住人たちはこの地を「マジェス」と呼んでいるが、ライモンディの地図では、マジェスという名前はマジェス川とその周辺の砂漠にしか使われていない。ライモンディが訪れた一八六五年には、疫病が流行して、この街は悲惨な状況にあったようだが、今は、健全な街になっている。私たちの来訪を電報で知らされていたカスティーリャ州の副知事が、私たちを盛大な夕食会に招待してくれた。

マジェスには、白人とインディヘナの混血が多く見られる。彼らの物事の考えかたは、とても現実的に思えた。ある店の主人は、アメリカ製の靴をこよなく愛していたが、彼の発する「（靴の名前の）発音」に、私たちは困惑した。スペイン語ではWの固定音がないし、「a」、「l」と「k」の文字がならぶことはない。店主が最後の音節に強いアクセントをつけて「『Valluck-ofair』をどう思うか?」と尋ねてきたとき、私たちは彼が何を言いたいのか理解できなかった。一方、店主は店主で、「（私たちが）この有名な靴の名前を知らないほど、無知なのか?」と訝っていた。

マジェスでは、アレキパの工場に送られる綿花、家畜の飼料として重宝されるマメ科のムラサキウマゴヤシ、「アグアルディエンテ（お酒、ホワイト・ラム）」の原料となるサトウキビ、そしてブドウなどが栽培されていた。マジェスのブドウ畑の歴史は、一六世紀にさかのぼる。現在、使われている巨大な土製のワインジャーは、フィリップ二世の時代にすでにつくられていたという。本来、アンデス高原地帯のインディヘナは、強烈な寒さと生活苦から、陰気で、不機嫌で、無気力なことが多い。しかし、この街の住人たちは活発で明るい。ワイン生産者の住居は、ときに人を惑わせることがある。富裕層の典型的なカントリーハウスは、見た目があまりよいとは言えないからだ。細長くて、低い平らな屋根と、荒々しく薄汚れた泥色の壁、その外見は魅力的には映らない。

▲上　北西側から見たコロプナ山［『INCA LAND』掲載写真／1922年発刊］　▲下　南側から見たコロプナ山［『INCA LAND』掲載写真／1922年発刊］

しかし、住居内に足を踏み入れてみると、清潔さ、快適さ、おしゃれな家具、ピアノ、蓄音機などに驚くことだろう。

翌朝、海抜1,000フィートから10,000フィートにいたる、長く、険しい登り坂が待ち受けていることを知り、正直者で、働き者のラバ追いたちは、一時に起床した。そして、一日がかりの旅のあと、私たちは飼料を手に入れやすい場所を探して、そこでキャンプした。熱帯性植物の茂る地を離れ、ジャガイモと大麦の地に戻ってきた。翌日、少し進んで、もうひとつの「絵文字礫群」を通り過ぎた。しかし遺跡は、チュキバンバ（ペルーの街）の乱暴なトレジャーハンター（盗掘者）によって破壊されていた。

チュキバンバは人口三〇〇〇人ほどで、コンデスヨス州の州都であった。ここは数か月前にコロプナ山登頂のための、起点として選んだ街だった。コンデスヨス州の気候はすばらしく、温帯の果物や穀物がかんたんに栽培できる。街の周囲には、庭園やブドウ畑、マメ科のムラサキウマゴヤシや穀物畑が広がり、効率よく農業が行なわれている。街はマジェス渓谷の分岐点のひとつに位置し、高い崖で周囲をおおわれていた。チュキバンバの人たちは、とても友好的だった。副知事のベナビデス氏は、「自分の家の大広間をホテル代わりに使ってよい」と言って、親切に迎えてくれた。そこに州医師のパストル博士や国立大学に勤めるアレハンドロ・コエロ教授はじめ、地元の役人たちが私たちに面会しにやってきた。医師の博士と教授のふたりは、「（私たちと一緒に）コロプナ山に行きたい」とさえ口にした。そして、彼らから、「コロプナ山の山容が視界に入る、近くのカルバリオの丘まで連れていく」という申し出も受けた。私たちは、それを快く承諾した。これでコロプナ山の登頂に必要な「（私たちふたり以外の）もうひとり」を誘うとしたら、どちらが適しているか自ずとわかるとも考えた。そして、そのときコエロ教授が他のメンバーを大きく引き離して歩いていったため、「もうひとり」に適格な人物が誰かを理解できた。

カルバリオの丘からは、わずか二五マイル先に、白い雪をいただいた孤高の峰がそびえる、すばらしい光景が広がっていた。山名の由来となっている、西側の切り立った頂のない円頂（コロ＝「切り取られた頂上」、プナ＝「雪山」）が、この山脈の最高点であり、東側のどの峰よりも高いことは明らかだった。そして、そのドーム状の平らな円頂の奥には、北側の峰が見えていた。タッカー氏は、「北側の峰は（私たちが登山を決めた）西の峰よりも高いのではないか？」と推測した。誰もこの山について、知らなかったし、コロプナ山を知る地元のガイドもいなかった。そのときコロプナ山の頂上へ到達するための最良のルートや方法について、さまざまな意見が飛び交った。やがて「山の麓までの道を知っている」という人が現れたので、彼を雇って「ガイド」と呼ぶことにした。ペルーはすっかり春めいて、日中は快晴が続くようになった。しかし、数日前、山に大雪が降ったという。夏がまもなく到来するのであれば、時間は無駄にできない。早速、コロプナ山への装備を整えた。

ブルックリンのヘンリー・J・グリーン氏が製作した特殊な山岳用の水銀気圧計は、12,000フィート以上の気圧だけを記録することができ、それを高度測定のために使うことにした。またワシントン・カーネギー協会の地球磁気学部門から借りた測高器と、グリーン氏が私たちのために特別に製作してくれた温度計、ハーバード天文台から借りた大型の水銀気圧計は、ヒンクリー氏のラバに手荒くあつかわれたにもかかわらず、充分に機能していた。私たちがもっとも必要としていたのは、壊れやすい水銀気圧計が使えなくなったときのための、アネロイド気圧計だった。

半年前、私はロンドンの著名な計器メーカーのJ・ヒックス氏に手紙を書き、「想定されるコロプナ山の高度よりも5,000フィート高く記録できる大きなワトキンス（アネロイド気圧計）を特別に製作してもらえないか」と依頼していた。しかし、返事はないままで、アレキパの誰もが気圧計のことなど気にしていないようだった。どうやら私の手紙は、私の思うようにはJ・ヒックス氏に届かなかったようだ。しかし、ここチュキバンバで特別に注文した「マウンテン・グラブ（山岳用の食料）」の箱を開けたとき、ロンドンのグレース兄弟が用意してくれた携帯保存食ペミカンやシチューの缶詰とならんで、大きなふたつのアネロイド気圧計を見つけた。このふたつのアネロイド気圧計さえあれば、バンデリアの言うとおり、「コロプナ山が本当に南北アメリカ大陸をあわせた最高頂であるかどうか」を知ることができると確信した。

コロプナ山の標高の正確な測定に関して、西経七三度線にそった測量計画をたてていた地形学者ヘンドリクセン氏に三角測量をしてもらうことにした。私がコロプナ山に挑戦した一番の理由は、ヘンドリクセン氏が三角測量をより正確に行なえるよう、コロプナ山の頂上もしくはその近くに信号機をたて、三角点として使用できるようにすることだった。だが、正直なところ、この旅の本当の一番の目的は、アルピニスト（登山家）なら誰もが心に秘めている「処女峰」を征服する興奮を味わうことにあった。

Chapter II
Climbing Coropuna

第2章
コロプナ山登頂

第2章／コロプナ山登頂

チュキバンバの街よりも2,500フィート近く標高の高いチュキバンバの砂漠台地、その谷を抜け出したのは一〇月一〇日の朝九時のことだった。そこからコロプナ山は視界に常に入っていて、私たちはその山容を目に焼けつけながら、コロプナ山に向かってゆっくりと近づいていった。ここは標高15,000フィートを超す高原なのに、コロプナ山はそのさらに上方にひときわ高くそびえている。実際、コロプナ山が鎮座するのはまだ二〇マイルほど先だった。

コロプナ山の巨大な山塊は、端から端まで雪でおおわれているわけではない。どこまでが雪で、どこからが氷河なのかわからないほど、新雪が深く積もっていた。はっきりと目視できる五つの峰のうち、真ん中の峰がもっとも低いことは確認できた。その右、つまり東側の二つの峰はそれより高いように思われる。西端にあるドーム状の峰(円頂)は、侵食されておらず、なめらかな山肌から見て、他の峰よりも新しい火山時代のものであることが推測できた。そしてこの峰は、これらコロプナ山の五つの峰のなかで、もっとも高いように思われた。目で見る限り、コロプナ山に到達することはそれほど難しくはなさそうだった。

コロプナ山ではごつごつとした岩の斜面が、雪の降り積もった山頂に続いている。雪におおわれた部分は岩がまばらで、雪の広がりは円頂(ドーム状頂上)の麓の鞍部までいたり、そこで終わっている。円頂東側の斜面は、急ではあるものの頂上までの道が途切れることなく続いている。雪の残っている雪線に到達できれば、(雪山登山用の)アイス・クリーパーやスノーシュー(雪山歩行具)を使って、問題なく、山頂に到達できるように思われた。

しかし、この場所から雪の積もった斜面とのあいだには、深い峡谷や急峻な谷間、荒々しい溶岩が一〇マイル以上にわたって続く火山性の砂漠が広がっていた。ガイドにうながされ、私たちはコタワシの道を離れて野ざらしの荒野に出た。そして、溶岩流の跡を避けながら砂漠を横断し、ゆるやかな台地の坂を時間をかけて登っていった。坂が急になるにつれ、私たちのラバは苦しそうな仕草を見せるようになった。ラバたちを休息させているあいだ、私たちは徒歩で先に進み、短い上り坂をあがっていく。すると正面に見えるコロプナ山を前に、山の斜面を隔てて横たわる深さ1,500フィートの絶壁の峡谷の縁に、自分たちが立っていた。それは驚きの光景だった。峡谷から見上げるコロプナ山は、山の中央から両側に向けて高低二つの斜面に切り裂かれているが、私たちはその高いほうの斜面にいたのであった。

ラバを休ませたあと、テハダ兄弟は「コロプナ山に向かって直進するのではなく、左に曲がってこちらの道を進むこと」を提案した。そして「コロプナ山の山麓地帯の地形についてどの程度知っているのか？」と私たちをたしなめるように聞いてきた。テハダ兄弟の話では、「この渓谷には（休息をとることのできる）小屋はまったくない」とのことだった。「アバンドナンド、デスポブラド、デスイエラト（放棄された、孤独の、荒野の）」。テハダ兄弟はそんな言葉を繰り返していた。そして「コロプナ山麓に、行ったことがあるのか？」という私の質問には「いいえ、セニョール」という答えだった。

それからしばらくして、私たちは運よく、小川の渓流わきに二、三の小屋を見つけることができた。一刻も早く、コロプナ山の（万年雪が残る）雪線に到達しなくてはならなかったので、私たちはテハダ兄弟のアドバイスをしりぞけ、自分たちなりの手段を選んだ。この峡谷周縁の標高は16,000フィート（標高5,000m近く）になる。高山病による苦しみがラバにも影響をあたえ、それは深刻なものになっていた。ラバ追いたちは大声でラバを叱咤したが、高度で苦しむラバの苦痛をやわらげるために、彼らにできることはラバの耳に穴を開けて空気を通すことだけであった。臆病なラバ追いたちは、渓谷を見下ろせる場所に着くと、緑の牧草地をいくつか見つけた。そして、多少元気をとり戻した。ラバたちはこのような苛酷な道を進ませる「（自らの飼い主である）テハダ兄弟」の無知にあざけりの笑みさえ浮かべていた。こうしたなか、私たちはすぐに小屋へと続く道を見つけた。

小屋の近くには無口なインディヘナの女性がいて、銀の前払いの条件を提示したが、燃料や飼料(しりょう)の提供には応じてくれなかった。それでも、私たちはそこでテントを張り、彼女の家畜小屋の石垣を利用して、焚(た)き火の火をくべながらそのときを過ごしていた。私たち来訪者がインディヘナに害をあたえるわけではないとわかったころ、小屋の扉のひとつが開き、インディヘナの男が現れた。私たちの到着直前にインディヘナが身を隠したのは、私たち一行にいるガマラ伍長(ごちょう)がつけていた「金ボタン」が理由であったことに間違いない。荒野の片隅に暮らすインディヘナはなんらかの罪悪感を抱えていて、「金ボタン」(軍人の姿)」を見て、とっさに小屋の扉を閉めてしまったのだろう。「(自分たちが兵役義務を果たしていないので)徴兵に来られたのではないか?」と恐れていたのかもしれない。いずれにしても、私たちの目的が「主人を探すためにここに来たのではない」と知った妻が説得したことで、夫(インディヘナ)の恐怖心は好奇心に変化したのであろう。

このインディヘナは数頭のリャマを飼っていた。また、藁(わら)やリャマの糞を使って焼いた粗末(そまつ)な陶器をつくっていた。そして彼らは、チューニョという苦いジャガイモを凍らせてつくったお粥(かゆ)を、毎日のように食べていた。海抜14,000フィートの高地では、ジャガイモ以外のものはほとんど育たない。ともに暮らす隣人と言っても、(氷河により近い)この谷あいの半マイル以上先(上)に住む孤独な老人と、一マイル半下に住む小家族だけだった。日が暮れる前に、この「ご近所さん」たちが訪ねてきた。私たちはラバの荷降ろしを手伝ってもらおうと、男性たちにコロプナ山麓までの同行を求めたが、彼らはかたくなに私たちの要求を聞き入れてくれなかった。そのうちのひとりは、コロプナ山へ行きたそうにも見えたが、彼が悩んでいると、おとなしくて上品そうな彼の妻が横やりを出してきた。「行ったら山に食われてしまうよ(遭難して帰ってこれないよ)」と吐き捨て、「天寿(てんじゅ)を全うして、天国に行きたいのでなければ、勝手にしたら?」と彼を突き放した。つまり、「(彼に)ここにいるよ

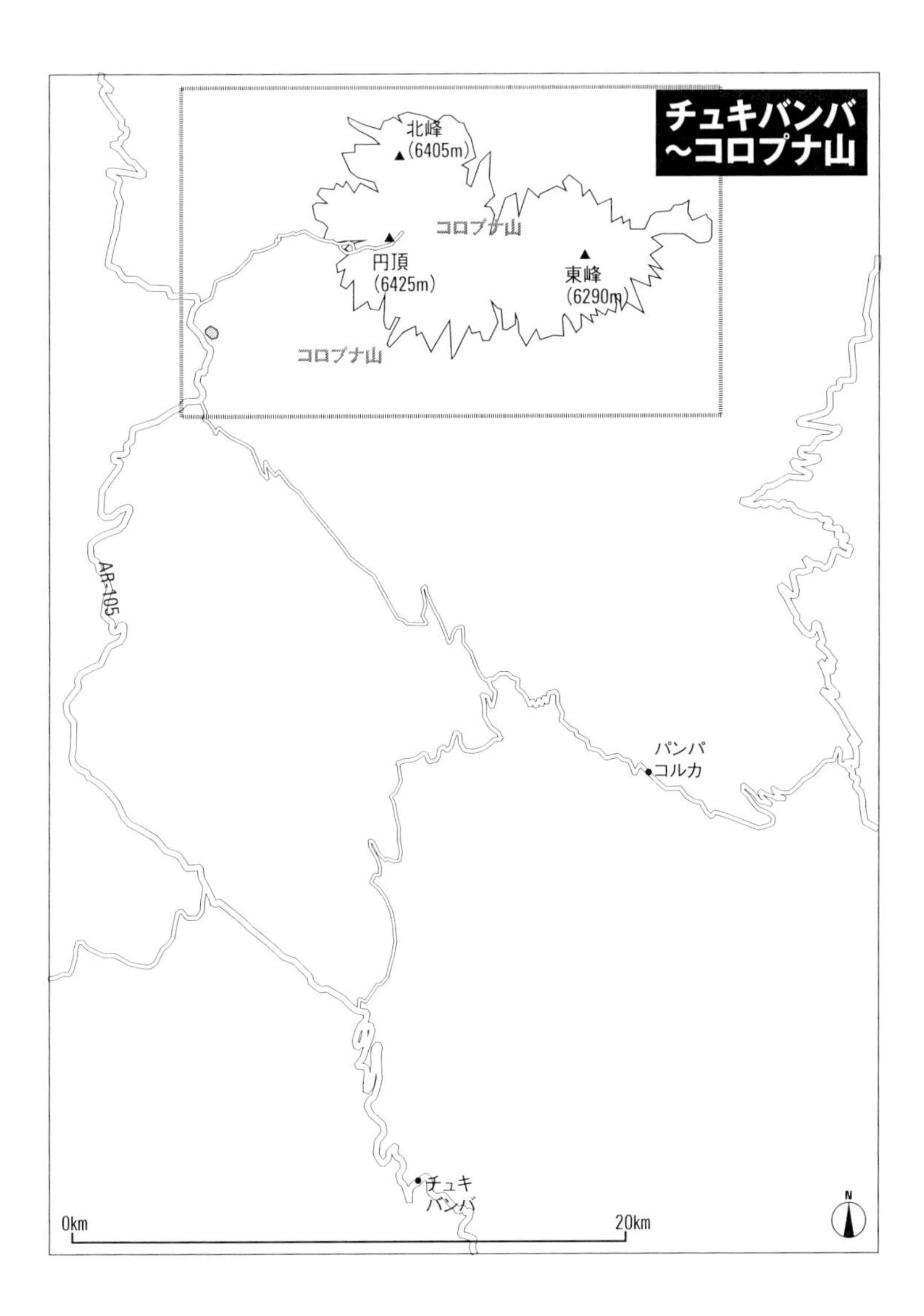
チュキバンバ
～コロプナ山
北峰
(6405m)
コロプナ山
円頂
(6425m)
東峰
(6290m)
コロプナ山
AR-105
パンパ
コルカ
チュキ
バンバ
0km
20km
N

うに」とうながしたのだった。

インカ帝国に関する初期(一五五〇年)の記録者(クロニスタ)のなかでもっとも有名な人物のシエサ・デ・レオン(一五一八?~五四年)は、「コロプナ山では『悪魔』がいつもよりも『気さく』に話しかけてくる」と記している。「神のみが知る秘密によって、かの地では悪魔が目に見える姿で歩きまわっているといい、それを知る地元の人たちは非常に恐れている。その悪魔がインディヘナの姿を借りて、キリスト教徒として現れたという話も聞いたことがある」のだという。もしかしたら、この気さくなインディヘナの夫人も、実はコロプナ山に棲む悪魔の化身だったかもしれない。彼女はたしかに「気さく」に話をしていた。あるいは彼らインディヘナは、「コロプナ山の悪魔が、私たちキリスト教徒の姿を借りて、自分たちの前に現れている」とでも考えたのかもしれない。

いずれにしても、コロプナ山の頂上には美しい花や甘美な果物、鮮やかな羽をもつオウムやコンゴウインコ、そして普通は暑い地域に暮らすはずのサルまでが生息する「楽しくて、暖かい楽園だ」と地元の人たちは口にする。死者の魂は、この魅惑の地(コロプナ山の頂上)でひと休みをし、それから天に昇るのだという。雪山の近くに住む多くの原住民がそうであるように、この地のインディヘナも、誰も寄せつけない禁じられた頂(いただき)と、そこから駆けおりてくる吹雪(ふぶき)を恐れていた。おそらくインディヘナたちは、「悪魔の住み家(コロプナ山)」にまつわる魅力的な物語を創作することで、その悪魔を鎮(しず)めることを願ったのだろう。一八六五年に偉大な探検家ライモンディが発見したのだが、パンパコルカの隣の村では、「(インディヘナが)文明世界から追放されながら、原始的な習慣を守り続けている。つまり彼らインディヘナは、偉大な雪山であるコロプナ山の斜面に偶像(ぐうぞう)を運んでは、悪魔への生け贄として捧げている」と述べている。この山は今でも周囲に暮らす人々の心に恐怖と畏敬(いけい)の念をあたえているようだった。

私たちは、インディヘナたちに私たちの探検(荷物運び)に協力してくれるよう頼んでみた。私たちは、貴重な嗜好品の「コカの葉」、彼らの大好物である「火の水(強い酒)」、めったに見られない「タバコ」など、ペルー高地に住む人たちが欲するものを代償として提案した。しかし、彼らにとってコロプナ山への恐怖はそれらの品々をもってしても、補うことはできなかった。彼らは、コロプナ山に積もっている雪の反射光による雪盲(目の炎症)になることをまぬがれないことも知っていた。そして、サングラスをふくめ、防寒着、灯油ストーブ、いくつかの食べものといった条件にもほとんど興味を示そうとはしなかった。結局、付近の労働者が得る平均的賃金の相場の一〇倍にもなる、(前代未聞の)賃金を前払いするという条件で、私たちの仕事を引き受けてくれたのだった。

アレハンドロ・コエロ教授は、私たちの荷物の運び役になったインディヘナの言葉であるケチュア語ができて、彼らのことを理解しているようだった。探検隊の立場からだけでなく、「ペルーの紳士は、荷物運びなどするものではない」という彼らの立場を尊重しつつの、それは絶妙な交渉術であった。私はペルー山間部の都市に暮らす、もっともエネルギッシュで、有能なビジネスマンを知っているが、彼は鉛筆ほどの大きさの写真をもち歩くことさえ嫌がり、カルガドール(ポーター)に運ばせていたほどだった。実際、コエロ教授は、期待された役割以上の仕事をしてくれた。しかし、彼も、私も、自分たちが重い荷物を背負って、モンブランより数千フィートも高い、空気の希薄な山を登ろうとは思っていなかった。このインディヘナたちとの話は無駄に長く、交渉は長時間続き、使用する金品の額はどんどん釣りあがっていった。そして結局、それらの交渉も無駄になった。最終的には、コロプナ山まで運ぶ物資や食料は、自分たちの肩に載せなければならなかったのだから。

その日の夕方、キャンプ地近くの谷間から見るコロプナ山頂部は、バラ色に輝いていて、言葉にできないほど美しかった。空気はとても冷たく、近くの小川は凍てついていた。夜になってガマラ伍長のラバが、コエロ教授のラバとともに、どこかへ消えてしまった。ホームシックになったのだろうか? ガマラ伍長に迷い子のラバの捜索を依頼し、「できるだけ早く見つけて、私たちのところに戻るように」と告げた。

結局、私たちは充分な担ぎ手や運び手を確保できなかったため、テハダ兄弟に荷物をラバで運ぶようにお願いしてみた。しかし、テハダ兄弟はそれを断固として拒否した。兄弟の兄ドン・パブロによると、「ラバ隊列の行程はすでに契約分を超えてしまっている」のだという。このキャンプ地に到着してすぐに、タッカー氏が周囲の偵察に出かけた。すると彼は、「峡谷から、山の下の斜面にあるリャマの牧場へ通じる道を見つけた」と報告してくれた。しかし、ラバ追いのテハダ兄弟たちは、タッカー氏の情報をにわかに信じなかった。そして、長い議論の末、「彼ら（ラバの隊列）は道がよいところまでは行ってもいいが、それ以上は進まない」ということで合意した。自分がラバに乗れるか、どうかの問題ではない。よりコロプナ山頂に近いできる限りの高地まで、ラバで荷物を運んでいって、「あとは自分たちの肩でそれを担いでいく」という覚悟を決めなくてはならなかった。そのとき荷物はかなり減っていたものの、ラバ追いたちの荷づくりはだらだらとしていて、しぶしぶ私たちについてきているようだった。そして予定している二週間のコロプナ山での滞在で必要なもの以外、馬具や生活用品はここにおいて出発することになった。荷物が軽くなったことでラバたちの負担は軽くなり、速く歩けるようにもなった。しかし、ラバ追いたちの絶え間ない愚痴を聴かないですむように、私たちは彼らの前に進んで、彼らと距離をとって歩くのがトラブルを避ける最善の策だと考えた。

わりと歩きやすい道を一時間ほど進んだ後、テハダ兄弟は牧草地の端で立ちどまった。そして、「俺たちは、ここ、この場所で戻って帰るのだ！」と大声で叫んだ。私たちもそれに呼応するように（テハダ兄弟に向かって）「さあ私たちは、ここから、さらに前に進むのだ！」と叫んだ。そこから先はゆっくり歩いて三〇分ほどかかりそうな、黒くて粗い火山礫におおわれたジグザグの坂道が続いている。テハダ兄弟は立ちどまっただけでなく、ラバの荷を降ろしはじめた。私たちは急いで彼らのところに戻って、キャラバンの続行を指示したが、テハダ兄弟は契約の文言に照らしあわせて「ラバが合理的に考えて、進めることが可能である距離は過ぎた」と固辞した。そして「すでに契約が履行された」「(契約の履行は)されていない」といった激しい議論がはじまった。

実際、テハダ兄弟は、神秘的なコロプナ山に近づくにつれて、恐怖心を募らせているようだった。彼らは「山を汚したりすれば、コロプナ山が自分たちのラバを殺して復讐する」と信じこんでいて、「ラバは翌日、高山病で必ず死んでしまう」と考えていた。私たちは「テハダ兄弟があと一時間仕事を続けてくれるなら、三〇ソル(約一五円)のボーナスを支払う、それが嫌なら……」とさまざまな駆け引きや脅し文句をならべてみた。すると彼らはなんとか荷物を整えて、再びコロプナ山に向かって進みはじめた。

すでに標高は16,000フィートほどに達していた。ラバ追いたちは急峻な小高い丘の麓に着いたところで再び立ちどまった。そして、私たちが砂や岩のうえをよじ登って、テハダ兄弟を制止する前に、二頭のラバの荷物を降ろしてしまった。脅しや祈りはもはや役に立たない。唯一、信頼できるのは法的な文書だけだった。テハダ兄弟は「(雪線まで進もうとする私たちの)この愚かな試みの結果、ラバが死んだ場合には、死んだラバ一頭につき、二〇〇ソルを金で支払う」という「書面」による契約を求めてきた。さらに「正午まで、あるいは雪で登れなくなるまで、登山を続けたら、五〇ソルのボーナスを支払う」という新たな契約で合意するほかなかった。この文書は、コエロ教授が古い火山の燃えかすにおおわれた溶岩の塊のうえに坐って作成し、正式に署名捺印が交わされた。時間に関して今後、争いが起きないよう、私の所持品である最高級品の時計を、兄弟の兄ドン・パブロに渡し、正午まで預かってもらうことにした。

再び荷を積み込まれたラバは、コロプナ山へ向かって再び登りはじめた。ラバたちの前には、巨大な溶岩と火山礫におおわれた急斜面の悪路が続いていた。私たちは、問題が山積みであることはわかっていた。しかし、有利な取引を決めたラバ追いのテハダ兄弟は、契約を実行するために最善の手を尽くしてくれた。そして幸運にも、ラバたちは約束の十二時まであと一五分を残して、雪線に到着した。テハダ兄弟はすぐに荷物を降ろしてボーナスを受けとり、一〇日後に戻ってくることを約束すると、あっという間に山の中腹に消えていった。

一方、私たちはその日の午後、コロプナ山登山の基点となるベースキャンプの設営にとりかかった。私たちは三つのテントを携行していた。ロンドンのエジントン製で、高さ四フィートの軽くて小さなママリー・テント（簡易テント）、重い素材で床が縫いつけられた七×七の一般的な幕をもつテント、そしてデイヴィッド・アバークロンビー製のピラミッド型テントの改良型だった。

三番目のテントは、パーカー教授がマッキンリー山で使ったものを参考にタッカー氏がデザインしたものだった。タッカー氏のこのテントは、開口部を二か所もっていた。ピラミッド上部にある小さな通気孔は、嵐のときに調節可能なキャップで閉じられていて、一方、楕円形の入口は人が這わなければ通ることはできなかった。この開口部は、伸縮するひもで自由に締めることができる。ピラミッドの底面には、防水性の重みある七×七のフロアが縫いつけられているので、フロアを地面や雪に固定したあとはガイロープ（張り綱）を使わずに、ポール一本でテントを設営できる。そのうえタッカー氏のテントは持ち運びが容易、ひとりで建てられるかんたんさ、通気性のよさを備え、天候を選ばずに四人収容できるという利点もあった。そのため、壁（幕）のテントはベースキャンプに残し、コロプナ山の登頂にはこの三番目のピラミッド型のテントを利用することに決め、また観測用に使うもうひとつのママリー・テント（簡易テント）を山頂まで運ぶことにした。

ベースキャンプの標高は、17,300フィートだった。私たちは最初、食欲もあり、高山病にもならないことに驚きと喜びを感じていた。ベースキャンプの壁（幕）のテントから一〇〇ヤードも離れていないところに、雪解け水を水源として昼間だけ現われる小さな川が流れていた。そして炊事や洗濯のための水を汲みに行くたびに、驚くほど急に脈拍があがり、息切れや動悸のすることに気づいていた。平常時の私の脈拍数は七〇だったが、この高地では一〇〇フィートゆっくり歩いただけで、脈拍数は一二〇まで上昇した。そして、しばらく坐っていると脈拍は一〇〇まで下がった。身体は徐々に重くなり、倦怠感と全身の不調に包まれた。すばらしい夕日が見られたものの、体調と寒さで夕日を楽しむ余裕はなかった。その日の夜、全員が寝不足と高山病による頭痛に苦しんでいた。コロプナ山では強風が吹き荒れ、私たちのテントはふたつとも飛ばされそうになっていた。寝つけないまま、自分たちはいつかこのもろいテントの幕が破れてしまうのではないかと考えたりもしたが、それはコロプナ山が「この登頂の危険についての警告をしてくれているのだ」と言い聞かせることにした。

あくる日の朝食では、保存食のペミカンと堅パン、エンドウ豆のスープ、紅茶をとった。私たちはみんな、紅茶にたっぷりの砂糖を入れて、何杯も、何杯も飲んだ。マッキンリー山での経験から、タッカー氏は北極圏を旅する探検家も使える保存食ペミカンの力を心から信じていた。私も、コエロ教授も、ガマラ伍長も、それまでペミカンを口にしたことはなかったが、その初体験は口にあわないものだった。「アザラシの脂身でさえ、牛乳クリームと同じぐらいおいしい」とされる北極圏での長期滞在ならば、ペミカンに大変な価値があるのは間違いなかっただろう。しかし、今回の探検では、ペミカンがなくても問題なく過ごせたと私は思う。

ベースキャンプから山頂までは、一週間の行程であった。私たちは想定されうるあらゆる不運や事故を乗り越えるための、充分な燃料と物資を携行することにした。アンデスの登山記録を見れば、未踏の峰を征服するにあたっての失敗は、食料、防寒、登山用テントの重要性を軽視したことによるものが多かった。エクアドルでのウィンパー、ボリビアでのマーチン・コンウェイ、チリとアルゼンチンでのフィッツジェラルドというように、勇敢な登山家たちが、強風、突然の吹雪、高山病からくる衰弱のなかで、たびたび挫折を強いられたことを思い出す。だから重い荷物を背負ってでも、引き返さずにすむようにと考えた。そして、不測の事態が起こらないことを祈るばかりだった。タッカー氏は、彼とコエロ教授が一日の行程で運べる五〇ポンド分の食料と燃料を、山頂までの山中の雪に貯蔵しておくことを提案した。ふたりは私につぶれたテントを設営しなおすことや、その他の雑用をまかせて、ふたりはそれぞれ二五ポンドほどの荷物を背負って出発した。その様子を見ていた私には、彼らの山を登る速度が非常に遅いように感じられた。「彼らはどこにもたどり着けないのだろうか?」「何度も立ちどまっているのもおかしな話だ」。後になってわかったことだが、船乗りが船酔いの感覚を理解できないように、登山者にとって登山経験のない人にとっての高山病の苦しみも理解できないものだった。

午前中に気圧計を設置して、一連の観測を行なうことにした。新しいふたつの山岳用アネロイド気圧計がまったく同じ値を示したのは喜ばしいことだった。翌日、山頂にもっていく荷物を均等に配分するため、すべての荷物の重量をはかることも忘れてはならなかった。私たちはプリムス社製のバーナーのついた小型の灯油ストーブを二台もっていた。数か月前にこの登山のために注文していた食料は、ペミカン八と四分の一ポンド缶分、ショカコーラ・チョコレート半ポンド缶分、干しブドウ一ポンド缶分、角砂糖四ポンド缶分、堅パン六と二分の一ポンド缶分、乾燥エンドウ豆スープのスティック、プラズモンビスケット、紅茶、そしてアイリッシュ・シチューやビーフ・アラモードなどの入った銀の(自己加熱式)携帯用炊事用具が数個という具合だった。

ところでガマラ伍長はその日のうちに、渓谷を一二マイルも下ったところで、自分のラバを見つけて戻ってきた。彼は当初、コロプナ山に登ることを嫌がっていたが、私たちが彼のために用意した防寒着を見せ、また「山頂にたどり着けば、金貨五枚分のボーナスが出ること」を知ると、私たちとともに「コロプナ山征服という任務」を引き受けることに同意した。タッカー氏とコエロ教授は、午後もだいぶ過ぎてから戻ってきて、「山頂への道の最初の部分には大きな問題はなさそうで、登山資材貯蔵所(キャッシュ)をベースキャンプから約2,000フィート上った雪のうえに設置した」という報告があった。タッカー氏は明日の荷物を割りあて、私たちがそ

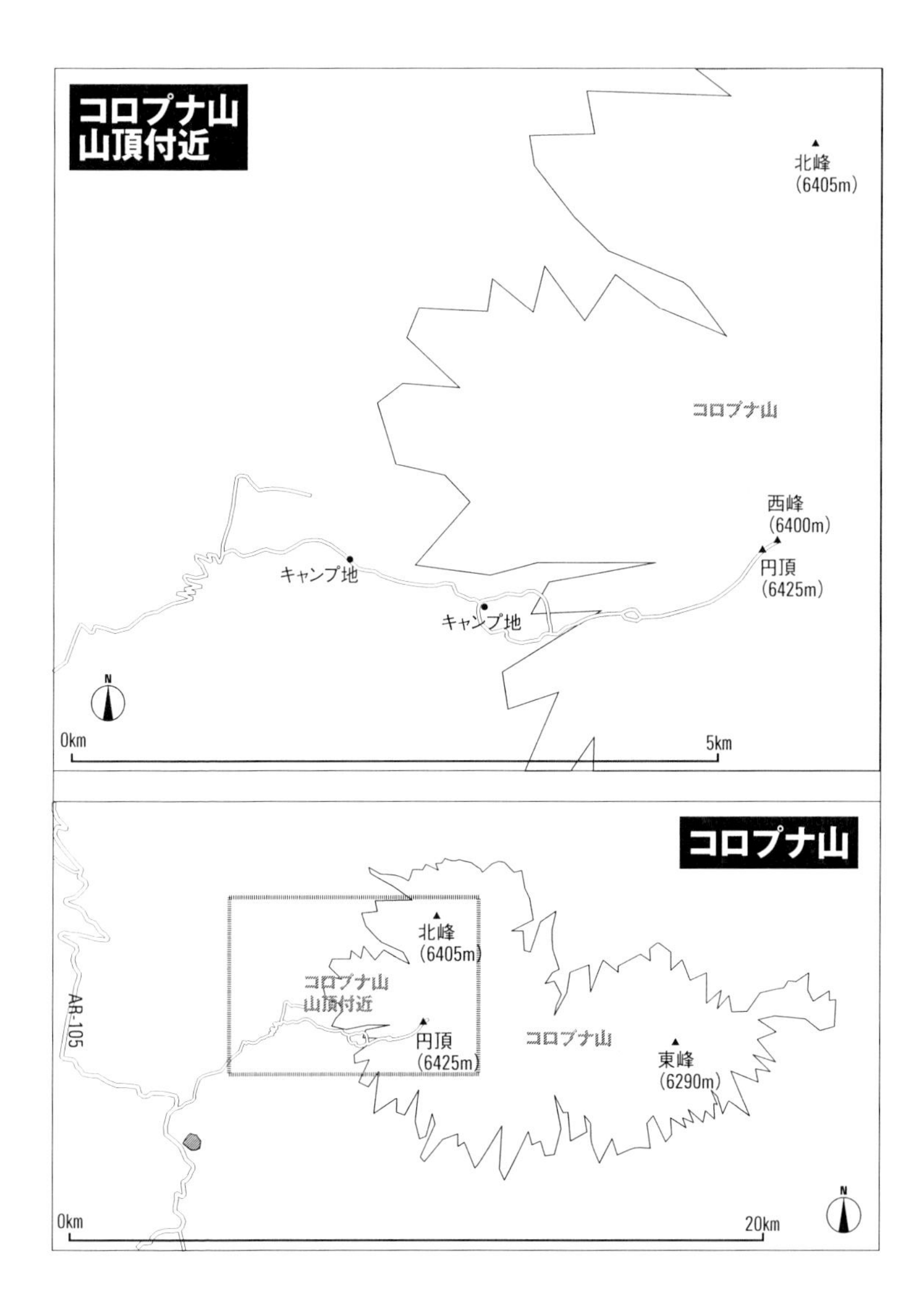
コロプナ山
山頂付近
北峰
(6405m)
コロプナ山
西峰
(6400m)
円頂
(6425m)
キャンプ地
キャンプ地
N
0km
5km
コロプナ山
北峰
(6405m)
コロプナ山
山頂付近
円頂
(6425m)
コロプナ山
東峰
(6290m)
AR-105
N
0km
20km

れを運ぶための装備を念入りに準備、点検した。

高山病の影響から、一日中続いたひどい頭痛にもかかわらず、私にはまだ食欲が残っていた。夕食は、レーズン入りのペミカン(デザート)、堅パン、エンドウ豆のスープだった。おいしいとは思わなかったが、食べることはできた。そして、その夜はよく眠れた。風が前夜ほど、強くなかったことも理由のひとつだろう。天気は引き続き、良好であった。ワトキンス氏は明日にはアレキパから到着する予定だったが、これ以上、彼を待っていると初夏の吹雪という危険に遭遇する可能性があるため、それは避けることにした。翌朝九時ごろ、慣れない状況のなか、五〇ポンドある荷物を背中に背負って、私たちはベースキャンプから出発した。

私たちは、アパラチアン・マウンテン・クラブの雪山登山靴、雪道用滑りどめアイゼン、少し重たい手袋、毛糸のほどこされたヘルメット、ダークブルーの雪山用ゴーグル(眼鏡)、そして厚手の服という装備だった。かつてアンデス山脈北部のワスカラン山(ペルー)に登ったスイス人ガイドが、その高地の深い雪のなかで、致命的な重傷を負ったことはツェルマット(マッターホルン)の博物館を訪れた人の記憶に残っているだろう。私たちはこの先人の失敗を教訓とし、凍傷に備えるために、全員が厚手のウールの靴下を四足、厚手の下着を二~三枚身につけた。コレロ教授とガマラ伍長は大きくて重たいブーツを履いていた。私はウールの巻きゲートル(脚絆)と「アークティク(北極)」のオーバーシューズという装備だった。タッカー氏は、フェルト製サンダルとゴム製ポンチョの切れ端を使って、使い勝手のよい改良型雪山用サンダルを即席でつくっていた。この先、岩場を登ることはなさそうなので、私たちはアルピニスト(登山家)がよく使う重い蹄鉄つきの登山靴ではなく、雪道用滑りどめアイゼンをもちいることにした。

私たちは一三時ごろまでは、とても硬い雪のなかを進んだ。しかし一五時ごろには、それ以上前に進むことができないほど、雪はやわらかくなっていた。荷物を背負ったままでは、このゆるやかな上り坂を一度に二〇歩以上登ることはできない。平坦な雪原では「二五歩から三〇歩ぐらい歩いては休息をとる」という亀のような歩みを続けていた。この遅々とした登りの一歩一歩、その一歩は人生最後の登りになって、死んでしまうのではないか？　と思うほどつらかった。激しく息を切らし、疲れ切って、高山病の状態のままでピッケルに寄りかかって、次の二五歩が歩けるようになる体力の回復を待つ。それの繰り返しだった。そして体力の回復を待つのに、それほどの時間はかからなかった。

最終的に私たちは、クレバス（裂け目）が網の目のように張りめぐらされた氷河にたどり着いたのだが、どの氷河もそれほど広くはなく、ほとんどがスノー・ブリッジ（クレバスにアーチ状に残った雪の塊）でおおわれていた。私たちはロープでひとつながりになって歩き、誰かがときおり転ぶことはあっても、ロープでつながっていたため、それほど大きな負担にはならなかった。その後、クレバスのない真っ白の大雪原が現れた。

この日は、「二五歩進んでは休む」ということを四、五回繰り返し、「三五歩進んでは雪のなかで横になって休む」という遅々とした歩みを一日中、繰り返していた。一四時半ごろまでやり続けたが、急速に溶けていく雪にはばまれて、なかなか進むことはできなかった。そして標高18,450フィートほどの位置で、かなり平らな雪原に張られているタッカー氏のテントが視界に入った。

そのとき私たちは、ふたつの大きなアネロイド気圧計の目盛りが変わりはじめていることに気がついて愕然とした。太陽が沈むにつれて気温は急速にさがり、一七時半には華氏二二度（摂氏マイナス五・五度）になり、夜には最低気温は華氏九度（摂氏マイナス一二・七度）を記録していた。北東方向では頻繁に稲妻が光っていた。雷は鳴っていなかったが、「一一月の嵐が来るのではないか」と、心配せずにはいられなかった。風が強かったので、私はテントのドアを閉めた。テント上部の換気装置のおかげで、私たちはなんとかうまく呼吸することができた。高い山を登った者には、百日咳のような激しい咳（急性高山病の症状）が出て、しばしば吐き気をともなうことがある。この症状は、17,000フィートでは経験したことがなかったが、コロプナ山登頂時には咳にくわえて痛みも感じ、その後、インディヘナの小屋に戻るまで、咳は昼夜を問わず続き、とくに夜になるとひどくなった。私たちは寝不足で、お互いに咳をしては目を覚ましたりしていた。

翌朝、私たちは食欲もなく、やる気も起きず、重い倦怠感と大きな疲労感におおわれていた。バックパックを背負い、タンプライン（荷物をひっぱるひも）を整えて、前日よりも少しきつい、地道な苦行（遅々とした歩み）を続けるしかなかった。朝七時半にキャンプを切りあげ、正午までに標高約20,000フィートの地点に達し、大きな円頂と他の峰とのあいだの鞍部まで、あと一マイル（一・六キロメートル）以内の雪のうえに立っていた。ここから、あと一日でコロプナ山頂に到達できるように思われた。

アネロイド気圧計の目盛りは、五〇〇フィート以上変動していた。他のメンバーは、私にテント張りを任せ、貯蔵所から物資を運んできた。私たちは、タッカー氏とコエロ教授が最初に運んだ荷物の二倍の荷物を携帯していたので、当初、物資に不自由しなかった。貯蔵所資材に手をつけたのは、この日がはじめてであった。彼ら仲間が戻ってきたときには、私はすっかり休息をとっていたので、ほぼ平らな雪原をカタツムリのようにゆっくり進む彼らの姿に驚かされた。キャンプから一〇〇ヤード（九一・四メートル）以内に、四度も休むといったことは、平地での感覚では信じられないだろう。

その日の夜、私たちに空腹感はなかったが、「甘いお茶を飲みたい」と思った。夜、寝る前にわざわざ雪を溶かして、ポット一杯分のお茶をつくり、朝一番にそれを温めて飲むことにした。私たちはその後、とてもひどい夜を過ごすことになった。温度計は華氏七度（摂氏マイナス一三・八度）を示していたが、それでも寒さに苦しむことはなかった。実際、四人の人間が七×七のテントに入ってみると、暖をとるために互いに密着して寝なければならなかったからだ。羽毛の寝袋と毛布をひとりひとりに、それから厚手の服やセーターがたくさん用意され

▲左　コロプナ山のベースキャンプ(標高17,300フィート)［『INCA LAND』掲載写真／1922年発刊］　▲右　コロプナ山の斜面でテントを張る、標高18,450フィートのキャンプ［『INCA LAND』掲載写真／1922年発刊］

ていた。私たちは高山病に悩まされていて、激しい咳をする波が頻繁に襲ってきた。誰もがあまり眠れず、私はときどき自分の脈拍を数えて時間をつぶしていたが、脈拍はいつまでたっても、一二〇以下にはならず、少し動くとすぐに脈拍一三五にはねあがった。実際の上り坂で、どこまで脈拍があがったかはわからない。私が調べた限りでは、コロプナ登山を試みた四昼夜のあいだに、脈拍一二〇を下まわることはなかった。

一〇月一五日の朝、私たちは三時に起床した。そしてすぐに熱い紅茶が飲みたくなった。テント内に吊るしてあったティーポットは、凍っていた。一時間かけて解凍して、紅茶は飲める温かさになったが、散らかったテントのなかで私が身体を動かしたときに、ティーポットを蹴り倒してしまった。こんなひどい状況では、どんな男たちでも冷静でいられるわけがない。私の不注意から起きたこの惨劇を非難したり、憤慨したりする言葉は出なかったが、テントの下側に寝ていたガマラ伍長は、やむなく乾いた極寒の外気のもとに逃げ出すことになった。不器用な私のために、私たちの行動は一時間近く遅れてしまった。そして凍った雪を溶かしてお茶を入れなおしているあいだに、エンドウ豆のスープとアイリッシュ・シチューを温めることにした。タッカー氏と私はそれらを少しだけ食べる体力はあったが、コエロ教授とガマラ伍長はお茶を少し口にしただけだった。

私たちはタッカー氏のテントを標高20,000フィートの地点に残したままにし、衣類と食料の多くもおいておくことにした。ここから頂上までは、どうしても必要なものだけもっていくことに決めたのだ。必要なものとはママリー・テント（およびとめ釘とポール）、山岳用の気圧計、ワトキンスのふたつのアネロイド気圧計、湿度計、ツァイスの望遠鏡、コダック社のカメラ、フィルム六本、振りまわし式乾湿計、プリズム・コンパスと傾斜計、スタンレー社のポケット水準器（水平器）、長さ八〇フィートの山岳用赤ロープ、ピッケル三本、七フィートのフラッグ・ポール（旗ざお）、アメリカ国旗とイェール大学校旗であった。また、吹雪の際の備えとして、シルバーのインスタント・アイリッシュシチューとモックタートルスープ（イギリスのスープ）の缶詰を四個、チョコレートケーキ一個、ハードタック八個のほか、レーズンと角砂糖をポケットに入れていた。ひとりあたりの荷物の重さは約二〇ポンドだった。

天気がよく、風もほとんどなかったことに、私たちはとても満足し、安堵したものだった。前日の午後は雪がとてもやわらかく、膝上まで雪に埋もれてしまうような状態だったが、今は固く凍った状態になっている。私たちは朝五時にキャンプを出発した。まだあたりは暗かった。左にはコロプナ山の巨大な円頂がそびえている。そして巨大な氷の滝が流れていて、ここから直接、登頂することを難しくしている。円頂(山頂)に到達するためには、まず主稜線上にある鞍部を越えていかなくてはならない。そこから頂上までは、切れ目のない斜面が続いている。背負う荷物は軽くても、私たちの歩みは遅々としていた。

やがて(円頂へアタックするための)鞍部に到着すると、強烈な驚きに遭遇した。最初にチュキバンバ・カルバリオから見えていた、雪におおわれた巨大な円錐状の山頂(北峰)が、私たちの北側に「ぬっ」と現れたのだった。それは私たちが、これから登ろうとしているコロプナ山の円頂よりも高く見えた。八〇マイル離れたシワス砂漠から見ると、たしかに私たちの目指すこの円頂が一番高いように見えた。しかし、実際のところはどうだろう? ここまでの苦しかった努力が無駄になるのではないか? この北峰のほうが高いのではないか? 私たちは不安を抱えながらも、歩みをやめなかった。「このままでは体力がもたないかもしれない」ということも頭をよぎった。睡眠不足、高山病、食欲不振などで、私たちの持久力はどんどん低下していく。

最後の登りは三〇度の傾斜があった。ピッケルをつきながら進み、そのときスノークリーパー(雪山登山靴)が見事な仕事をしてくれた。もっとも急な場所でも、ピッケルで雪の斜面を削り、階段をつくる作業も一〇〜一五段ほどしか必要なかった。タッカー氏が最初にロープをかけ、私が二番目、コエロ教授が三番目、そしてガマラ伍長がしんがりをつとめた。私たちは、ふざけあって互いにくっついているのではない。コロプナ山頂付近の標高の高さは私たちの精気を奪っていた。私は、たまに口にするひとかたまりの砂糖が、萎えた精気をすばやく回復させる最高の薬であることを知った。砂糖にふくまれる炭素が、これほど速く体内に吸収され、身体のほてりをやわらげるとは驚きだった。砂糖一個は数分間、新たな力と活力を私たちにあたえてくれる。もちろん砂糖を際限なくとることはできないが、困難な場所を乗り越えていくのに役立った。

　私たちは何時間もかけてゆっくりとジグザグにコロプナ山頂へせまっていき、「休んでは、登る」ということを繰り返しながら、まもなく頂上と思われる場所にたどり着こうとしていた。しかし、そこは残念ながら北に見える峰（目指す円頂とは異なる北峰）ほどの高さではなかった。そのとき、先頭のタッカー氏が大声で何かを叫んだ。私たちは息もきれぎれで、彼の発する声に応答する余裕はなかった。しかし、やっとの思いで山頂とおぼしき場所にたどり着いて、彼が何を見て喜び、叫んだのかが理解できた。

　目の前には別の斜面があって、その斜面は私たちが今いる場所よりも三〇〇フィート（九一・五メートル）ほど高かったのだ。衰弱しきった状態の私たちが、さらに三〇〇フィートも登ることを喜ぶことは不思議に思われるかもしれない。しかし、私たちが朝からずっと、あの北側の峰をおそるおそる眺めていたことを思い出してほしい。苦しみを感じる以外の暇さえあれば、「もしかしたら、あの北峰のほうが高いのではないか？」という思いにとらわれていたのだから。私たちの目の前にはあと三〇〇フィートほど高く、間違いなくあの北峰の最高点よりも上（コロプナ山の最高地点）に行けるということが、このうえない喜びであった。しかし、メンバーの誰にも、タッカー氏のように叫び声をあげるほどの体力は残っていなかった。

　わずかな微笑みと、新たな勇気を胸に、これまでのようにピッケルを使いながら二五歩ごと私たちは前進した。そして、一一時半、高さ20,000フィートのキャンプから六時間半のアタックをへて、ついにコロプナ山の最高地点に到着した。コロプナ山の頂上に近づくと、先頭のタッカー氏はこの偉大な山の初登頂を成功させたことに興奮していたが、そこで立ちどまって、礼儀と自己犠牲心をもって、探検隊長の私が最初に頂上を踏めるように、先に進むようながして微笑んだのだった。私を先に行かせて初登山者（コロプナ山の征服者）とさせるという彼の態度は、本当に立派だと思う。タッカー氏がこの探検隊に参加したのは、まず登山を愛していたからであり、そして何よりも、彼の数ある登山歴にコロプナ山初登頂を残したかったからだろう。私は、そうした彼の思いにもかかわらず、私に道をゆずってくれたタッカー氏の優しさに感謝しつつ、彼の後ろを一歩分、遅れて歩いて頂上を踏みしめることにした。

タッカー氏と私は、ほぼ同時に頂上にたどり着いた。そして一息ついてから、周囲を見回した。コロプナ山の頂上（円頂）はほぼ平らな楕円形の雪原で、南北一〇〇フィート、東西一七五フィートほど、面積は〇・五エーカーほどだった。かつて、ここが火山性のクレーターだったとすれば、その火口はすでに雪と氷で埋まっている。縁には岩もなく、ただ白色の硬そうな地殻だけが見える。コロプナ山の頂上では、ただ荒涼とした眺めが広がっていた。私たちは、雪におおわれた孤立した円頂と、氷河の点在する広大な火山性砂漠のなかにいた。どこにも緑は存在しない。まるで私たちは、「死者の世界」に立っているようだった。アンデスの登山家たちは、「高地でコンドルを見た」とよく口にする。しかし、コンドルどころか私たちの視界には何も入らなかった。赤みがかった砂漠パンパ・コロラダの向こう、北西に二〇マイル離れて、雪をいただいたソリマナ山が見えている。別の方向にコロプナ山系の山々を見たが、そのいくつかの小さな峰々は私たちのいる場所より、数百フィート低いだけだった。はるか南西の彼方には、「かすかに太平洋の青色が見えるかもしれない」と期待していたが、そのあてははずれた。

私の父親は、登山が好きで、登山の厳しさだけでなく、頂上から見える絶景を味わうことにも喜びを感じていた。冬には、太平洋地域の最高峰、ハワイのマウナケア山に登ったこともあった。少年時代の私は、ハワイのオアフ島やマウイ島にそびえる山にしばしば登り、努力した者だけが得られる景色に感謝することを教えられた。しかし、今の私にはコロプナ山の頂上からの眺めに、少しの興味や喜びも感じないし、仲間たちも同じように感じているようだった。「困難な目的を達成した」という満足感や征服感は、私たちを元気にするまでにはいたらなかった。ガマラ伍長は、ボーナス（成果報酬）を要求し、もらった金貨をうれしそうに眺めていたが、私たち誰もがとても疲れていて、口を閉ざしたままだった。

しばらく休んでから、コロプナ山頂での観測をはじめることにした。携帯していたアネロイド気圧計を確認してみると、針は21,525フィート（6,561m）を指しており、その結果に驚きと、落胆を隠せなかった。タッカー氏のアネロイド気圧計では、それより1,000フィート以上高い22,550フィートとなっていたが、これでもライモンディによる推定値22,775フィートにはおよばず、バンデリアが予想した23,000フィートには到底およばなかった。「アコンカグア山（アルゼンチン）の標高22,763フィートよりは高いだろう」と期待していただけに、これは残念な結果だった。コロプナ山の標高の測定結果は、私たちの気持ちを萎えさせた。17,000フィートまでは一致していたふたつのアネロイド気圧計も、ふたつに表示が分かれてしまっていた。どちらの気圧計も不正確で、どちらの数値も間違っている（低すぎる）ということで、自分たちの想いを納得させ、一縷の望みとした。

いずれにしても、コロプナ山の北峰のピークは、私たちのいる円頂からは低く見えた。疑問を解消するためにタッカー氏は測高計を入れた木箱を雪のうえにおいて、スタンレー社のポケット水準器で慎重に水平にしてから、北峰のほうに目をやった。彼は微笑んで、何も言わなかった。そこで、私たちは順番に雪のうえに横になって、目を細めて北峰のほうを見た。そう、これでいいのだ。私たちがいる場所（円頂）は、あの（それまで不愉快にすら思えた）北峰よりも、少なくとも二五〇フィートは高い。ここはコロプナ山の東峰よりも四五〇フィート、他のどの山よりも1,000フィートは高かった。

とにかく、コロプナ山征服で私たちの体力は衰えきっていたため、すぐに次の苛酷な行動に遷す必要もないだろう。この結論に達したあと、私たちは小さなママリー・テント（簡易テント）を張って、三脚のうえに水銀気圧計を設置し、沸点温度計と装置をならべた。そしてコダック社のカメラと手書き用ノートを使って、これから四時間のあいだにできる限りの観測を行なうことにした。今、この時間にも、ベースキャンプのワトキンスと、アレキパの天文台にいるハーバード大学の天文学者がコロプナ山頂を測定している。一四時に水銀の行方を確認すると、水銀気圧計は海面では三一インチが普通だが、現在は一三・八三八インチとなっている。そして気圧計にとりつけられた温度計の目盛りは、華氏三二度（摂氏〇度）をさしていた。山頂に設営したママリー・テント内では、水を沸騰させて測高計の数値を確認した。水は華氏二一二度（摂氏一〇〇度）で沸騰するが、ここでは華氏一七四度（摂氏七九度）で沸騰した。測定のあと、私たちは測高計を使うために温めた水を、むさぼるように飲んだ。喉がからからだったので、そのとき口にした量の五倍ぐらいは飲めそうだった。とくに空腹ではなかったため、レーズンと砂糖とチョコレート以外の食料は口にしなかった。

調査を終えたあと、私たちは小さなママリー・テントをできるだけしっかりとしばり、雪を集めて固めてから、コロプナ山の頂上に残しておくことにした。そのなかには、アパラチアン・マウンテン・クラブのしんちゅう製記録用シリンダーを入れ、イェール大学の校旗とペルーの地図、そして登頂を行なった証明になる文書を入れて、そこ（テント）に封印した。そして、アメリカ国旗を九フィートのポールに立て、コタワシへの道から見えるコロプナの円頂の北西縁にかかげた。ここはコタワシに向かう道路から見える場所で、一週間後にカシミール・ワトキンス氏が、二週間後にイザイア・ボウマン博士がこの旗を確認した。三週間後、測量のために主任地形学者ヘンドリクセン氏が到着したときには旗はなくなっていたという。おそらく山頂の激しい嵐で吹き飛ばされ、雪のなかに埋もれてしまったのだろう。

私たちは三時にコロプナ山の山頂を出発して、二時間一五分後に高度20,000フィート地点のキャンプに戻ってきた。山頂地帯の鞍部への下りのとき、（ピッケルを使って）グリサードで滑り降りた。しかし、斜面が急になり、スピードが出すぎてしまったため、結局、我慢強くゆっくりと確実に降りていくことにした。

その夜は、風がほとんど吹いていなかった。登山家は、他のどんなものよりも強風を恐れている。私たちは、幸運だった。体力的な問題をのぞいて、何かの不都合が起こることはなかった。結果的に、自分たちが用意したほど、多くの物資を背負ってくる必要はなかったのだから。私たちは高山病にさいなまれていたし、長い嵐を乗り越えられるかどうか、食料を消費するだけの食欲が残っていたかどうかはわからない。「高山病は慣れの問題」という見方もあるが、私たちはそのような見方には疑問を感じていた。西半球において標高20,000フィートの地で、夜にキャンプをした者も、コロプナ山の頂上でテントを張った者もそれまでいなかった。高山病の重症化の差異は地域によって変わるもので、完全に高度だけで判断することはできないらしい。私たちがどこまで耐えられたかはわからない。この登山を成し遂げるのに十分な強靭な体力があったとしても、私たちが経験したように山頂では病気同然に衰弱するものなのだから。私たちは非常に疲れていたが、夜になっても、誰もがなかなか眠りにつけなかった。激しい咳が続き、朝になると全員が吐き気をもよおした。体調は悪く、栄養もほとんどとることができなかったので、できるだけ早く、より標高の低い地点まで降りることにした。その際、荷物を軽くするために、不要になった物資はいくらかおいていくことにした。

私たちは九時二〇分にキャンプをたたんだ。それから休むまもなく一八分後に、あの貯蔵所にたどり着き、わずかに残っていた物資を手にした。多くのものを捨てたはずだったが、私たちの荷物はかつてないほど重く感じられた。クレバスの裂け目にも苦戦したが、そこに落ちたのはガマラ伍長だけで、それもかんたんに引きあげられた。

▲上　アメリカ国旗が掲げられたコロプナ山頂でのキャンプ（標高21,703フィート）[『INCA LAND』掲載写真／1922年発刊]
▲下　頻繁に休憩をとりながら、山頂を目指した[『INCA LAND』掲載写真／1922年発刊]

正午になって、かすかに人の声が耳に入り、ようやくふたつの小さな点が動くのが見えた。私たちは山頂部とは異なる世界の人たちに、再び出会えたことにとても不思議な感覚を覚えた。先頭を進むタッカー氏は、「(そのときは見せなかったが)涙が頬をつたうのをおさえることができなかった」と、のちに私に語っている。小さなふたつの点は、ワトキンス氏とペルーの少年であることがわかった。彼らはロープやアイゼンなしで来られる高さまで登ってきて、私たちの荷物を担いでくれた。

昼の一二時三〇分にベースキャンプまで戻ってきた。そこでタッカー氏が最初にしたことは、すべての荷物の重量をはかることだった。タッカー氏は六一ポンド、ガマラ伍長は六四ポンドの荷物を背負っていたが、私にはその半分の三一ポンド、コエロ教授にもそれと同程度の荷物を分担させていたのだった(アイスクリーパーやロープなどの登山用具の重さはふくまれてない)。私とコエロ教授の荷物を軽くしていたのは、「下山時に誰かが倒れるかもしれない」という心配からくる配慮だった。

次の日、私たちは全員とても疲れていて、長いあいだ眠っていた。それどころか、寝過ぎたほどだった。疲れで、手をあげるのも億劫だった。山頂部の太陽の陽射しを受けて、私たちの顔はひどく日焼けしていた。唇は腫れあがっていた。ときおり咳が出たり、声を出したりした。そのときは、私たちを運ぶラバのため、さらに低い場所に移ることが最善だと考えた。そこで私たちは時間をおかず、キャンプをたたんで荷物を整え、寝袋と毛布を背負ってインディヘナの小屋へ向かって降りていった。すると、高山病からくる倦怠感はまもなくなくなった。体力も戻ってきた。まるで海底から海面に浮かんできたのか? と思えるほどの深呼吸ができた。胸が圧迫されるような違和感もない。しかし、実際にはロッキー山脈のパイクスピークよりも高い場所にいるのだ。

息を切らさないままで身体を動かすことができ、ひどかった咳もおさまり、食欲も戻ってきた。しかし、雪と太陽が私たちの身体に刻んだ痛みと傷はまだ残っていた。上り坂では喉がすぐにかわき、かなりの量の雪を食べてしまったのだから。そのため、私の舌はずいぶんと過敏になり、ソーダビスケットのかけらが、割れたガラスのように感じた。ガマラ伍長は、雪用のサングラスをつけることを嫌がり、頻繁にはずした結果、(紫外線を受けて)雪盲の症状が出ていた。他のメンバーは目の炎症になることはまぬがれた。そして、その後の二日間、休息をかねた待機が続いた。

コロプナ山の冒険から生きて帰ってきた私たちを見て、ラバ追いのテハダ兄弟は驚きと喜びのまじった満面の笑顔で、ラバを連れてやってきた。テハダ兄弟は私たちに心からの抱擁をして、すぐに雪のうえにおかれた荷物をとりにいった。翌日、私たちはコロプナ山登頂の起点にしていたチュキバンバに戻った。

一一月、地形学者ヘンドリクセンが調査を終えて、コロプナ山は南緯一五度三一分、西経七二度四二分四〇秒であることが判明した。そして標高は21,703フィート(6613m)と算出された。コロプナ山の山頂で測定した水銀気圧計の値と、アレキパで測定した値をくらべた結果、ほぼ同じ数値が出された。両者の差は六〇フィートにも満たなかった。実際、コロプナ山はバンデリアの推定より1,300フィート低く、南アメリカ最高峰より1,000フィート低かったが、それでも北アメリカの最高峰よりは1,000フィート高い。私たちは、最初にコロプナ山の頂上に立てたことを喜んだ。しかし、もう二度とこんな登山はしないことをみんなで誓いあった。

Chapter III
To Parinacochas

第3章
パリナコチャス湖への道

私たちはチュキバンバの心地よい気候で、数日間を過ごし、その後、インカの「フラミンゴの湖」と呼ばれるパリナコチャス湖へ出発することにした。『The Conquest of Peru（ペルー征服）』の著者で、文学と歴史に通じた故クレメンツ・マーカム卿は、王立地理学協会の発行誌のなかで、この未踏の湖についてふれていた。そして「この先、ペルー探検において、パリナコチャス湖の水深調査は重要な意味をもつ」と述べていた。地図から判断する限り、パリナコチャス湖は有名なチチカカ湖よりはるかに小さいが、かつてはペルー全体で最大の水域だったという。そして地理文献を徹底的に調べても、この湖の深さについて記されているものはなかった。ひとつだけわかっていたことは、「湖水が流れ出すところのない無口湖である」ということだった。

かつてホノルルのイギリス総領事を務めたウィリアム・ミラー将軍は、若かりしころ、チリ、そしてペルーの独立戦争にあたって、サン・マルティン将軍を助けたという経歴をもつ。そして、一八二八年、ロンドンでその回顧録を出版した。ウィリアム・ミラー将軍は、スペイン軍と戦闘の際、あまりひと目にはふれないペルー内陸部の様子をしばしば見たという。将軍がスケッチした地図にはパリナコチャス湖が記されていて、「水が黒っぽい」という注記がつけられていた。

ミラー将軍のこの文言と、クレメンツ・マーカム卿の「パリナコチャス湖の水深調査は、地理学に重要な貢献をするだろう」という言葉が、私にあたえられた予備知識のすべてだった。私たちと行程をともにするラバ追いのテハダ兄弟は、パリナコチャス湖に行ったことはなかったが、湖についてざっくりとしたことは知っているようだった。そして、コロプナ山のときと違って、そこに行くことを恐れてはいなかった。テハダ兄弟の仲間のなかには、パリナコチャス湖に行ったことがある者もいるらしく、彼らは無事に生きて帰ってきている。

私たちは、ひとまずアンタバンバ州の州都コタワシを目指すことにした。そして、そこでウルバンバ渓谷からアンデス山脈を越えて、やってきたボウマン博士とヘンドリクセン氏に会う手はずだった。彼らもまたペルーをつらぬく西経七三度線の調査、探検をまっとうするためには新たな食料（の入った箱）を必要としているのだから。私たちは、チュキバンバ渓谷を出て、その突端にある険しい崖をゆっくりと時間をかけて登った。そして、ゆるやかなステップ気候の砂漠を北に向かって進み、コロプナ山の西側を迂回していくルートをとった。チュンピロのパンパ（平野）でのキャンプのとき、ラバ追いのテハダ兄弟は乾燥したコケや糞を燃料に焚き火をしていた。その平地には草が生えていて、リャマが放牧されていた。

私たちのテントの近くには、あるインカ帝国時代の遺跡が残っていた。おそらく牧童の頭目の住居か、もしくはスペインの征服者フランシスコ・ピサロの時代に、『ペルー誌』を記したシエサ・デ・レオン（一五一九〜一五六〇年）もふれていた神殿のあとであろう。その著作によると、「（インカの地で、もっとも格式高い五つの神殿のうち）コロプナという名の神殿があって、人々の崇拝を集めていた」、また「神殿は、夏も冬も雪におおわれた、とても高い山のうえにある」という。

インカ帝国の皇帝たちがこの神殿を訪れ、奉納した多くの宝物…、そのなかでも人知れず、この神殿に隠されていた金銀、宝石などは、盗掘者の餌食となったのに違いない。インカ人は、偶像とそれに仕える神官や太陽の処女たちのために、これら以外にも大量の宝物を隠しているはずだ。しかし、雪が深くては山頂に登ることができず、財宝のありかもわかっていない。コロプナの神殿は、多くの信徒、農場を抱え、インカ帝国の宗教行事を司ってもいた。今はここに誰も住んでいないが、当時は多くの信徒やリャマたちがいて、そこから遠くない場所にインカ帝国時代の倉庫や埋葬場を見ることができたのだろう。

その夜、コロプナ山の万年雪から吹いてくる、激しい風にテントが揺らされた。私たちは背筋のふるえるほどの寒気に襲われたため、なかなか寝つくことができなかった。

次の日、私たちは、コロプナ山からの雪解け水が流れる小さなオアシス二か所を通過した。ここには泥炭が豊富にあり、そこに生える灌木がチュキバンバで消費される燃料の一定の供給源となっている。コロプナ山麓の低層尾根をゆっくり登っていくと、溶岩の塊と火山礫の砂からなる荒涼とした荒野の広がる「赤い砂漠（パンパ・コロラダ）」が現れた。この砂漠は海抜15,000〜16,000フィートに位置し、北西にはリオ・アルマ川がつくる深さ2,000フィートの峡谷がある。私たちはここをキャンプ地とし、楽しい夜を過ごした。

そして翌朝、再び峡谷の反対側に登り、ソリマナ山の東斜面を進んだ。やがて道は、左に急激に曲がり、私たちの知己の友であるコロプナ山からは遠ざかりつつあった。コロプナ山が活火山として活動していたのは、どれほど昔のことだったのだろうか？　興味が湧くところだ。現在でもここから南に二〇〇マイルも離れていないところで、エル・ミスティ山やウビナス山といった活火山がときどき噴火する。そして、その火山灰を広範囲に降らせたことが人々の記憶に残っている。円頂（ドーム状）の山頂をしたコロプナ山は、それほど遠くない昔に、頻繁に噴火を繰り返していたのだろう。ボウマン博士によると、この峡谷一帯に残っている溶岩や火山礫といった膨大な量の火山噴出物の多くは、最終氷期（約七〜一万年前）に起源をさかのぼるという。近くの峡谷で起こった地形の侵食と、氷河期の溶岩流によってむき出しになった地層など、無数のその証拠が残っている。

私の乗るラバは、気性の荒い部類に入るかもしれないが、自分が好きなように動けるうちは乗り手に優しい。このラバは、キャラバン隊の仲間たちと行動しているときだけがしあわせなのだろう。私がメモをとるために手綱をゆるめると、とたんに落ち着きがなくなり、ぐるぐると身体を動かしたり、急に走り出したり、蹄を蹴りあげたりするのだった。そしてこのラバでは、どんなに鞭を打っても、たとえ木槌でたたいても、ラバ隊列の先頭に出ることはできなかった。今朝、私はコロプナ山から離れた砂漠を進んでいくラバ隊列の写真を撮ろ

パリナコチャス
（コララコラ）
コルタ
ランパ
プユスカ
（インクヨ）
インカ
ワシ
パラルカ
コタワシ
パリナコ
チャス湖
サラ
サラ山
パリナコチャス湖
ソリマナ山
ソンドール
コロプナ山
チュキバンバ
〜コロプナ山
チュキバンバ〜パリナコチャス湖
アンダレー
チュキ
バンバ
0km
100km
プユスカ
コタワシ
アレキパ〜
パリナコチャス湖
パリナコ
チャス湖
サラ
サラ山
ソリマナ山
コロプナ山
チュキバンバ〜
パリナコチャス湖
カラベリ
チュキ
バンバ
アプラオ
エル
ミスティ山
太平洋
マジェス
アレ
キパ
ビトール
0km
200km

うとした。しかし、私のラバでは先まわりすることができず、私はわざわざラバから降りて、足早に進むラバ隊列の数百ヤード先まで走った。そして、隊列に追いつかれるまで写真を撮り続けた。

今、私たちは海抜16,000フィートの地点にいる。しかし驚いたことに、ここでは平地と同じように走ることができ、肺と心臓が希薄な空気にも順応していることに気がついた。海抜三マイルで、二〇〇ヤードを走った経験のある人なら、誰でも理解できるだろうが、コロプナ山登山の前では、この海抜で、このように振る舞うことは不可能だったに違いない。この地に着いても、まだ粗い黒砂と小石だらけ、砂漠の低木と硬い草がまばらに生えているだけだった。不毛の乾燥地域が続いていた。左に見えるソリマナ山の斜面は、草木でまばらにおおわれていた。茂みのなかには新大陸に生息する何頭ものビクーニャ（小型の野生ラクダ）と出会った。このビクーニャはとても臆病で、三〇〇ヤードほどに近づくと逃げ出してしまう。そのため近づいて写真をとろうとしても、なかなかうまくいかずにいた。

私たちは、さらに七、八マイルほど続くゆるやかな下り坂を進んだ。すると突然、壮大な峡谷が広がり、人口密度の高いコタワシの谷の縁にたどり着いたようだった。峡谷の壁側は無数の段丘アンデネスでおおわれていて、その数は何千段にもおよぶ。一見すると、渓谷のあらゆる場所に段々畑が広がっているが、それは点在する小さな村々のようにも見えた。コタワシの街はそのなかのひとつで、中心の長いメインストリートには白い家がならんでいる。渓谷に向かって、ジグザグに下っていくと、道は何百もの人の手で整備されたであろうテラスにいたった。テラスを通り抜けると、耕地から離れた尾根上に、藁葺き屋根の小屋が集まっている村があった。

私たちがこれまで数週間過ごしていた砂漠地帯では、狭い谷底でだけ耕作の痕跡が見られたが、コタワシ渓谷はそうではなかった。この渓谷ではアンデネスという段々畑がつくられていて、その景観を見て驚いた。年に一度、小雨が降るだけの降雨量のこの地方では、農業は内陸の巨大な山脈から流れてくる雪解け水に大きく依存していて、行き届いた灌漑システムを見ることができる。そして、アンデネス（段々畑）や灌漑水路のほとんどは、一四九二年にコロンブスがアメリカ大陸を発見するよりも数世紀前につくられたものだった。

ペルー古代文明では、何よりも農業が重視され、農業の発展こそ、もっとも称賛されてきた。クック氏によれば、「自然の摂理にかなった、作物を育てることに、これほど労力を費やしている地域はほかにない」という。たしかに他の国では、「豊かだが乾燥している土壌」を使う場合、土木工事をして遠くから水を運ぶ灌漑水路をつくることが多い。また痩せた土壌で農作物を育てるのに、必要な化学肥料製造工場も見られる。自然がもたらした肥沃な土地で、よりかんたんに農作物を栽培できるように、人類が多くの障害を克服してきたことを私たちは知っている。有史、有史以前を問わず、灌漑用水や（化石の堆積による）グアノ肥料を使うだけでなく、ペルー農民は耕地そのものをつくるために膨大な労力を惜しまなかった。ペルーでは高地に暮らす古代人がそれを行なっていたのだった。

一般的に、ペルーでは、耕作可能な土地はかなりの高地にあって、そこではジャガイモやオカ（カタバミ科の多年草）のような厳しい環境にも強い、根菜類の栽培にしか適さなかった。貴重なトウモロコシをはじめ、食用や薬用として親しまれている多くの温帯や熱帯植物を育てるためにも同様の工夫が必要だった。肥沃な土地を探し、たとえそこが狭隘な谷底であっても、急峻な斜面を耕地として利用せざるを得なかった。ペルー人は常にどうしようもないほどの土地不足に直面していた。谷底では、蛇行しながら滔々と流れる川が、耕地を削りとって海へ流してしまうという、絶え間のない自然の力が働いていた。また谷の斜面はとても傾斜が急で、その立地は、熱意ある現代の農業従事者であっても意欲をそがれるだろう。

インカの農民は、朝起きると、夜のうちに降った大雨で、せっかく耕した畑の大部分が流されているということに直面することもしばしばだった。そのため、石垣をもつアンデネス（段丘）やテラス、よりよい農業環境をつくる試みが何世紀にもわたって続いてきた。古代のアンデネスを調べてみると、丘の中腹にある畑の裏側は、土を単純に鍬で掘っただけではないということがわかる。石垣のすぐ裏側に、粗い石、粘土、瓦礫などを積んでいき、次に小さな岩、小石、砂利などで埋め、下層土には排水機能の仕組みも用意されている。そして、そのうえに最高品質の土壌（上層土）が一八インチほどの厚みで敷かれている。こうして、（人間の労働力により多くを依存する）労働集約型農業に最適な農地に仕上がっている。

「農地をつくる」という、それだけのことに、これほどの労力が費やされていることはとても信じられない。一方で、農地をつくるために、これだけの労力を投じる必要があったとも言えるだろう。ほとんどの段丘面（アンデネス）の幅はわずか数フィートだが、長さは何百ヤードもあって、谷の自然な輪郭に沿うように農地が広がっている。ときには幅二〇〇ヤード、長さ四分の一マイルになるものもある。今日では、このアンデネスでトウモロコシ、大麦、ムラサキウマゴヤシなどが栽培されている。

コタワシの街は、こうした渓谷の底部に位置する。ここはペルーワインのなかでももっとも香りがよく、高く評価されるワインを飲める心地よい場所として知られる。何より気候がよいため、多くの地主をひきつけている。地主たちの土地は、おもにコタワシ郊外の荒涼とした高原にあり、放牧者がリャマや羊、アルパカの群れの世話をしている。私たちはコタワシ副知事であるビスカーラ氏の歓迎を受け、彼の家に宿泊できることになった。ビスカーラ氏は、この街では遠く離れたリマ（政府）から派遣されたよそ者のようで、地元アンタバンバ州の人々からはあまり好かれていないようだった。コタワシのような地方都市の住民には、リマに行ったことがある者はほとんどいなかったし、リマの政府の中枢にいる者でコタワシへの来訪経験がある者もほとんどいないのだろう。だから両者が互いに共感しあうことは、もともと期待できなかった。ペルーを旅することは

▲ 5月、トウモロコシを収穫する（ワマン・ポマ『新しい記録と良き統治』より）

さまざまな困難をともない、それがペルー観光のさまたげとなっている。

コタワシ副知事ビスカーラ氏はアレキパ知事からの紹介状と電報によって、「私たちがペルーにとっての友人である」と知り、歓迎してくれた。ビスカーラ氏はもともと親切で寛大な性格で、人並み以上の教養と知性を備えていた。そして、私たちをていねいにもてなしてくれた。ビスカーラ氏は、私たちのために彼の友人を家に呼んだ。友人たちは私たちのためにセオドア・ルーズベルトやエリフ・ルートの写真を見せてくれたり、大きなアメリカ国旗をつくってくれもした。そして最後に、アメリカへの友情の証に、豪華なパーティーを催してくれたのだった。

ある日、副知事ビスカーラ氏が専属の理容師（散髪屋）を連れてきてくれた。タッカー氏と私は、理容師を見たこと自体久しぶりだった。「（これから行く）パリナコチャス湖にはきっとないはずだ」と思っていたので、私たちは喜んで散髪を頼むことにした。すると、ライフルで武装した軍人に守られながら、理容師が到着した。そして、彼は地元の刑務所から連れてこられた囚人であることも判明した。一体、どんな罪を犯したのかは知りたくもなかったが、まるで殺人者のような風貌をしていた。彼がうす汚れた油まみれのボロキレから、古びたハサミをとり出したとき、私は「彼の仕事を断れる立場になりたい」と思った。しかし、副知事は親切にも理髪店の落ち度をわびているのだから、ここは勇気をふるいたたせるしかなかった。錆びた危なっかしいハサミで髪を切られるのは不快そのものだったが、囚人（理容師）の手にあるのがオオバサミでないことに安堵感を覚えた。彼は、私の頸動脈をかするように作業していた。ようやく拷問の時間が終わると、囚人（理容師）は深々と礼をしてから報酬を受けとった。私たちは、彼が軍人に連れていかれる様子を見ながら、同情と安堵の入り混じったため息をついた。

私たちがコタワシに到着したのは、ボウマン博士と地形学者ヘンドリクセン氏とほとんど同じタイミング

▲上　コタワシの絨毯織りを視察。副知事ビスカーラ氏、ガマラ伍長、タッカー氏、ヘンドリクセン氏、ボウマン博士、そしてビンガムといった顔ぶれ［『INCA LAND』掲載写真／1922年発刊］　▲下　リャマやアルパカといった南米で出合う愛嬌ある動物たち

であった。彼らは西経七三度線の調査を行なうために、たび重なる困難に遭遇していたが、今では最悪の事態は脱したようであった。彼らの物資は底をついていたので、私たちがアレキパから運んできた物資を見て、喜んでくれた。ワトキンス氏はヘンドリクセン氏の仕事(地理学)を手伝うことになり、その数日後、ボウマン博士が砂漠や地理の調査研究のために南へ向かった。ボウマン博士はガマラ伍長を護衛として帯同することにし、ガマラ伍長は「これで(自分に恨みをもつ)敵から逃れることができる」と、喜んでその任にあたった。私たちが、この地を訪れる数か月前に起こった革命派の暴動の際、コタワシの兵舎と牢獄を強硬姿勢で守ったガマラ伍長の武勇伝は記憶に新しい。

副知事ビスカーラ氏は、ボウマン博士とともに街をあとにした。彼らはガマラ伍長にあわせて、早朝三時に家を出たが、この副知事は親切にも夜明けまで彼らと一緒にいてくれた。ボウマン博士は『The Andes of Southern Peru(ペルー南部のアンデス山脈)』という著書のなかで次のように記している。「四時にはかんたんな準備が整った。私たちは音を出さずに門を開き、小さな馬車で真っ暗な街の通りを急いでかけぬけた。兵士がライフルを鞍にはさんで先に乗り、そのすぐ後ろに副知事と私が坐った。そして後方に荷馬をつれていくことにした。通りの終わりにさしかかったとき、突然、ドアが開き、前方から火花が飛び散ってきた。その瞬間、兵士は乗馬靴のかかとでラバに合図を送り、横道に避難した。副知事はあわてて馬を乱暴に引き戻した。火花が再度続いて飛び散ると、私を壁に押しつけて『一体、誰のしわざなのか?』と口にし、そして叫んだ。『やめろ』『やめるんだ』」。

その騒動は、働き者だがみすぼらしい仕立て師が原因らしかった。彼はこの日も朝早くから起きて、口うるさい客の服にアイロンをかけて、一日の仕事をはじめようとしていた。仕立て師は炭火を入れた古いアイロンをにぎりながら、力強くふいて炭火を起こしていた。火花はここからきたものだった。あの『罪のない仕立て師と間抜けなガチョウ』のエピソードではないが、こんな早朝に、これほどの事件が勃発した話は、もしわれらがオリバー・ウェンデル・ホームズ（アメリカの著名人）が聞いたら興味をもったことだろう。彼はこのような情景を好んで描いているから、この話を『コタワシの兵士を驚かせたガチョウ』というようなエッセイにまとめあげていたかもしれない。

コタワシでは、手織り機でラグや絨毯を織っていく織物産業がもっとも注目された。絨毯の織子たちは、縦糸と横糸に黒やグレー、白のアルパカの毛をたくみにとりこみながら、ループ状にして思い思いの模様をつくっていく。そして深めのパイル（毛足）になるようにカットされる。こうして厚みがあり、温かみのあるグレーの絨毯ができあがる。通常、ペルー原産の絨毯にはパイル（毛足）がない。おそらくペルーの織物産業は、今から何世紀も前にスペイン人がヨーロッパからもち込んだものであろう。そしてコタワシで見たやりかたは、この辺境の地に限られているように思える。街の郊外に住むインディヘナの小さなグループが織物を編んでいて、手織り機が必要なときに家から家に運んで使っている。絨毯を求める場合、あらかじめ準備した羊毛と型紙を織り手に渡す。くわえて食事、宿泊、コカの葉、タバコ、ワインも用意して、自分の家のなかで絨毯を織ってもらう。このようにして日々、絨毯が織られていくのを見守る。絨毯織りたちは、新しい模様を見つけては自分のものにしてしまうのが得意だった。のちにヘンドリクセン氏の描いたモノグラム・デザインをもとに織られた小さな絨毯（ラグ）が、コタワシの副知事ビスカーラ氏の好意で私たちに送られてきた。

一一月のある早朝、私たちは親切なホスト（コタワシの副知事ビスカーラ氏）に別れを告げ、「パリナコチャス湖への道を知っている」という老ガイドの案内で、コタワシを出発した。川面すれすれにかかる危険な橋を越えて、街道は続いていた。その橋の橋脚はあら削りな石材で、川のなかほどに顔を見せる巨大な岩のうえに無造作にかけられていた。橋は二本の長い丸太でできているが、そのうえに大量の木の枝が投げ込まれ、土と石で押さえつけられている。橋の両側に手すりはない。しかし、私たちのラバはこの種の橋を渡った経験があるようで、大した問題が起きないまま渡りきってしまった。

私たちは渓谷の北側にあるムンギというこじんまりとした集落を通り過ぎ、渓谷を登りはじめた。現在はトウモロコシや大麦の収穫に使われている何百ものすばらしいアンデネス（段丘）が私たちの目の前に広がっていた。この道のりで、小さな滝のそばを通ることがあった。その光景は、乾燥したペルーではまったく予想しないものだった。しかし、調べたところ、この滝はアンデネス同様に、地元のインディヘナによって人工的につくられたということが判明した。昔むかしにつくられた灌漑水路の上部と下部が、この滝で接続されているようだった。

私たちのラバ隊は狭い岩場のジグザグ道を、何時間もかけて登っていった。この地の気候は農業に適していて、峡谷側面が絶壁でないところは、石垣を積みあげたテラスと灌漑によって、耕作地に変えられていた。それも、はるか昔にこうなったのだろう。谷底から4,000フィートの高さに、非常に美しいアンデネス（段々畑）が広がっていた。私たちは渓谷の頂上近く、棚田状の地にテントを張ることにした。その近くには、羊飼いが羊の群れを放牧するために使っていた粗い石の囲いがあった。私たちは、海抜14,500フィートの地点でキャンプをすることになった。そこからは風と砂の作用で、奇妙なかたちに浸食した塔のような岩が見られた。

次の日、私たちは山間の牧草地帯に入った。そこでは、沼地や雪解け水による水たまりが点在していた。コタワシ渓谷のほうを振り返ると、ソリマナ山の氷河と雪におおわれたコロプナ山が視界に入った。しかし、パリナコチャス湖に近づくにつれて、それらもだんだんと見えなくなってしまった。やがて岩と砂におおわれ、生物も生息できない標高16,500フィートの不毛の高原にたどり着いた。そこには美しい湖が広がっていたが、パリナコチャス湖ではなかった。高原はとても冷えていて、私たちはときどきラバを降りて、それに並走するか

▲　織物をするインカ女性（ワマン・ポマ『新しい記録と良き統治』より）

たちでジョギングをして身体を温めた。

　コロプナ山で経験したように、（高地で）四〇〇～五〇〇ヤードをひた走っても、とくに違和感はなく、高山病の症状も現れないことに再び気がついた。午後、高原からランパに向かって下りはじめると、アホチウチャの牧草地に出た。そこには雨や雪の水をあびたイチヤクソウや小さな葉をもつ植物が自生していて、羊やリャマ、アルパカの群れの餌となっていた。これらの家畜の飼い主（オーナー）は、耕地化された谷間に住んでいるが、インディヘナの放牧者たちは、嵐や強い風の吹く高地の牧草地で、生活しなければならなかった。

　アルパカは元来、臆病者なので、なかなか近くから見るということができなかった。しかし、この日は喉が渇いていたためか、アルパカが小さな沼の上流部にある水場を探しているところを、近くで立ちどまってじっくりと観察することができた。アルパカの毛は、世界でももっともやわらかい衣料の素材になる。アルパカの毛からつくられた生地に価値があることを知った抜け目のない商人たちは、はるかに安価な（アルパカでない毛を使った）生地に「アルパカ」という名前をつけた。コートの裏地、傘、薄手の防寒コートなどに使われる、この「アルパカ」は綿とウール製で、表面は硬く、黒くそめられていて、通常、本物のアルパカの毛はまったくふくまれておらず、かなり安い金額で購入できる。今日、市場に出回っている本物のアルパカの毛は、それらの「アルパカ」とはまったくの別物だということを言っておきたい。本物のアルパカの毛は、絹のように繊維が長く、羊の毛よりもまっすぐで、強く、とてもやわらかく、しなやかで弾力性がある。美しさと快適さを備えた布に仕上げることのできる繊維、それが本物のアルパカの毛なのだ。そして、ビクーニャ、ラクダの毛など、さまざまな名前で呼ばれている、絹のようにふわふわした冬用セーターの多くは実はアルパカの毛でできている。

　アルパカは、その親類のリャマと同様に、初期のインディヘナが「野生のグアナコ（ラクダ科の動物）から家畜化を進めて、現在の姿になった」と考えられている。グアナコは南北アメリカ大陸最大のラクダで、今でも野生で生息している。そして、どの個体も同じ色をしている。一方、リャマやアルパカはとても多彩な色をもつ。リャマの毛はとても粗いので、衣服用に使われることはほとんどなく、インディヘナはこの毛を利用して厚手の毛布をつくっている。リャマは、もともと荷を担がせるために飼育されている。見知らぬ人に対してもものおうじせず、馬や牛ほど臆病ではない。一方、アルパカは短くてやわらかい草と豊富な水というように、より良質で、希少性の高い飼料を必要とする。そのため放牧で飼育され、山間部の隔絶した高地の牧草地で見られるが、それは毛を刈りとった後に限られる。アルパカの性格上、彼らが心を許した牧童以外の人とはめったに会う機会がない。

　はじめてアルパカを見たときのことを、私は今でもはっきりと憶えている。首から目にかけて、そして足の見えない肉球にいたるまですべてが毛むくじゃらなのだ！　彼らはまるでおもちゃ屋さんにいる「けむじゃらの犬」のように見えた。この足の長い動物アルパカには、言葉にできないような滑稽さがある。アルパカの肉球は車輪のついたおもちゃみたいだが、実際には牛のように走ることができる。

　また頭、首から足にかけての毛が極端に少ないリャマも、別の意味でおもしろい動物だ。その表情はどこまでも高慢ちきで、上から目線なのだから。リャマは普通、人の近くに立っている場合、「やむを得ない事情があるからそうしている」と、言わんばかりの表情をしている。「自らがリャマである」という誇りと過剰な高慢さからなのか、頭を高くあげ、首をきっちりと立てている。そして、そのために、同種の他の動物と同じように、首に一本のロープを巻きつけることで抑え込むことができる。それにリャマ一頭は一〇ドルほどで買うことができる。

　アホチウチャの牧草地では、リャマやアルパカの雌や子どもがたくさん見られた。世話をしているのは子どもたちで、彼らは動物たち以上に臆病だった。岩や低木の陰に身を隠し、目立たないよう、私たちに見つからないようにしていた。

午後五時ごろ、乾いた平野のうえで、最大規模のインカ帝国の食料庫として知られるチチパンパの遺跡を見つけた。それは慈悲深い支配者がアンデス山脈を統治し、古代エジプトのファラオのように飢饉にそなえていた時代の記憶だった。今、この場所に、人は住んでいなかったが、近くには人の多く暮らす谷が位置する。

翌朝、キャンプ地を出発してまもなくすると、ランパ渓谷の入口が現れた。ランパ渓谷もまた、この地域でよく見られるタイプの深さ一マイルほどの渓谷だった。私たちのラバは、うなり声をあげながら、コルクの栓抜きのように変化ある道を下っていった。この渓谷は、泥色のペルーの街コルタのそばを走っていて、そこでは一〇〇軒以上の小屋が点在している。コタワシ渓谷と同じように、ここでもまた何百ものアンデネス（段々畑）が渓谷の側面を何千フィートにもわたって続いている。多くの段丘はひどく荒廃していたものの、コルタの街付近のアンデネスではトウモロコシやジャガイモ、大麦などの作物が育てられていた。そして、耕作されていない場所は、サボテンやイバラなど、半乾燥地帯で見られる木々が生えていた。この街では、オーストラリア産のユーカリが六種類見られたが、それらはペルー中心部だけでなく、コロンビアのアンデス山脈、カルフォルニアやハワイ諸島の新たな森林保護区などにもある入植種だった。

コルタの街には、瓦葺きの二階建ての家が何軒もならんでいる。なかには二階にベランダをもつ家も見られ、快適な気候のなか生活していることがうかがえる。壁は天日干しのレンガでおおわれていて、これは草葺きの小さな小屋でも同じような構造をもっていた。コルタという街の起源は、一六世紀のスペイン征服時代にさかのぼると思われる。ペルーの他の街と同様に、不規則な街並みと（インカ時代以来の）アンデネスの多さからして、古い歴史をもつに違いない。リマやアレキパといった（新興の）都市は、ペルーでは例外的な存在と言える。

コルタを出発し、古代文明の痕跡の多く残る尾根の麓を進んでいくと、乾燥したワンカワンカの大きな渓谷に入った。ガイドによると、大分、パリナコチャス湖に近づいているという。ふたつの渓谷をはさんで数マイルも離れていないところに、雪をかぶったサラサラ山という峰がそびえている。ワンカワンカ渓谷の主要な街ランパは、川から1,000フィート以上の高さにあり、砂利と沖積層がつくる自然の丘陵上に位置する。アンデネスの一部は灌漑され、耕作されているように見える。私たちが訪れたとき、農民たちは彼らの住む平原の耕作地の拡大のために、灌漑システムを新たに拡張する計画について話しあっているようだった。現在、この新たな灌漑計画は建設が進んで、すでに完成しているという。

ランパでは、私たちは歓迎されていないようだった。護衛のガマラ伍長は、ボウマン博士と一緒にアレキパに戻ってしまっていた。私たちのラバ追いのテハダ兄弟が「『金ボタン（軍人）』なしで旅をしたい」と口にしていたので、私たちはコタワシの副知事に兵士の帯同を頼んでいなかった。そして、これが間違いだったのかもしれない。ペルー人は、鉱山開発や大手商社の代理店、また販売業者といった仕事目的以外の渡航になれていなかった。まして、知的好奇心から、ラバの背に乗って旅行することはめずらしいことだった。営利目的でペルーに来ている外国人を目のあたりにしているペルー人からすると、私たちの行為は不思議に映ったであろう。そして、この自ら代償を払って行なう探検は、理解しがたい行為であった。もちろん探検家が、国家に属する軍人をともなっていたなら、その事業（探検）が政府の承認を得ていて、財政的な裏づけがあることもわかる。探検家には充分な報酬が支払われていることが推測され、通常では考えらないような特異な行ない（探検）も、人生で起こりうる普通の経験のひとつに過ぎないものとなる。

南米にある国々の政府のほとんどは家父長的だった。科学、経済、社会のいずれの分野でも、研究に関するすべての措置は政府主導で行なわれ、研究費は国庫から支出されている。個人による事業は奨励されていない。これまでのペルー探検で、私はあまりにも楽に過ごしてきたので、それを忘れていただけでなく、認識も不足していた。レガイア大統領の政府のご好意による軍人が、私たちの探検に対する人々の疑念を鎮め、彼らの心からの歓迎へと変えてくれたものだ。しかし、国家に属する軍人をともなわずに、比較的瀟洒なランパの街に入ると、たちまち私たちは疑惑と不信の対象となってしまった。それでもランパの清潔に整えられた道路、真っ白に塗りあげられた家々、繁盛している街の空気感と商館、全体的に豊かな雰囲気に、称賛の念が私たちの胸に起こった。

ランパの知事は大通りに面した赤瓦の家に暮らし、その家の中庭と柱廊は二〇〇年ほど前のもののように思われた。ランパの知事は、政府から私たちの探検について何も聞いていないようだった。そのため街の関係者たちは、私たちに非協力的な、むしろ敵対的な態度をとるように、知事にうながしたほどだった。しかし、さいわいなことに、私たちはランパではよそ者だったが、ラバ追いの仲間うちでは相応の地位にいたテハダ兄弟の存在が、知事の私たちへの不信感を一時的にやわらげることになった。私たちは逮捕されなかった。しかし、疑心暗鬼になっている町会議員たちは、知事の対応を認めてはいなかったと思う。なぜなら、彼らにとっては、私たちの旅の目的を理解するよりも、私たちが逃亡犯であると理解するほうがはるかに容易だったのだから。私たちが、ランパ人なら誰もが知る「パリナコチャス湖に向かっている」という事実が、彼らの疑念をさらに深めることになった。

ランパでは羊やアルパカ、ビクーニャの毛を使って、高級ポンチョや毛布をつくる織物業が有名で、これらの品々は世界の辺境地でよく見られるように、年に一度の大規模な展示会で販売されている。この織物の展示会には商人たちが何百マイルも離れた土地からやってきて、売買に参加する。そしてランパの大規模な展示会は、何世代にもわたってパリナコチャス湖の湖畔で開催されている。誰もが「この展示会に参加したい」と思っていて、このイベントは友人に会う機会であり、陽気にさわぐ機会にもなっていた。家庭で開かれる大規模なカウンティー・フェア（品評会）のように、誰でも楽しむことができる。この年に一度のお祭りの週をのぞけば、パリナコチャス湖の盆地は荒涼としていて、展示会用の建物もほとんど見あたらないような場所だった。もし私たちがちょうどいい季節にパリナコチャス湖に向かっていたら、これほど都合がよく、価値のあることはなかっただろう。だから一年にある五一週のうち、なぜ私たちが今ごろ、「パリナコチャス湖に行きたい」と思っているのか、この村の名士たちにはまったく理解できない行動だった。私たち「（特別な）選ばれた者」の存在は、さびれた季節はずれのフェア・グラウンドでキャンプをしたいと思う旅人やジプシーたちの特異性と同様に映ったのだろう。

テハダ兄弟は、ランパの街で一晩を過ごすことを嫌がった。契約上、ラバの餌代はすべて彼らが負担していて、飼料は田舎よりも街のほうがはるかに高価だからだ。テハダ兄弟の願いは、私たちにも好都合だった。朝になる前に、村で私たちへの（悪意ある）噂話が広がり、警察に私たちの逮捕をうながしている可能性もあったからだ。しかし、ランパの知事は私たちをそれなりにもてなしてくれたし、中庭で手織り機を使っているインディヘナ女性を写真に撮ろうとしたところをおもしろがってくれた。彼女は地面に坐って、機織り機の片方の端を腰に巻きつけ、もう片方の端をユーカリの木に結びつけていた。そのため、かんたんに逃げることはできなかった。彼女は目と口とを両手でおおい、（自分が写真を撮られることを）恥ずかしがって、泣きそうになっていた。インディヘナ女性は必ずと言っていいほど、とても恥ずかしがり屋さんで、写真を撮られることを好まない。ただ相手から自分が見られないよう、（自分の存在を）気づかれないようにしている。しかし、スペイン人とインディヘナの混血である知事宅の女性たちは、写真を撮られることを嫌がらないばかりか、不幸な彼女（インディヘナ）の苦境を見て、苦々しい同情的な笑いを浮かべていた。

ランパの街を後にすると、久しぶりに舗装された立派な道路を私たちは見た。この道路の快適さは、間違いなく、この街の人々の進取の心とエネルギーによるものだと思われる。街を隅々まできれいに保ち、同時に新たな灌漑施設を建設するという難しい仕事をしている市民が、ふだん心が向かっている方向、つまり海に向かって続く快適な道路をつくった、と言えるかもしれない。ワンカワンカ渓谷を登っていくと、渓谷の側面にも、ランパの街を生み出した沖積平野にも、古代のアンデネス（農業用段丘）の痕跡は見られなかった。ランパの製品が人々にエネルギーと活力をあたえていて、この街は何もかもが近代的だった。少し離れたコルタや、その周辺の谷には昔の名残りがたくさんあるのに、ここではなぜこれほどまでに趣が異なるのだろうか？　耕作地の少ないこの地で、アンデネス（段々畑）による絶好の農業機会を、インカの人々が見落としたとは考えづらい。もしかしたら、この土地のすばらしさ、そして比較的平坦な地形によって、人工的なアンデネス（段々畑）を必要としなかったのかもしれない。

一方で、このあたりはインカ帝国時代の末期まで、（高地のインカ人とは異なる）沿岸部の部族が占有していた可能性がある。いずれにしてもワンカワンカの深い渓谷がこの土地を、「アンデネスがある、なし」というふたつの異なる地域を分けていることは間違いなかった。数時間のうちに、アンデネスの続くコルタから、アンデネスの途絶えたランパに遷移したことは、非常に印象深く、私たちに気づきと思索のきっかけをあたえてくれた。

インカ帝国がペルーを征服する以前から、スペインがインカ帝国を征服する少し前までの時代には、ペルー高地に暮らす部族と太平洋沿岸に暮らす部族のあいだにはいちじるしい違いがあったことはよく知られている。それぞれの部族の使う陶器は、互いにデザインや装飾がまったく異なり、彼らの都市や神殿の建築様式もまったく異なっている。この地（海岸地帯）では平地が多かったため、山岳民族がつくったようなアンデネス（段々畑）は発達しなかった。もしかしたら、この沖積段丘の上に沿岸民族の末裔が住んでいたのかもしれない。発掘すれば、それもわかるだろう。
ワンカワンカの谷をぬけて尾根を越えると、さらにインカ人の手によるアンデネスが見えてきた。そして、広くて深い谷の向こうには、死火山となった円錐形のサラサラ山が見えている。この山の近くまで来ているが、山麓の斜面は別の谷が邪魔して視界には入ってこない。山頂付近の谷間や渓谷には、雪が積もっている。道はパラルカとコルカバンバの街の近くを走っていた。コルカバンバはコルタと同じように、周囲を何百ものアンデネスに囲まれ、茅葺きの小屋が点在する人気のまばらな村だった。谷の斜面には、植物が緑をつくっていて、それはこの地にときどき降雨があることを意味するものだった。パラルカ付近では古い石垣のアンデネスに、大麦や小麦の畑が広がっていた。インカの祖先たちが丹念につくったアンデネス（段々畑）を利用して、多くの人たちが農業に従事している様子がうかがえる。しかし、すべてのアンデネスが耕地として使われているわけではない。最近では耕作されていない畑が何百もあるという。一時的に休耕状態となっているのかもしれない。

ラバ追いのテハダ兄弟は小さな街をさけて、フィンカ・ローダデロ近くの道端をキャンプ地に選んだ。快適なテントとおいしい食事があり、腕のいいラバ追いさえいれば、たとえ標高12,000から13,000フィートの高地であっても、臭気や騒音のある街なかを選ぶよりも、清潔で広々としたこのようなところで夜を過ごすほうがはるかに快適なものだ。

翌朝、私たちはいくつかの小麦畑を通りぬけて、プユスカの街にいたった。プユスカは大きなインディヘナの村だった。農業に最適な耕作地を残すため、岩山上の高い場所に藁葺きのアドベ・ハウス（日干しレンガによる家）がつくられている。この村は、それほど深くないが、水量の豊富な谷間にあり、泉もたくさん湧いている。コタワシを出発してから、この国の様子はすっかり変わっていた。砂漠や険しい崖に囲まれた峡谷は、はるか彼方の世界のようだった。ゆるやかな丘陵地帯ではアンデネスの段々畑がどこまでも続き、温帯の穀物が手間をかけずに栽培されている。

穀倉地帯をあとにして、谷の頭部分にある低い山脈の浅い窪みに登ると、そこは直径で二〇マイル以上もある広大な高原盆地の縁になっていた。盆地の中央には、楕円形の大きな湖がたたずんでいる。湖の大部分は濃い青色の水だったが、岸辺に近いところは薄いピンクのような色だった。何がこのような不思議なピンク色をつくっているのだろうか？　それはフラミンゴ以外の何者でもなかった。何千羽ものフラミンゴの群れ。そう、ついにパリナコチャス湖に着いたのだ！

Chapter IV
Flamingo Lake

第4章
フラミンゴの湖

パリナコチャス湖盆地は、海抜11,500～12,000フィートの地点にある。アレキパの北西約一五〇マイル、クスコの南西約一七〇マイルに位置し、降水量はきわめて多い。湧き水とこの水面に流れる渓流が湖の水源となっている。古い地質時代には、この湖はとても大きく、プユスカの街から遠くない場所に岸辺と湖の流出口があったという。現在、パリナコチャス湖には、目に見える湖の流出口は存在しない。プユスカから谷を登ってきたときに目にした大きめの泉は、このパリナコチャス湖の水を供給源(きょうきゅうげん)とするのだろう。その一方で、湖の岸辺には小さな泉がいくつも湧いているが、これらは周囲よりも三～四フィート高い湿地小丘(しっちしょうきゅう)（おそらく鉱床(こうしょう)でできたものと思われる）にあるのだった。

岸辺からは大分、上のほうに古い標識が残っていた。地元のインディヘナの話では、かつて雨季の湖の湖面は現在よりも高かったという。しかし、現在よりも一フィート以上高くなっていたことを示す最近の記録は見つからず、もしも一フィート湖面があがったなら、湖の面積はかなり大きくなっているはずだろう。私たちは（イェール大学のある）ニューヘイブンで、クレメンツ・マーカム卿(きょう)が提案した「パリナコチャス湖の水深調査」実施のための準備中に、この湖の深さが一〇フィートなのか、10,000フィートなのか、地理学の文献にはまったく記載がないことを知っていた。私たちは、湖の深さが1,000フィート以上でないことに賭けてみることにした。ジョージ・バセット氏の親切もあって、釣り人のあいだで「二四スレッド」と呼ばれている頑丈(がんじょう)な釣り糸を1,000フィート分確保し、使いやすいように大きな木製リールに巻いておいた。私たちがチュキバンバに滞在していたとき、ワトキンス氏は何時間もかけて、この太い釣り糸の束(たば)に六フィート間隔(かんかく)であわせて一六六個の白と赤の布製マーカーをつけていた。

▲上　コルタ近郊チンチパンパに残るインカ帝国の貯蔵庫[『INCA LAND』掲載写真／1922年発刊]　▲下　パリナコチャス湖に生息するフラミンゴとサラサラ山[『INCA LAND』掲載写真／1922年発刊]

湖の北岸にある半島に到着すると、タッカー氏と私はここでキャンプを張った。そして、ラバをプユスカに送り返して飼料の調達を手配した。一方、私たちはラバの荷に載せて何マイルも運んできた、アクメ社の折りたたみ式ボートを広げて、パリナコチャス湖の観測をはじめることにした。「アクメ(社のボート)」ははじめて使ったが、かんたんに組みたてることができた。軽いので水深が浅い湖畔に浮かべることができ、その頑丈さから、午後遅くに強風(雨)で(ボート内に)小さな「海」ができて困ったときでも心配の必要はなかった。

地元の人の話ではこれまで一度も船が近寄ったことのない水域に向かって、私たちは漕ぎ出し、測量をはじめることにした。チチカカ湖の深さは九〇〇フィート以上ある。余分な糸はもってきていないので、パリナコチャス湖の水深が1,000フィートを超えるようなことがあれば困ったことになる。たとえ九〇〇フィートの深さでも測量には時間がかかるし、パリナコチャス湖の面積は七〇平方マイル以上もある。

不安と期待が入り混じった心持ちで、岸から五マイルほど離れたところまで漕ぎ出して、測量してみた。大きなリール(釣りで使う道具)を両手でしっかりともち、重しを湖中に投げ込んだ。リールは一回転、二回転、そしてとまった。何か変だ。糸は切れていない。リールが動いていないのか？　いや、装置は間違いなく作動していた。そう、そのとおり。湖の底が浅すぎたのだ。バセット氏がひとつのリールに1,000フィートもの、最高に丈夫な二四スレッドラインを巻いてくれたのに、とても残念なことだった。ワトキンス氏が一一六個の「測深用のマーカー」を辛抱強くつけてくれたことも徒労に終わってしまった。

湖の底は、私のボートの底からわずか四フィート(一・二メートル)のところにあった。三、四日かけて、長さ一八マイルを行き来し、幅一七マイルを往復して、パリナコチャス湖を測深してみても、ワトキンス氏がつけた最初の目印を濡らすことはできなかった。数百回におよぶ測量のなかで、どこを測っても五フィート以上の水深をもつ場所は見つからなかった。雨季に来ていたなら、少なくとも一つ目のマーカーぐらいは濡らすことはできたかもしれない。しかし、私たちが訪れた一九一一年一一月、パリナコチャス湖の最大水深は四・五フィートだった。地理学の知識にわずかながら貢献できた満足感は、特筆すべき水域を見つけることのできなかった悔しさの前に失われてしまった。こんなに長くて、大きな湖の水深が、こんなに浅いとは、一体、誰が想像しただろうか？

そのとき、ハワイのホノルルと真珠湾のあいだの赤い丘近くに広がる塩湖について、私が少年時代に聴いた話を思い出して、気持ちを落ち着かせることができた。それは原住民から、「（塩湖は）底なし」と聞いたある艦長の話だった。艦長は、重量のある艦載救命ボート一艘を、海岸から数マイル離れた内陸のその塩湖まで、膨大な体力と労力をかけて運ぶように命じた。そのとき、どれだけの測鉛線（水深を測るために先端に重しをつけた針金）を運んだかは書かれていない。いずれにしても、この「底なし」という塩湖の水深は、一五フィートにも満たなかったという。

パリナコチャス湖の水深には失望したが、小さな折りたたみ式のボートをここにもってきてよかったとも思った。ピンクのフラミンゴ、白いカモメ、アビ（水潜り鳥）、大きな黒色のカモ、イソシギ、黒いトキ、オナガガモ、大きなガチョウなど、湖の浅瀬を好んで餌場にする無数の鳥たちのあいだを静かに漂って、その世界にひたることができたからだ。岸辺にはフクロウやキツツキの姿もあった。

地元の人たちがこの湖を「パリナコチャス（パリナ＝「フラミンゴ」、コチャス＝「湖」）」と名づけたのも不思議ではない。信じられないほど大量のフラミンゴがいて、他の鳥の存在をはるかに凌駕していた。さいわいなことに、彼らは（フラミンゴの）羽毛を狙う狩人に遭遇したことがないようで、一日間、臆せずボートの近くまで来て、たわむれることができた。フラミンゴたちは二〇ヤード以内の距離に近づいても、私たちを快く受け入れてくれたのだった。この灰色と茶色におおわれた国で、フラミンゴの放つ色彩は私たちの目を楽しませてくれた。頭は白く、くちばしは黒く、首は白からピンクに変化していき、背中はピンクがかった白、胸も白、しっぽはピンク、翼の正面もピンクだが、先端と下部は黒っぽい。フラミンゴが水のなかで立ったり、歩いたりすると、全体的にピンクと白の印象が強くなる。水面からあがってくると、翼の下の黒い部分が目立ち、フラミンゴの群れは白と黒の美しいコントラストを見せる。フラミンゴは飛んでいるとき、頭を一定のペースで前に突き出したり、引っ込めたりしている。そして、ゆっくりとした翼の羽ばたきにあわせて、細いロープ状の首をうねらせている。目の錯覚か？　いやそうではない。（頭にくらべて）重たいほうの身体は不規則に動いているものの、頭は一定の速度で前進していて、そのズレが首の起伏に吸収されているように思えた。

　フラミンゴは見ていて、楽しい鳥だ。高慢ちきなローマ人のような鼻、信じられないやりかたで巻いたり、ねじったりできる、ロープのように長い首。それらは水深測量に失望した私の心のうさをはらすために、特別に意図されたようにさえ思えた。「What is it？（何だろう？）」「What is it？（何だろう？）」とフラミンゴが声を荒らげて鳴く様子は、私の行なった測量作業に対して、心の底から同情しているように聞こえた。ある月明かりの夜、フラミンゴたちはとても騒々しく、絶え間なく「What is it？（何だろう？）」という声を発していた。

　翌朝、静かな湾の岸辺で、彼らが羽に頭を包み込んで眠っているのを、私たちは見つけた。フラミンゴは、昼間、水が静かなときには、浅瀬を伝わって湖の遠くまで歩いていった。午後になって、風や波が出てくると、岸辺近くに戻ってきたが、水から離れることはほとんどない。パリナコチャス湖は（私たちが発見したように）浅瀬がほとんどなので、餌場も広くなっている。彼らフラミンゴは、どこからやってきたのだろうか？　どうやらフラミンゴはここでは繁殖していないようだった。パリナコチャス湖には何千、何万という鳥が生息していたが、どれだけ探しても、新しいものも、古いものも、フラミンゴの巣は見つからなかった。これは進取の気質に富んだ生物学的探検家にとって、興味深い課題になるだろう。そして、おそらく（それを専門とする）フランク・

チャップマン氏がいつの日かこの問題を解決してくれるだろう。

　パリナコチャス湖でフラミンゴの次に多かったのは、海抜11,500フィートのアンデスの湖では不釣りあいなほど、美しい白いカモメ（アジサシ）で、彼らは通常、数百羽の群れで行動している。フラミンゴが近づかない湖の深いところには、小さな黒色のアビ（水潜り鳥）も大勢見られた。アビはとてもすばやく、鋭い動きをして、単独で行動する個性派の鳥で、水中での長距離遊泳でも力を発揮していた。大きな黒色のアヒルは、フラミンゴよりもはるかに恐れ知らずで、ボートのすぐそばまで泳いできた。そして、身の危険を感じると、翼と足を使って、すさまじい勢いで水面を駆けぬけ、逃れようとする。これらのアヒルは大きな群れをつくっていて、アビ（水潜り鳥）と同じぐらい目立つ存在だった。湖のあちらこちらに小さな島があり、それぞれの島にトキやカモのものと思われる見捨てられた巣がひとつずつある。最初のキャンプ地近くの小川のほとりには、キツツキがつくった穴が見られた。この国では、突くための木（柱）を探すキツツキの様子はめずらしいものではなかった。

　岸から一マイルほど離れたところで、身体の半分まで水中に鎮め、水草を静かに食べている水陸両用の牛がいて、ときおり私のボートが食事中の牛を驚かせることもあった。牛は水草をとるために、頭と首を水面下に突っ込む必要があった。私がボートの水しぶきで、牛やフラミンゴを怖がらせているあいだ、タッカー氏はパリナコチャス湖盆地の地形を三角測量して、この付近の正確な地図をはじめてつくった。タッカー氏が経緯儀をある地点からある地点へと運ぶ際、しばしば地上の小さなフクロウを刺激してしまい、彼らは非難に満ちた厳しい表情で彼のことを見つめていたという。

　疑惑と嫌悪の念を抱いたのは、フクロウたちだけでなかった。タッカー氏の三角測量ができるだけ早く進められるように、丸みを帯びた丘の目立つ場所に、石を積んで、基準点をつくる仕事が私にはあった。そして、夜になると（私の設置した）基準点のいくつかが消えてしまっていた。それは点在する小屋に住んでいる、迷信深い羊飼いたちの仕業であるらしかった。彼らは自分たちのまわりに異質な神々がいることを毛嫌いしている。そして羊飼いたちは「自分たちの牧草地が、私たちに奪われてしまう」と思ったのかもしれない。何百頭もの羊や牛が、かつては湖底であったはずの平地で餌を食べていた。パリナコチャス湖盆地の丘には木が生えていないが、いくぶんかの牧草地が広がっている。そして、場所によっては、砕けた岩でおおわれている。スペインによる植民地時代に、この国にもちこまれた羊の子孫たちが、草をひそかに刈りとっていたのだった。羊は身体が小さく、黒色の種もいたが、ほとんどが白色の身体だった。ここでは、一匹の羊は五〇セントくらいの価値があるという。

パリナコチャス湖に到着したとき、私たちは(私たちを警戒する)羊飼いたちによって、厳しく隔離されていた。しかし、二日後には、彼らの好奇心が、恥ずかしさを徐々に克服するようになり、若い羊飼いと羊飼いの女性グループが放牧している羊の群れを、徐々に私たちのキャンプに近づけてきた。羊飼いたちは「布製の家に住み、普通では近づきがたい湖上を移動しては三脚を立て、きらきら光るガラスの目をもつ機材(カメラ)をもって日々、仕事に精を出しているこの奇妙な訪問者(私たち)」の様子をこっそり見つめるようになっていた。彼らにとっては不思議な魔術を使っているように思えたのだろう。

女性たちは厚手生地のドレスを着ていて、膝から足首の半分ほどまでの長さのスカートをはいていた。そして、帽子の代わりに、手織り機でつくられた小さな色とりどりのショールを身につけていた。それは折りたたむと、頭を覆う尖った帽子になり、広げると首や肩の部分を日差しや風から守るマフラーになる。女性はそれぞれが自分の手で糸をせっせとつむいでつくった、赤ん坊や保育のために必要な毛布、三角巾、ハンモック(ベビーベット)などを袋(布かけ)に入れて、それをつるための革帯を頭につけていた。これら女性たちがもっている袋(布かけ)は、やわらかいウールできれいに織られていて、魅力的な模様がほどこされている。女性たちも、子

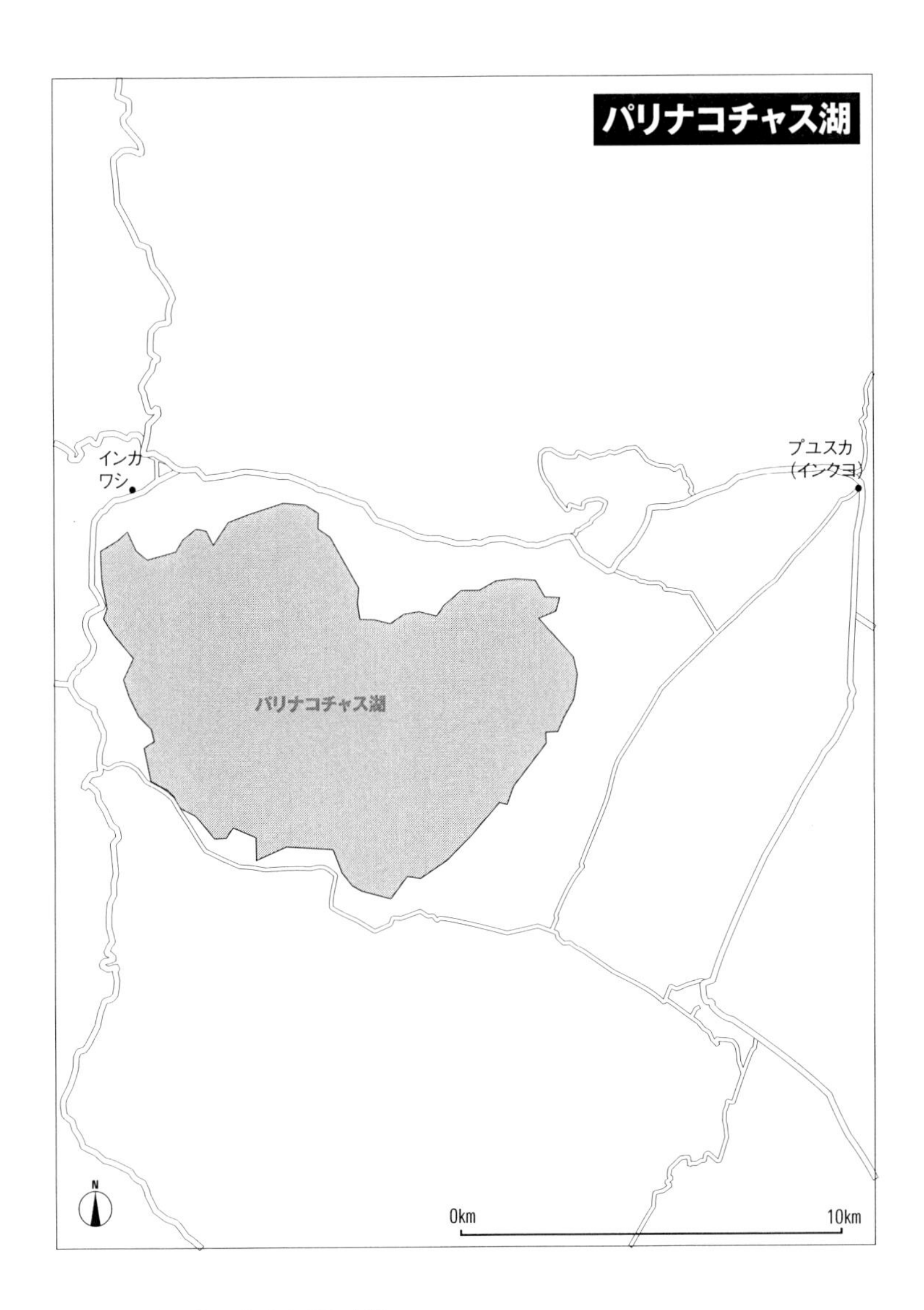
パリナコチャス湖
インカワシ
プユスカ
（インクヨ）
パリナコチャス湖
N
0km
10km

どもたちも裸足のままだ。子どもたちは古びたフェルト帽子をかぶり、彼らには大きすぎるコートと長ズボンを身に着けていた。

パリナコチャス湖盆地の端には、優美な円錐形をしたサラサラ山がそびえている。早朝、雪をかぶった山頂が、ガラスのような湖面に映る美しい光景は今でも忘れられない。かつてのサラサラ山は、今よりもはるかに高かったのだろう。火山性の頂部が雪と氷で侵食されて、現在の姿になったという。標高が高く、今よりも多くの雪を抱いていた時代には、きっと豊富な雪解け水を送り、パリナコチャス湖の水域は今より広大だったに違いない。

初夏とはいえ、夜になると山から吹きおろす風はとても冷たい。夜の湖畔では、最低温度が華氏二二度（摂氏マイナス五・六度）を記録していた。とはいえ、朝には湖の縁にごく薄い氷の膜があるだけで、もっとも浅い湾をのぞいて、岸から遠く離れた場所には氷は見えなかった。午前一〇時、岸辺近くの水面から一〇インチのところで、水温は華氏六一度（摂氏一六度）、岸辺から遠ざかるにしたがって、三～四度ずつ高くなっていた。正午の時点で、岸から半マイル離れた場所の水温は華氏六七・五度であった。正午を少し過ぎると、海岸から強い風が吹き寄せ、浅瀬の水がかき混ぜられて冷やされていった。ほどなく水温がさがりはじめ、灼熱の太陽がほぼ真上から照りつけていたにもかかわらず、一四時半には華氏六五度までさがっていた。

パリナコチャス湖の水は塩水だったが、湖岸近く、淡水の流れる小さな河川のほとりにキャンプを張ることができた。パリナコチャス湖で採取した水のサンプルをニューヘイブン（イェール大学のあるコネチカット州南部の都市）にもち帰り、のちにシェフィールド科学校のジョージ・S・ジェイミソン博士に分析してもらった。その分析結果から、少量のシリカ（二酸化ケイ素）、リン酸鉄、炭酸マグネシウム、炭酸カルシウム、硫酸カルシウム、硝酸カリウム、硫酸カリウム、ホウ酸ナトリウム、硫酸ナトリウム、そしてかなりの量の塩化ナトリウムがふくまれていることがわかった。パリナコチャス湖の水は、大西洋やグレートソルトレイク湖の水よりも多くの炭酸塩とカリウムをふくんでいる。典型的な「塩水」と比較すると、パリナコチャス湖の塩分濃度は、ココ・ノール湖よりも高く、大西洋よりも低く、グレートソルトレイク湖の二〇分の一に過ぎないようだった。それは特筆すべきことのない「中間的な数値である」という結果になる。

私たちが第二のキャンプに移動すると、テハダ兄弟は、「(優れた飼料の)ムラサキウマゴヤシ(草)が豊富なプユスカ渓谷でラバを休ませたい」と申し出てきた。ラバ追いたちは自費で、おもにバーロ(荷物を載せるパリナコチャス湖地方の小型ロバ)で構成されたキャラバン隊を雇った。この地域では荷物を生革でつくった大きな網で包み込み、腹帯で動物に固定する習慣がある。バーロ隊列について来たインディヘナたちは、「店で買った服」と麦わら帽をまとい、陽気で屈強そうな人々であった。しかし、彼らのバーロ(小型ロバ)はロバと同様に気難しい性格で、決して暴れたり、逃げたりはしないが、荷駄に近づこうとすると、足を踏ん張り、頑固に抵抗した。

ふたつ目のキャンプ地の場所は、盆地の北西隅にあるインカワシ村(「インカの家」)の近くだった。そこはライモンディも、一八六三年に訪れた村だった。家屋のひとつには、パリナコチャスにいるオーナーの代理人が暮らしている。他の建物は、毎年八月第三週に開催される見本市のときにだけ使用されるという。今は無人となっている広場には、高さのない長方形の石の構造物がいくつも残っていた。その一部は日干しレンガでおおわれていて、すぐにでも小屋として使えそうだった。広場は日干しレンガと石でできた茅葺きの建物に囲まれていて、いくつかの石には、古代の石工がていねいに手を入れたような形跡も見られる。なかには半トンほどはありそうな積み石がぐらぐらとしていて、現代の建築家には手に負えないような代物に見えた。大きな教会を建てる際には、切り石を美しく配置した壁が、そのまま教会用の壁として利用されていた。インカワシという名称は、かつてこの地に「インカの家」があったことに由来する。インカ帝国では、もともと湖は崇拝の対象となっていたため、その「インカの家」は神官、首長、徴税役人などが、広大なインカの土地を快適に旅するために各地にあったレストハウスのようなものだったかもしれない。

パリナコチャス湖盆地では、丘の斜面がアンデネス（古代の段々畑）でびっしりとおおわれているところを見た。かつてジャガイモなどの根菜類が大量に栽培されていたのだろう。しかし、森林伐採やそれにともなう乾燥化の進行で、耕作地の一部は放棄されてしまっていた。湖の西側の丘陵には、いくつかの干上がった溝が走っていて、そのなかには埋葬場所として使われてきた洞窟も残っている。そこは、かつて岩と日干しレンガの壁で仕切られていたが、その壁は部分的に破壊をこうむっていた。墓所は荒らされていた。洞窟の瓦礫のなかには、九〜一〇個の頭蓋骨が転がっていた。そして、そのうちのひとつには穿頭術の形跡もあった。

丘陵の稜線上には、幅五〇フィートほどの古代の道（インカ道）の跡が続いている。この道は砂利を敷いたり、舗装したりする努力が見られず、最近まで使われていた形跡もない。道は湖から尾根を越えて、広い谷のある西に向かって走っているが、そこでも多くのアンデネス（段丘）と耕作地があって、（地上絵のある）ナスカからもそれほど遠くはない。昔からリャマのキャラバン隊が石だらけの尾根を越えるとき、彼らは時間を節約するために、石を拾っては両側に積みあげたのだろう。リャマという生きものは、どんな障害物でも、たとえ低い壁であっても、またいで踏み越えることを嫌う。しかし、草の生えた道であれば、上から目線のリャマたちも思い通りの方角に進んでくれることだろう。

丘陵のあちらこちらに、大小の石のサークルのつくった輪郭が残っていた。それは、12,000フィートのこの標高の地で、突然、予期せぬ激しさで襲ってくる雪や雹の嵐から一時的に身を守るために羊飼いたちが建てた小屋（避難所）だった。これらの小屋は、かなり荒れ果ててしまっているようだった。小屋は、スコリア（火山砕屑物）状の溶岩石でできていた。円形の囲いの直径は八〜二五フィート（二・四〜七・六メートル）で、そのほとんどが最近

▲　6月、掘ってジャガイモを収穫する（ワマン・ポマ『新しい記録と良き統治』より）

まで使用されていた形跡は見られなかった。壁は小さな円形小屋の土台を転用したものかもしれない。また大きな壁は、アルパカやリャマが夜間に逃げださないように、もしくはオオカミやコヨーテ（オオカミに似たイヌ科の動物）から守るための、囲いとしてつくられたものであろう。

正直なところ、このインカワシの遺跡の年代についてはあまりよくわかっていないようだった。古い時代の羊飼いたちの集落である可能性もなくはないが、壁のかたちや大きさから言って、それは疑わしい。この小屋は、インカ時代に牧童がつくったものかもしれない。いずれにしても、パリナコチャス湖の西の丘陵に残っているものは、長いあいだ使われていなかった。（地上絵で知られる）ナスカは、ここからさほど遠くない北西方向に位置し、ペルーでもっとも芸術性の高いプレ・インカ文化の中心地でもあった。そこは繊細な陶器の産地としても有名であった。

三回目のキャンプは、パリナコチャス湖の南側で行なった。私たちのテントの近くには、ふたつの大きな円形の家畜小屋の跡、そしてそれに続く古代道路（インカ道）の痕跡が見られた。私はこの石だらけの奇妙な道は、「リャマが牧草地を自由に歩き回れないようにするためのものだったに違いない」と確信している。パリナコチャス湖の南岸では北岸よりも多くの居住者の痕跡が残っていたが、インカワシの石材や精巧につくられた壁などは、あきらかにインカ帝国時代に属するものではなかった。

岬の岩のうえに、小さな集落跡があり、石を組んでつくった壁の基礎が残っていた。集落跡の岬の斜面は、三方向がほぼ絶壁状だった。ここにはかつて四〇～五〇の原始的な住居と人々の暮らしがあって、防衛上の配慮から、守りやすいように密集していたという。丘の小さな村の遺跡からは、粗末な土器と黒曜石のかけらがいくつか発掘された。けれども、この集落遺跡からはインカ帝国起源であることを示すようなものは何ひとつ見つからなかった。おそらくインカ帝国時代以前にさかのぼるものであろう。そしてそれについて、誰も、何も答えてはくれなかった。もし、以前にまつわる伝承が残っていたとしても、あたりの寡黙で、迷信深い羊飼いたちはだまりこんで語らず、それを隠し通していたことだろう。もしかしたら、ここは神に呪われた不吉な場所と見なされていたのかもしれない。

遺跡に隣接する斜面には、アンデネス(段々畑)の跡がわずかに残っていた。ここではチュチュ種のポテトが育つのだろう。このポテトは、生では食べられないが、何度か冷凍して苦い汁をしぼりとって、でんぷんをつくるのには適した品種だ。ペルーの高地で栽培されている他の根菜類、たとえばヒメスイバの近類種であるオカ(カタバミ科の多年草)、キンレンカの一種であるアニュス(マシュア)、そしてウルーコなども見られた。

パリナコチャス湖の湖岸近くの湿地帯には、わりと大きな家畜小屋が立っていて、今でもきれいに整備されている。私たちが訪れたとき、インディヘナが新しい壁をつくっていた。湖南東隅には、石と日干しレンガでつくられた茅葺き屋根の小屋がいくつかあり、牧場経営者や羊飼いたちが暮らしていた。

湖の東端では、他の場所よりも多くの牛を見かけたが、牛たちはサラサラ山の斜面に育つ硬い草よりも、湖付近に生息する甘い水草を好むようであった。灰色のこけ(菌類と藻類の共生植物)におおわれた岩のあいだに、ビスカッチャ(ネズミ目)がしばしば現れた。ビスカッチャは、「チンチラ」として売り出される真珠のように光るネズミの毛皮から、また食用としても重宝されている。そのため、狩りの餌食になって、ペルーの人間世界に近い場所からは姿を消してしまっていた。(インカの失われた都のあるという)ビルカバンバの山間部の荒涼とした高地で見かけることはあるという。ただ、そこは危険な沼地や深い渓谷があって、誰も訪れることのできない場所なので、めったに見かけることはない。ある書き手は、ビスカッチャを「ウサギリス」と呼んだりする。大きくて丸い耳、長い後ろ足、長くてふさふさとした尾をもっていて、ウサギと灰色のリスをあわせたような姿をしている。

ある日、高い尾根のひとつを越えて進むと、私は突然、とても大きな野生のビクーニャ（ラクダ科）の大群に出くわした。その群れは一〇〇頭以上もいようかというほどの大所帯であった。ビクーニャがあまり人を恐れないのは、パリナコチャス湖が比較的人里離れた場所にあること、ここではビクーニャ猟があまり行なわれていないからだろう。ビクーニャが人間に飼いならされることはないが、しばしばその毛皮を求める狩人の餌食になる。その毛皮は絹のようで、アルパカよりもさらに繊細なものだった。 このビクーニャの皮の毛羽立った部分を縫いあわせて、ケワタガモの綿毛のようにやわらかい黄金色のキルトがつくられる。

タッカー氏がパリナコチャス湖の三角測量を終えたあと、私たちはラバ追いのテハダ兄弟に最短で帰られる帰路を考えるように頼んだ。テハダ兄弟は微笑みながら「アレキパ」とつぶやき、私たちはパリナコチャス湖から南に向かって出発することにした。すぐにマライカサ渓谷に着いて、その南側の丘のうえから（私たちが征服した）コロプナ山を少しだけ見ることができた。マライカサ渓谷には人が多く暮らしていて、アンデネス（段々畑）は少ないものの穀物畑は多く見られた。

周囲の丘はなめらかで、丸みをおび、谷底には広大な沖積地が広がっている。そこを通り抜け、日没後、ソンドールに到着した。ソンドールは、来訪者に対して疑い深く、人を寄せつけないような農夫たちの暮らす小さな集落だった。暗闇のなか、私たちのラバ隊をひきいるドン・パブロ（テハダ兄弟の兄）が立派な小屋の持ち主に懇願し、私たちがいかに「重要な任務をおびた存在であるか」を伝えてくれた。しかし、彼らは私たちにキャンプ地を提供してくれなかったので、小屋の前にある岩だらけのところに立つ汚い家畜小屋にテントを張ることになり、ひと晩中、豚や犬、牛の鳴き声や匂いに悩まされた。もしも暗くなる前にソンドールに到着していたら、もっと違った歓迎を受けていたかもしれない。事実、この家畜主たちは、その姿をはっきりと見ることができ、交渉可能な昼間に現れなかった者（今回の私たちのような登山家や荒野の民）に対して、いつも通りの敵意を見せ

▲左　カラベリ近くの山道を進むタッカー氏［『INCA LAND』掲載写真／1922年発刊］　▲右　チュキバンバのメインストリート［『INCA LAND』掲載写真／1922年発刊］

たのに過ぎないだろう。

翌朝、私たちは比較的新しい溶岩流の跡を通り過ぎて、風や砂の侵食でできた奇妙なかたちの岩を脇き目に進んでいった。そして緑の放牧地を離れ、再び、砂漠に入ってきた。深さ一マイルのカラベリ渓谷の縁にたどり着くと、そこには緑豊かなオアシスがあって、不毛な峡谷の壁面とは対照的で、それが私たちの目を楽しませてくれた。長い曲がりくねった下り坂の道すがら、絵になる多くのサボテンを目にした。急になった下り坂を降りきると、行く手の集落は、非常に川幅の広い大河で隔てられて位置することを知った。テハダ兄弟のふたりともここに来たことがなく、その川については、深さや渡ることの危険性はまったくの未知数だという。さいわいにもドン・パブロ（テハダ兄弟の兄）が川岸の小さな小屋に住む住人を見つけ、安全に進めるルートを教えてもらった。それはとても刺激的な道のりで、徒歩で二時間進むと、私たちはようやくこの川を渡ることができた。

高地の乾燥した砂漠から離れているので、動物も人間もここでは様子が違って見える。ムラサキウマゴヤシの青々とした畑、イチジクやユーカリの木のつくる木陰。私たちはカラベリのオアシスに入ったことを喜んだ。豊富な植物の香りで満たされた空気は、すずしくて、とてもさわやかな印象をあたえてくれる。

私たちはカラベリで、近代的なやりかたで金の鉱山を開発するイギリス企業ラ・ビクトリア社が拠点を構えていることに気がついた。この社の支配人ブレイン氏とその部下たちは、私たちを心から歓迎してくれ、すばらしい夕食をご馳走してもらった。厳しい環境の海岸沿いの砂漠で、一か月間過ごした後だったので、まるで自分の家に帰った心地になった。夜になって、ブレイン氏から、近くの港から鉱山で使う重機を、高原に運ぶことの苦労話を聞いた。重機を高原に運ぶことにくらべたら、私たちの労苦など、まるでとるに足らないことのように思える。石英スタンプ鉱機（粉砕機）の大きな部品を、ラバの背に載せて運ぶのにかかる費用は、一流の輸送用ラバ一頭分の価格に相当するという。実際のところ、「(重機を運ぶのが)たった二日間の旅だ」とは言え、五〇〇ポンド(二二六キログラム)もある重機の部品を標高4,000フィートの砂漠の台地に運ぶには、それを担ぐ動物の背中はすぐに悲鳴をあげてしまう。そのため、彼らは、海岸から峡谷の手前まではラバに運ばせたけれども、さらにカラベリへの急な坂道ではラバで運ぶことはできなかったという。そこで彼らは、断崖のうえに(小さな部品を組み合わせてつくった)巻き上げ機を組みたてて、「重機の部品を巻きあげては、とめる」というように少しずつ運んでいったという。

不屈の技術者たちはこのように、さまざまな困難に立ち向かっていった。もしも、この機械の設計士が、キャラバン隊から「けものみち(山道)」と呼ばれる岩の段丘を登ったり、降りたりする旅を経験したことがあったなら、きっとこの金属製品をもっとこぶりに設計していただろう。南アメリカの内陸部で荷物を運ぶにあたって、荷物ひとつ分は動物の背の片側で運べる重さ以上にしてはならない。そのことを知らない人が多いことには驚かされる。荷物ひとつ分の重さは、一五〇ポンドが限界だろう。どんなに大きくて丈夫なラバでも、荷物の総重量が三〇〇ポンドを超えると、私たちが携帯する地図のようなルートでは数日しかもたない。そして、荷物ひとつの重さが二〇〇ポンド以上になると、(片方だけに偏るのを避けるため)ラバの背中を、なんとかしてバランスをとらなくてはならなくなる。そうすると、荷物が揺れてラバを痛めつけることになり、ラバ追いは大きな不利益と悩みを受けることになる。現実的な問題として、それぞれの荷物(左右のうち片方の荷物)の重さは七五ポンド程度にすることが望ましい。このぐらいの重さであれば、一日中続く荷物の積みおろしや積みかえの際、とくにアンデス山脈地帯のような起伏の激しい道では、ラバ追いが扱いやすい重量だからだ。さらに七五ポンドの荷物は、人間やリャマがあつかうにあたって適切な積載量であり、二個は小型のロバ(バーロ)、三個は平均的なラバが運ぶのにちょうどよい。屈強なラバの場合、四個を積むことだってできるだろう。

親切な鉱山技師たちは、「ラ・ヴィクトリア社にもっと滞在するように」と声をかけてくれたが、私たちは先を急がなくてはならなかった。カラベリの心地よい木陰から立ちあがって、私たちは目の粗い砂利と溶岩の広がる丘を登り、峡谷をあとにした。丘陵の頂部付近では、直径八フィートの小さな円形(楕円形)の小屋が五〇ほど点在しているのを見つけた。ここには、生活するための水がない。しかし、かつて村が存在していたのだ。それはパリナコチャス湖盆地の南岸で見た集落跡と同じ時代のもののように思えた。

この地の道路は、私たちが遭遇したなかでも、最悪の部類に属する道で、道路というよりも、巨大な溶岩の塊、またそれらのあいだに続く荒れた岩場に過ぎなかった。大きな岩のいくつかには、絵文字が描かれていた。人や動物、そのほかには蛇や太陽なども描かれている。

まもなくリオ・グランデ渓谷のカランガに到着し、海岸沿いの砂漠では見たことのないような広大な遺跡のなかでキャンプを張った。その遺跡の広さは一〇〇エーカーほどもあり、密集した家々の跡が残っていた。現在は、荒涼としたこの地に、このような大きな都市が存在していたことに不思議な感覚を覚えた。カランガ全体の景観は、アメリカ南西部の大規模な遺跡群を彷彿とさせた。ただインカ帝国の起源を示すものは何も見あたらなかった。周囲にはアンデネス(段丘)も見られない。このような大規模な都市、ここで一体、どのような営みがあったのだろう? カランガ人はどのように生活していたのだろう? それは想像しがたいものだった。

壁は無造作に丸石と日干しレンガを積んでつくられ、漆喰で塗り固められていた。そして、漆喰のほとんどははがれていた。ある家では、家の端に椅子(もしくは小さなベッド)がおかれていた。他には、ドアや窓もない、ものおきのような小さな区画が二~三あった。小さな丸石で飾られた石棺も、いくつかおかれていた。そのなかには四角形のものもあれば、丸みを帯びたものも見られた。ある家では、「地下室へ続く階段」の下に、地下室、つまり墓が残っていた。その入口は、一枚岩のまぐさ（横材）でおおわれていた。この墓の調査中、タッカー氏がボバという毒蛇に噛まれそうになった。ボバは体長三フィート（〇・九一メートル）近くあり、凶暴な口、ガラガラヘビのような長い牙をもち、皮膚には鮮やかな斑点が見られた。

またそこから近くには、高さ一〇フィートにも満たない、頂上に向かって階段が伸びている小さなピラミッドが残っていた。遺跡のなかからは、やわらかくて穴ぼこだらけの火砕物から切り出された、石の皿が何枚も発掘できた。この皿をきれいに保っておくことは、とても大変なことだっただろう。また（彩色のための）絵の具をつくるための小さな石の臼、壊れた石製の軍刀、トウモロコシをすりつぶすための傷んだ石臼と乳棒なども見つかった。長さ一・五フィートほどのふたつの石は、粗い丸みを帯びていて、平らかな面の中央に浅い溝が残っていた。それは漁師が大きな網を固定するための重しに似ていたが、私がこれまでに見たものより一〇倍ほど大きかった。地面には、風化して往時の装飾を失った陶器の破片がいくつか転がっていた。

私たちは、カランガの遺跡を発掘することはしなかった。ここカランガにも、考古学的に興味深い分野もあるだろうが、残念なことに私たちは事前にカランガのことを何も聞いておらず、思いがけない出合いだったため、発掘調査をする時間がなかった。この「死の都市（カランガ）」で行なう最初のキャンプのあと、私たちは、まったくの不毛地帯に見えていたこの地にも、実際には住人がいることに気がついた。ノミがいたのだ。私はT・D・シーモア教授が発掘調査した古代ギリシャ遺跡の話を思い出した。ノミは普段、何を食べて生きているのだろうか？

カランガの次に立ち寄ったのはアンダレーという小さな街だった。アンダレーでは、石を積みあげて泥で塗りかためた茅葺きの家がならんでいた。その近くで、ふたりのラバ追いと、そのラバたちに出会った。彼らは「街にラバを売りに行く途中で、今なら安く譲ってくれる」という。怪しげな取引のように思えたが、よい動物（ラバ）を安く買えるという誘惑にテハダ兄弟は勝てなかったようだ。私たちが六枚の金貨をとり出して、彼らのラバを買った。テハダ兄弟は笑顔で新しいラバを隊列に加えたが、チュキバンバに到着したとき、それは「盗人から買ったものだ」と判明した。あのラバ追いたちが、盗人と共犯であることも理解した。しかし、盗まれた側のラバの元持ち主は、（自分の）ラバを取り戻すのにお金を払おうとはしなかった。そのため、盗難ラバをつかまされたテハダ兄弟は、取引（買ったはずのラバ）と金の両方を失った。

私たちはチュキバンバでの友人、副知事のベナビデス氏のところで、一夜を過ごし、再び、アレキパへの道をたどることにした。午後にマジェス渓谷を出発し、前と同じように、砂漠を越えながら夜を過ごした。夜の暗さ、そして静けさのなか、一二時間ほどかけて順調に走り続けた。朝三時ごろ、砂を踏むラバの音だけが聞こえ、星明かりに照らされた三日月型の砂丘がときおり見えるばかりだった。そしてしばらくすると、東の地平線がかすかに照らされはじめた。月はとっくに見えなくなっている。これは夜明けに近いのかもしれない。しかし、日の出までには少なくとも二時間はある。熱帯地方では、日の出前の薄明かりはほとんどなく、夜明けは雷のようにやってくる。月が、再び昇ることはないだろう。東の空が急に明るくなっていくのは一体、どういうわけだ？　私たちが東のほうを見とれていると、純白の光はますます明るくなり、地平線上に堂々と浮かびあがる、まばゆい光が放たれた。

そして私たちは思わず歓声をあげた。太陽でもない、月でもない輝きが私たちを照らしていた。それは「明けの明星（金星）」だった。この日の金星の美しさ、神々しいほどの魅惑は、私がそれまでに見たことのないものだった。アジアの砂漠でこのような光景をよく目にしていたという偉大な詩人ヨブの言葉（聖書『ヨブ記』）を借りればこうなる。

「かのときには明けの星は相ともに歌い、神の子たちはみな喜び呼ばわった」

Chapter V
Titicaca

第5章
チチカカ湖

山の空気に満ちて、太陽は燦々と輝く。昼は温暖で、夜は清涼、そして煌めく満天の星空は、見る者の心を惹きつけてやまない。アレキパは世界でもっとも心地よい街のひとつだろう。この街は高原にあって、チャチャニ山（20,000フィート）、エル・ミスティ山（19,000フィート）、ピチュピチュ山（18,000フィート）といった雪をいただく5,000〜6,000メートル級の巨大な火山性の峰々が周囲にそびえている。アレキパに悪夢があるとしたら、それはただひとつ、地震が起こることにほかならない。一〇〇年に二度ほど、眠っている「火山の霊」が突然目覚めて、寝返りを打ってから再び眠りにつく。「火山の霊」はそこでベッドを大きく揺らす（大地震を起こす）。そして、そのベッドのうえにアレキパの街が位置する。そのためアレキパ人の潜在意識には、常に「地震（テレモト）」が住みついている。

ある晩、私は友人とアレキパ・クラブで食事をしていた。突然、窓がガタガタと音を立てて揺れだし、大きな「爆発音」が聞こえた。少なくとも、私にはそのように聞こえた。しかし、クラブのメンバーにとって、「爆発音」が意味するものは地震だった。皆が、外に飛び出した。通りはあわてふためく人々ですでに混雑していて、泣いたり、叫んだりしていた。そして、美しい教会（カテドラル）前の大きな広場に向かって走っていた。教会では壁の崩壊をまぬがれたことに感謝してひざまずく者や、地震の神に街を救ってくれるように祈る者の姿があった。しかし壁は、崩落していない。一方、オフィス街では黒い煙が立ちのぼっていた。地震ではなかった。ガソリン、灯油、ダイナマイト、強力な火薬などを保管する大きな倉庫が爆発したことが、不安と狂気に陥った人々のあいだで徐々に知られていった。

人口三万五千人で、ペルーで二番目に大きなこの街アレキパでは、火事は年に一度、いや二年に一度という

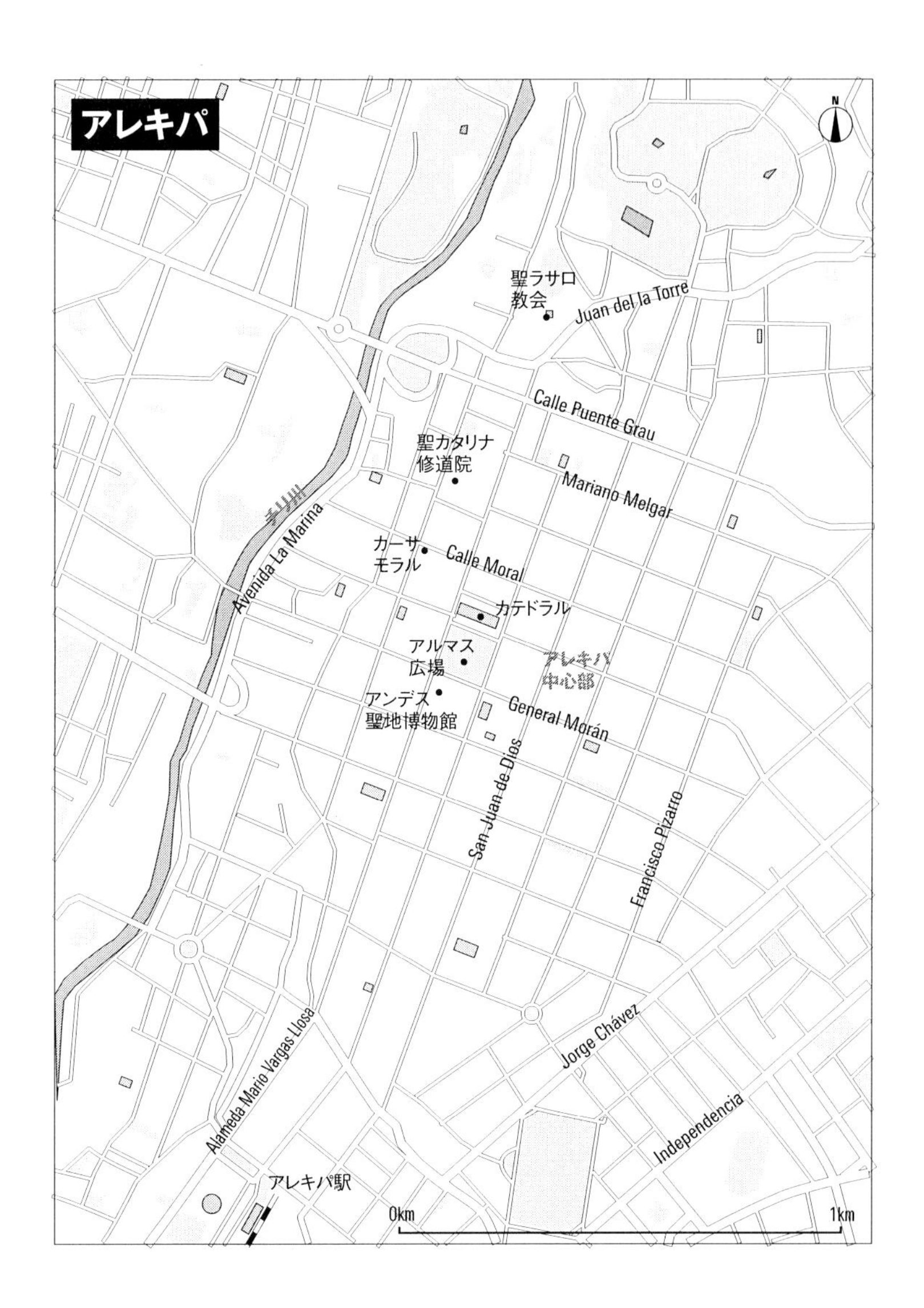
アレキパ
N
聖ラサロ
教会
Juan del la Torre
Calle Puente Grau
聖カタリナ
修道院
Mariano Melgar
チリ川
Avenida La Marina
カーサ
モラル
Calle Moral
カテドラル
アルマス
広場
アレキパ
中心部
アンデス
聖地博物館
General Morán
San Juan de Dios
Francisco Pizarro
Jorge Chávez
Alameda Mario Vargas Llosa
Independencia
アレキパ駅
0km
1km

ほど稀なものなので、消防車の備えはない。そのためバケツリレー隊が結成され、人々は通りを流れる運河から水をくんで、バケツリレーで燃えさかる火を消そうとした。燃えあがった炎と煙は、まだまだ猖獗をきわめている。アメリカの都市であれば、このような炎は、確実に大火事につながるだろう。炎の勢いが最高潮に達したところ、私は隣の建物に助けを求めに行った。驚いたことに、火元の横の壁は熱いどころか、ほとんど熱をもっていなかった。それは巨大な石の壁をもつ家の構造によるものだった。またアレキパの街にならぶ家々の屋根は、瓦葺きなので、火の粉がほかの家に飛んでも害はない。つまり消防署がないのにもかかわらず、このひどい火災の被害はわずか倉庫一棟にとどまったのであった。翌日の新聞では「急務！　消防車の確保」という文言が掲載されていた。しかし、私には、（この街にあっては）消防車が取り立てて、何かの役に立つとは思えなかった。火事にあった倉庫は浮かばれないが、消防車がやって来て、隣の家が水を浴びていたらもっと大変なことになっていただろう。私たちアメリカ人は「都市に火災や爆発があることは当たり前だ」と思っている。しかし、（アメリカ人には信じられないような話だが）アレキパでは誰もが、そのような事故は地震だと考えるのだった。

心地よい鉄道で一日走れば、標高12,500フィートのチチカカ湖、その主要港を抱えるプーノに着く。プーノには、兵士の記念碑や映画館のような新しい劇場がある。インカ号のような蒸気船には、浚渫が必要だが、船の往来する良港もある。湖のボートの修理は、海上ではなく、湖上に敷かれた線路上で行なわれている。

プーノ湾には長さ一二フィートにもなる巨大なトトラ（カヤツリグサ科の多年草、葦）が大量に生えている。昔、チチカカ湖の住人は、このトトラを乾燥させ、長い束にしてしっかりと結び、束をまとめた両端は上に向け、また側面は小さな束を固定して乾舷（ボートの水面から出ている部分）にして、それで葦の舟バルサをつくった。チチカカ湖の住人は生活の大部分を湖岸で過ごす。彼らが足代わりに使う、この草（葦）の舟バルサはずっと乗っていると、やがて水に浸かってしまう。そのため乗らないあいだは、常に海岸に引きあげて、太陽にさらして乾かしておく。
葦の舟バルサには浮力がなく、靴を濡らさずにバルサをあつかうことは難しい。実際、裸足で乗るか、現地人のようにサンダルを履かなくてはならない。バルサの扱いは難しく、漕ぐのも難しい。竿を水底にさしながらの航行か、風がよければマストを使った帆走という方法で、移動することになる。バルサのマストは高さ一二フィートのA字型をしている。そして二本のポール（帆柱）を使い、船体の両側と船首のやや前方に、帆を固定して、風を受けるようになっている。この地域ではマストにするためのポール（帆柱）の材料が少なく、木材は60,000マイルも離れた北アメリカ西海岸のピュージェット湾からもってくるという。私の見たマストのほとんどは、小さな木を二、三回継ぎ足すことでつくられていた。そして、「A」の頂部には二股に分かれた棒がとりつけられていて、ヨット用ロープ（ハリヤード）がかけられている。そして、長方形をした「帆」はい草でつくられている。船体から四フィートほどの高さの帆船「A」の側面には短いフォアステー（前部支索）が付属されていて、帆を巻きあげたときにマスト（帆柱）が落下するのを防げる。メインハリヤード（メインセイル用のロープ）は、後部のバックステー（後部支索）の代わりになる。

バルサは風上に向かって、ビートする（帆の状態がよくない状況で進む）ことはできないが、いい具合の風が吹く浅瀬では、チチカカ湖を往来する手段としてとても役に立つ。逆風のときは、棹を湖底にさしながら進む必要がある。華氏五五度（摂氏一二・八度）と冷たく、私たちは誰も泳ぎが得意ではないので、湖に落ちないよう細心の注意を払うことにした。チチカカ湖全体が凍ることはないが、冬の夜になるとこの湖の浅い湾や岸辺には氷が張るという。

インディヘナが浅瀬を進む場合、長さ八フィート（約一・五メートル）ほどの小型バルサを使う。しかし、これではひとり分の体重を支えるのがやっとだ。一方、湖の深いところ、荒波を渡るためにつくられた大型バルサなら、その荷物もあわせて一二人分の人を乗せることができる。一度、耕作者と牛が、一緒にバルサでチチカカ湖を渡る光景に出合った。航海の安全性をより高めるために、二艘のバルサをダブル・カヌーのようにつなぎ合わせることもあるという。

ボリビアの作家のなかでも、もっとも洞察力に長けているラパス（ボリビアの都）のポスナンスキー氏は、「一〇トンの一枚岩が（チチカカ湖の）湖上を渡って、ティアワナコに運ばれたと思われる。それには巨大なバルサが使われた」と考えている。このポスナンスキー氏の説は、「チチカカ湖の標高（高度）がかつては今以上に高かった」という仮定にもとづいているが、この仮説は現代の地質学者や地理学者には支持されていない。チチカカ湖の地質と地形を調査研究したイザイア・ボウマン博士とハーバート・グレゴリー教授は、「チチカカ湖がかつて今より標高の高い位置にあった」という確証や「海とつながっていた」ということを示す証拠を見つけることはできなかったという。しかし、ポスナンスキー氏は、「チチカカ湖はかつて塩水の海であり、アンデス山脈の隆起によって海から切り離されたに違いない」と考えている。チチカカ湖に生息する魚が海水魚ではなく、淡水魚であったとしても、彼は気にしない。ポスナンスキー氏は、チチカカ湖の漁師からもらったタツノオトシゴ（海水魚）の干物を彼の信念のよりどころとしている。彼は、ヒトデをふくむ海洋生物の乾燥標本が、アンデスのほとんどの市場で、薬用として売り出されていることに気がついていないようだ。おそらくポスナンスキー氏のタツノオトシゴは、抜け目のない商人が海から運んできたものだろう。アンデスでは、ヒトデはよく見られるし、ラパスではタツノオトシゴが巣をつくって住んでいるのも見たが、生物学者がチチカカ湖ではっきりと海洋生物の営みを確認したことはない。

またチチカカ湖には、食用の淡水魚が二〜三種類生息している。そのうちのひとつは、リマ近くのリマック川で見られる魚だ。リマック川の淡水魚を手に入れるため、悪路を往来することを嫌がったインカ人が、彼らの求めるリマック川の淡水魚を意図的にチチカカ湖に遷した可能性もゼロではない。一五六〇年、クスコ(ペルー)に暮らしていたポロ・デ・オンデガルド氏によると、インカ帝国は海から新鮮な魚を、帝国全土にはりめぐらせた飛脚ネットワーク(チャスキ)、しかも特別な便を使って運んでいた。そして「彼らのキープ(紐や縄の結び目で情報を伝える結縄文書)には三〇〇リーグ以上離れたトゥンベスから、魚を運んできたという記録が残っている」という。山中を本拠とするインカ皇帝の求めに応じて、「魚の入った水がめを運ぶこと」はインカ人にとってそれほど難しいことではなかったのだろう。しかし、私はポスナンスキー氏のような間違いを犯しているかもしれない。いずれにしても、現在のチチカカ湖よりもはるかに広い内海が、インカ帝国以前の古代都市ティアワナコをとり囲んでいたという空想には、謹んで懐疑的な立場をとりたいと思う。

チチカカ湖の南端に位置するティアワナコ(ボリビア)は、プレ・インカ文明の遺跡として知られている。ペルーやボリビアの高地に残っている先史時代の遺跡のなかでも、とくにユニークなのが一枚岩(モノリート)に刻まれた石像であった。風化や破壊を受けてもいるが、それが「服を着た人間の像である」ということは間違いがない。腰帯、長い丈の外衣には、複雑な装飾模様がほどこされている。そこには神々や酋長の地位、業績、属性(などの社会的評価)を象徴するものが描かれているのだろうが、象形文字は見られなかった。石像は硬く、人間の身体がもつ美しさを感じることはできなかった。

おそらく古代アンデスの芸術家は、(他の文明ほど)人の身体を研究する機会を得ていなかったのだろう。アンデスの村では、小さな子どもでも、温暖な地域に住む先住民のように裸になることはまずない。ペルーやボリビアの高地民族の人々は、昼も、夜も、常に厚着をしている。アンデス人は、気候条件から衣服の量や厚さを決めざるを得なかった。そのため南洋の暖かい砂のうえで生活する人たちとは対照的に身体の露出に対して、過剰なほどの慎ましさをもちあわせている。インカの彫刻家や陶芸家は、人体をモチーフに作品をつくること

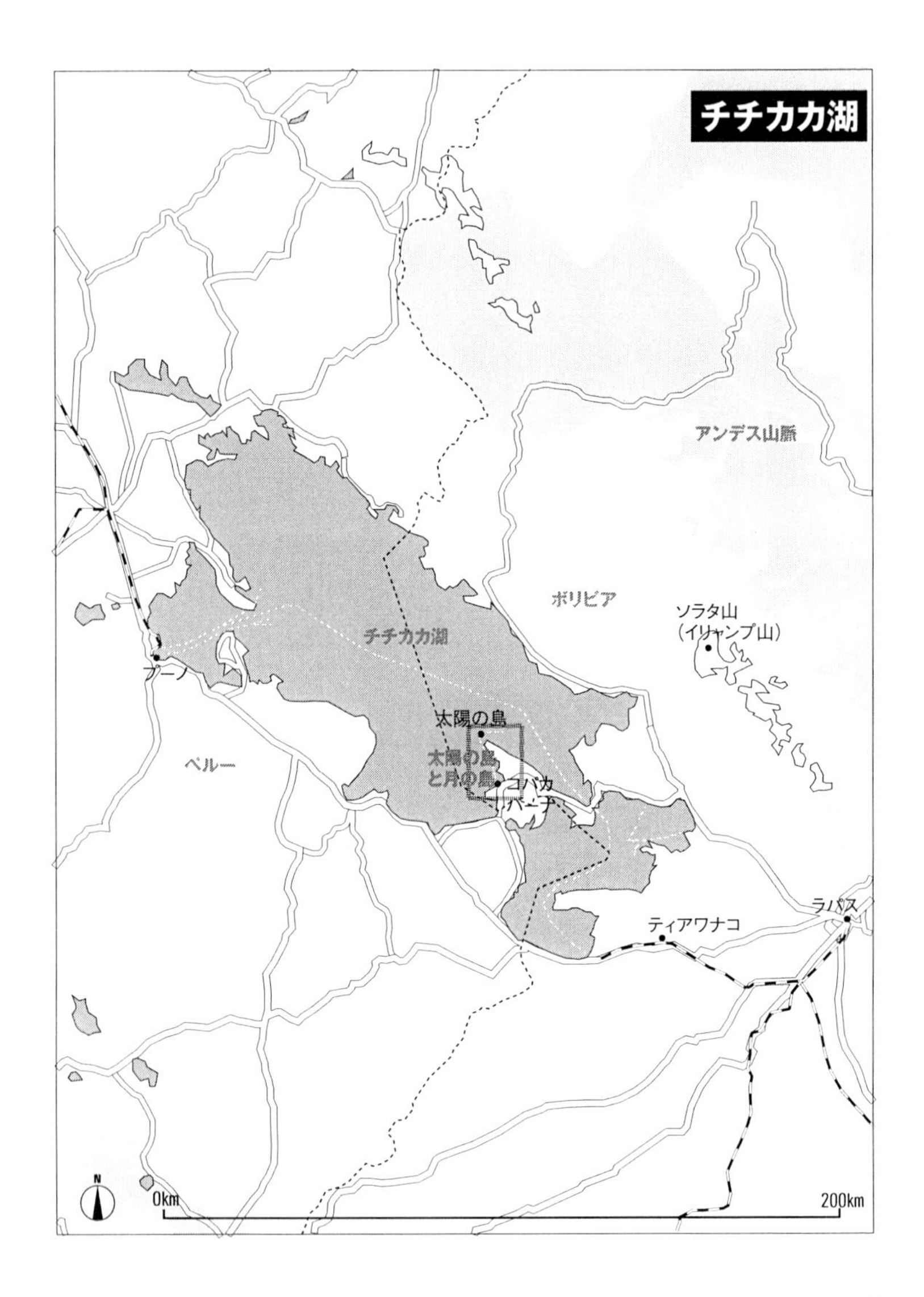
チチカカ湖
アンデス山脈
ボリビア
ソラタ山
(イリャンプ山)
チチカカ湖
プーノ
太陽の島
太陽の島
と月の島
コパカバーナ
ペルー
ティアワナコ
ラパス
N
0km
200km

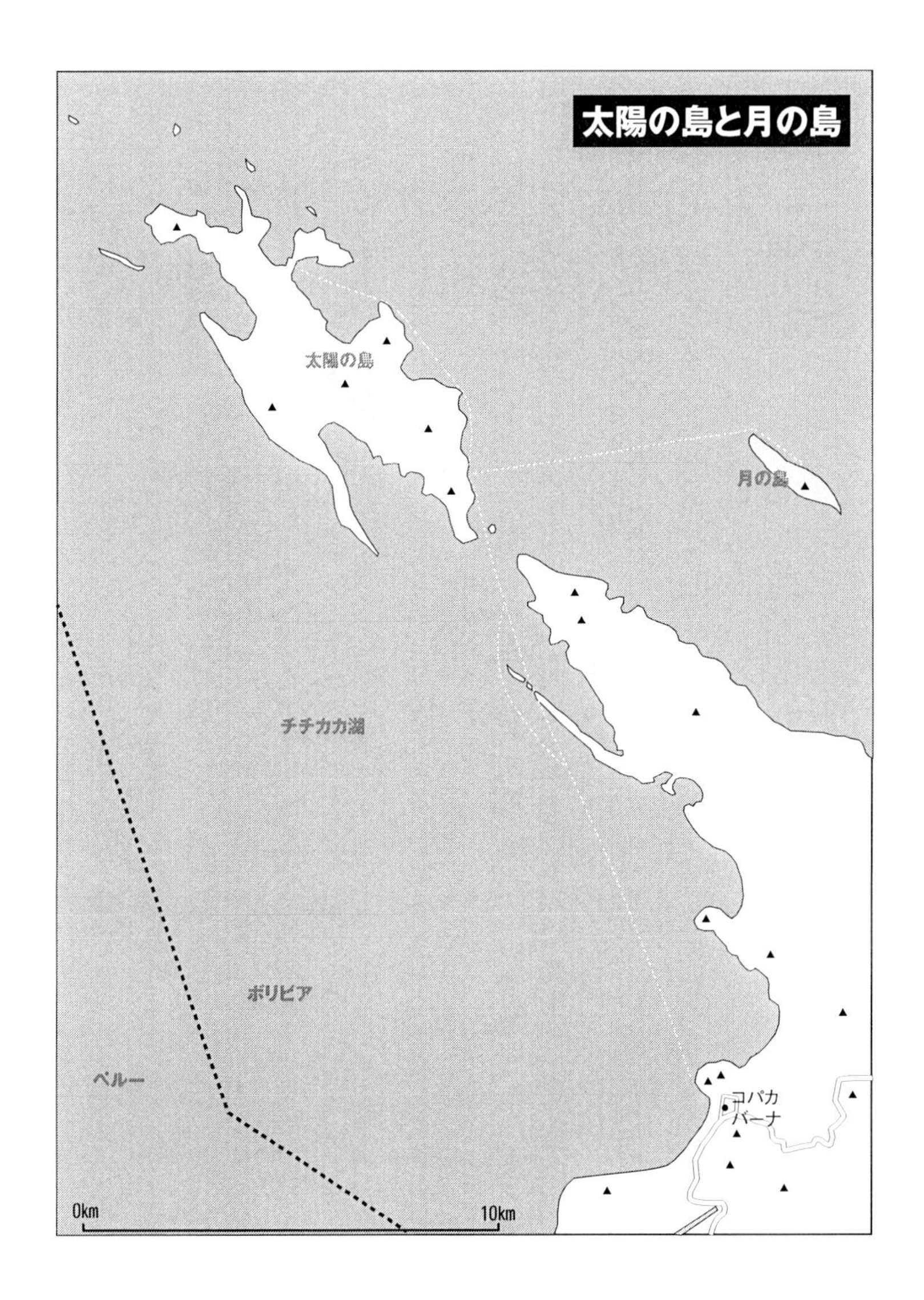
太陽の島と月の島
太陽の島
月の島
チチカカ湖
ボリビア
ペルー
コパカ
バーナ
0km
10km

はほとんどなかった。ティアワナコはインカ帝国(タワンティン・スウユ)以前の時代の遺跡であるが、ここプレ・インカにあっても、人物像はすべて衣服をまとっている。(西欧の)彫刻家にとっては、彼らの優れた技術と観察力、そして真の芸術的感情が込められたものとするには、衣服はないほうがはるかに容易と考えるだろう。しかしながら、アンデスの芸術家にとって「像を裸にする」という行為はいかんともしがたかったのであろう。

チチカカ湖に浮かぶ三六の島々には、ペルー領のものと、ボリビア領のものがある。ボリビア領のふたつの島、「太陽の島(イスラ・デル・ソル)(チチカカ島)」と「月の島(イスラ・デ・ラ・ルナ)(コアティ島)」は、インカ帝国(タワンティン・スウユ)時代にとくに信仰を集めていた島であった。これらの島々は、人工的な段々畑アンデネスでおおわれており、そのほとんどが現在も地元の農民たちによって使われている。そして、どちらの島にも、重要なインカの遺跡が残っている。

私は「太陽の島(イスラ・デル・ソル)(チチカカ島)」でふたつの洞窟を見ることができた。地元の人によると、太陽と月はこの洞窟から出て、誕生したのだという。これらの洞窟は、人間が立てるほどの大きさでもなかったが、宇宙の大きさを知らない人たちにとってのことだ。あの輝きを放つ太陽や月が、幅八フィートほどの洞窟から出てきたと、あるいは無理なく信じたのかもしれない。「太陽と月がチチカカ湖の洞窟から生まれた」という神話はおそらく、チチカカ湖の西岸に住む人たちが、この島から太陽や月が昇るように見えたことに由来するものだろう。「太陽の島(イスラ・デル・ソル)(チチカカ島)」を横切る古い道を進んでいると、地元のガイドが「太陽と月の足跡」を指さして教えてくれた。これは身長二〇〜三〇フィート(六〜九メートル)の巨人の足跡よりもはるかに大きかった。それは不思議なふたつの侵食現象だった。

チチカカ湖に暮らすアイマラ族(ペルーやボリビアの先住民、インディヘナ)からは、勤勉で、陽気な印象を受ける。一九一五年の私の短期滞在時には、バンデリアが『チチカカとコアティの島々(太陽の島と月の島)』のなかで、アイマラ族について記している「堕落(だらく)や不機嫌な性格」という印象は受けなかった。しかし、もし私がアイマラ族たちと数か月間、寝食をともにし、彼らの古い礼拝所を掘り起こし、迷信から来る偏見を指摘し、彼らの心のなかにある雨季と乾季のリズムを崩すようなことをしたら、バンデリアが経験したような野蛮な視線、乱暴で無礼なあつかいを私たちも受けたかもしれない。

　チチカカ湖住民の心のありかたは、彼らが気候、環境などで厳しい条件のもと、生活をしていることにも関係しているだろう。一年のうち、数か月はすべてが乾燥してカラカラになっている。燦々と照りつける熱帯の太陽は、希薄な空気を容赦なく焼いていき、わずかな植物でさえ、枯らしてしまう。そして、その後、集中豪雨（スコール）がやってくる。私ははじめてチチカカ湖で経験したその豪雨を忘れることができない。豪雨に遭遇したのは、蒸気船に乗っていたときのことだった。大雨がデッキを通って自分の足元までやってきたのだ。言うまでもなく、このような豪雨は、農民が苦労して集めた畑や庭の土をも洗い流してしまう。

　チチカカ湖あたりでは日中、太陽の陽射しがとても厳しい。そればかりでなく、日なたと日陰の温度差も激しい。さらに、夜は苛酷な寒さで、湿った風は身にしみる。燃料はいつも不足しがちだから、調理用の燃料でさえ充分ではなく、もちろん暖房用の燃料はない。食料の確保もかんたんではない。標高12,500フィートでは、ほとんどの作物は栽培することができない。大麦が栽培されているところは確認できたが、土壌には窒素が不足している。そのため、おもな農作物は苦味のあるジャガイモで、これを冷凍して乾燥させると、貧しい家庭の強い味方の保存食チューニョができあがる。

　太平洋岸に浮かぶ島々から、肥料グアノ（サンゴ礁や動植物の死骸の化石）をアンデスの丘陵地帯まで運んでいたインカ帝国の輸送交通網は、今ではとっくに放棄されている。近代的な肥料を買うお金もない。その結果として、不作が続く。「太陽の島（チチカカ島）」では、インディヘナの女性たちが、収穫したばかりの長さ一〜二インチのトウモロコシの穂をむいて乾燥させている場面に出合った。たしかにこのトウモロコシ（ミニコーン）は六〇日で成熟するという利点はある。しかし、もっとよい土壌と肥料があったなら、トウモロコシの大きさも生産性も倍増するだろう。

　これらインディヘナの生活は、常に風雨をはじめとした気象現象に翻弄されている。長い雨や干ばつは深刻な飢え、そして苦しみをこの地に生きる人にもたらす。だからボリビアやペルーの高地に暮らす住人たちが不機嫌な顔をしていても、それを責めることはできない。逆に、サモア人がいつもしあわせそうで、もてなし上手で、明るい性格であることを褒めてはならない。ポリネシアの人たちは、幸運なことにいつでも泳ぐことのできる暖かい海に囲まれ、おいしい食物が実る樹木がすぐそばにあり、冷たい飲みものになるココナッツが無料で手に入れられる。このような環境では、誰もが陽気になれるだろう。

　チチカカ湖の小さな「月の島（コアティ島）」には、インカの石造物のなかでも優れた例がいくつか見られた。階段型アーチでかたどられた精巧な細工がほどこされた儀式用の壁龕（ニッチ）など、いくつかの珍しい特徴をもっている。小型で装飾的な壁龕は、へこんだ部分と上部のあいだにある、空間を埋めるように設計されている。また出入口近くにある壁龕もめずらしく、精巧で、四角い十字架のかたちをしている。一見すると、（インカを征服した）スペインの影響を受けているように思われるかもしれない。このデザインでは、壁龕の凹みに映し出される影が、教皇の十字架のように見えるからだ。それは階段状のデザインを直立させたり、反転させたりして使用しているうちに自然にできあがったものであろう。

　インカの大地では、「階段やテラス（段丘）が、装飾や儀式のために繰り返し使用されていること」を確認できる。そこには人間がふだん利用するような、実用的な大きさの階段もあれば、ミニチュアのようにデザインのみの意味をもつ階段もある。このインカの階段は、祖先崇拝の意味合いがあるのだろうか、神聖な岩を切ってつくられていることが多い。階段のモチーフに慣れているインカの建築家にとっては、たとえローマ教皇の十

▲左　チチカカ湖を進む葦の船バルサ、プーノにて［『INCA LAND』掲載写真／1922年発刊］　▲右　「月の島（コアティ島）」の階段状の壁龕（ニッチ）［『INCA LAND』掲載写真／1922年発刊］

字架は見たことがなくても、「月の島（イスラ・デ・ラ・ルナ）（コアティ島）」での不思議な扉や十字架を思わせる壁龕（へきがん）を設計することはかんたんなものだったに違いない。私の友人バンセル・ラ・ファルジュ氏は、この司祭席にあたるインカの壁龕（へきがん）が、アルハンブラ宮殿の「獅子の中庭」のようなアラブや西アフリカのイスラム建築に驚くほど似ていることを指摘している。階段状のアーチは、明らかに東洋的にも見えるが、階段やテラスはインカ帝国（タワンティン・スウユ）的でもある。

「月の島（イスラ・デ・ラ・ルナ）（コアティ島）」の主要建造物は、島の東側のわずかな窪（くぼ）みにある人工的なテラス（段丘）上の小さな広場の三面を囲むように建てられている。残りの四番目の方向は開放されていて、湖、そして二〇〇マイル先の、高さ17,000フィートに届かんとする、雪をいただく東アンデス山脈（ボリビアのコルディリェラ・レアル）がつくるすばらしい景観を望むことができる。この東アンデスの美しい雪山群は、高さ21,520フィートのソラタ山（イリャンプ山）で頂点に達する。

太陽と月の崇拝者たち（インカ人）は、この神聖な島で、もっとも重要で手のこんだ宗教的儀式を行なっていた。雄大な雪山の頂に太陽の光が射しこみ、その光が湖の水に映って輝く光景は、さぞ崇高（すうこう）なものだったに違いない。そう考えると、「月の島（イスラ・デ・ラ・ルナ）（コアティ島）」のこの小さな広場は、たしかに見る価値があるように思う。そこからは、ホメロスの詩で「朝の子、バラ色の指をした暁（の女神）」（『オデュッセイア』）と謳（うた）われている通りであろう。派手な装飾を身にまとったインカの人々を顔を輝かせ、その姿を彼らの背後にある、高く飾りたてた壁にくっきりと浮かびあがらせている様子を想像することができる。インカの統治者や神官は、大きな階段上の装飾をもつ壁龕（へきがん）の前で、特別な台座をもうけていたかもしれない。インカ人は、鮮やかな色彩の、金や装飾片で彩られた精巧（せいこう）な織物を着こなしていただろう。そして、彼らにとっての宗教的儀式をより神聖化するための努力を忘れなかったであろう。

「太陽の島（イスラ・デル・ソル）（チチカカ島）」や「月の島（イスラ・デ・ラ・ルナ）（コアティ島）」といったチチカカ湖の聖なる島々の対岸にあるコパカバーナ

半島では、毎年八月になると大規模なカンデラリア・フェスティバルが開催される。この祭りは現在では、いくつもの奇跡を起こしたという「褐色の聖母像」の安置された教会への宗教的巡礼と結びつけられている。しかし、南米でもっとも有名なこの祭りで見られる色とりどりの光景は、その起源を遠い昔にさかのぼる（キリスト教とアイマラ族の宗教が混交している）。トウモロコシが収穫された後に行なわれるこの聖母祭りは、私たちアメリカ人の感謝祭に相当するものだろう。聖母祭りの季節になると、大きなカテドラル（教会）前の広場に舞台が設置される。そして八月の最初の一〇日間は、遠方から、そして近隣から、何千という山の民がここコパカバーナに集まってくる。

石畳のうえに敷かれた毛布のうえに、女性の売り手たちが長い列をつくって坐っていて、（この地の原住民の）アイマラ族が必要とするものは好きな飲みものでも、何でも、大量に売られている。売り手には、竹の骨組みに四角い綿のシートを張った原始的な傘で陽射しをさけている者もいる。最前列にはトウモロコシの売り手がいて、別の最前列にはサンダルや靴を売る者の姿がある。簡素な旅装用のものもあれば、ラパスの富裕なチョーラ族女性の愛用する精巧な装飾や紐をもつブーツまで、何でも売られている。別の列にはブランケットをあつかう者がいて、さらに別の列には「針と糸（家庭用）」の店にならんでいるような小物をあつかう売り手の姿もある。

ピッコロからファゴットまでさまざまな種類、大きさの竹製の笛を何本も抱えたアイマラ族の行商人、（少なくとも一年は使えると保証つきの）できたてのフェルト帽の山を積みあげた帽子商人、粉末状で水に溶かして使うアニリン染料の行商人たちの姿。インカ帝国の昔より伝わる織物は、美しく、やわらかい植物性染料をもちいて染められている。インカ帝国の遺跡からは、小さな石臼が発掘されていて、原始的な顔料をひいて粉状にしたものを細心の注意を払って混ぜあわせていたこともわかっている。現代のインディヘナは、今でも手織り機による織物を好んでいるが、染料は入手しやすいし、より色彩的に美しく見えるアニリン染料をいち早く導入していた。

アメリカ、コネチカット州の住民である私からすると、広場の傷んだ石畳のうえで風雨にさらされ、無造作におかれているニューヘイブンやニューブリテンからの新品の金属製器具、錠前、鍵、ばね測り、ボルト、ねじ、フック、その他の「木製のナツメグ（使いものにならないようなもの）」などを見て、驚きを隠せなかった。これらバザールの囲いの外にある両替商のテーブルには、「何もあたえずに、しっかり何かを得る」本物の金儲けをする本物の商人たちがいる。「シンブル・リガー（いかさま賭博師）」や「スリーカード・モンテ（三枚のカードを使って行なう、いんちき賭博）」などの詐欺師たちが活発に活動していて、無邪気なインディヘナや疑ってかからない素直な外国人から、虎視眈々と金を巻きあげようとしている。ボロボロのポンチョを着ている彼らの姿を見て、「深いたくらみなどないだろう」と思っても、彼らは儲けのコツを知り尽くしているのだった。

この行事の最大の特徴でもあるが、（祭りに）さまざまなアイマラ族の秘密結社がからんでいるということを忘れてはならない。秘密結社のメンバーは不快感をあたえる仮面をつけ、原始的な想像力で生み出された（違和感さえある）奇抜な衣装を身にまとっている。そして、それぞれが所属する組織には、独自のユニフォームがあり、光沢ある金属片と手織物、錫箔、金箔、銀箔、派手なテキスタイル、銀地に金の星の描かれた肩章、頭上一八インチまでまっすぐに伸びた色とりどりの「ダチョウ」の羽毛、派手なリボン、フリルのベスト、提灯袖、裾切りのトランクスなど、さまざまなもので自らの帰属を示している。彼らの身につけている奇妙な衣装のなかには、（インカ帝国がスペインに滅ぼされた）一六世紀を彷彿とさせるものもあった。

そのアイマラ族たちはフルート、笛、シンバル、木管楽器フラジオレット、打楽器スネアドラム、振って音を出すラトルのようにガラガラと鳴る楽器をもっている。それらの楽器もあいまって、あたりにはなんとも言え

▲　楽器を鳴らして祭りを祝う（ワマン・ポマ『新しい記録と良き統治』より）

ない騒々しさが生まれる。万華鏡のように派手な人間、悪魔のような喧騒とメロディにならない音、まるで十数人が組むジャズバンド以上の存在感を見せている。あるチームの女性は天使の衣装を身にまとい、頭にはターバンを巻いて、そこから上にのびる羽毛を大きく揺らしながら歩いていた。背中には子どものパントマイム（身体と表情で演じる無言劇）に出てくる蝶々のような派手な羽がついていた。そして多くの人たちが色つきゴーグルをつけていた。彼らは竹製の縦笛フラジオレットで演奏しながら、広場を厳かに行進していたが、その哀調を帯びた音色は、大きなバスドラムや露骨なトランペットの騒音にかき消されていた。穏やかな表情のアイマラ族は、バーミンガムやマンチェスターでつくられた粗末な装飾品をつけて、ボリビア東部の竹製の素朴なパンパイプ（木管楽器）で哀愁あるメロディを静かに演奏していた。

祭りの最後、日曜日の午後になるとこうした衣装の人たちはいなくなり、そこでは牛の餌づけが行なわれる。広場の両端には、仮設の障壁がめぐらされ、それぞれの家はしっかりと戸締まりをする。そして酒の勢いもあって気が大きくなった、何百人もの快楽主義者（群衆）が、騒々しく広場に集まってくる。ここで牛が突進してきたら、全員が四方八方に逃げ出せるよう準備をしている。それは闘牛ではない。槍で武装して、牛を狂わせる闘牛士ピカドールもいなければ、とげのあるダーツを装備し、牛に槍を刺すバンデリジェロスもいない。狂い疲れた牛に、最後に光り輝く剣でとどめをさす英雄マタドール（正闘牛士）もいない。ここでは、すべての人が楽しくはしゃいでいる。牛にとって、腕白少年や酔っぱらったアイマラ族は、確かに迷惑千万な存在だろう。彼らは棒で牛を突いたり、派手な色のポンチョを牛の顔に向けて振ったりしている。すると、牛はそれを追いかけて走り出し、歓声のなか、何人かの観客を散らしてしまう。

牛が疲れると、別の牛が連れてこられる。牛が傷ついたり、重傷を負ったりする恐れはない。私たちが訪れたときには、本気でダメージをあたえようとしている動物は、隔離されていた。牛は群衆のなかで、無造作に突っ

▲　リャマを連れた牧童（ワマン・ポマ『新しい記録と良き統治』より）

込んでくる気配もない。観客が広場をとり囲むように密集しているため、怒りをぶつけるべき相手（敵）を見わけることができないのだろう。牛は広場を横切ろうとする人を、猛烈な勢いで追いかけた。

結局、五、六頭の牛が広場に放たれたが、とくに誰かが被害を受けることはなく、誰もが騒々しくて、楽しい時間を過ごしていた。それは、商売と遊び、異教徒とキリスト教徒、スペインとチチカカ湖が混ざりあったコパカバーナの光景だった。羽飾り、ペチコート、肩章、ゴーグルを身につけ、竹製のフラジオレットを唇を膨らませて力強く吹く山の民を見ていると、長旅の疲れもとれるような心地がした。

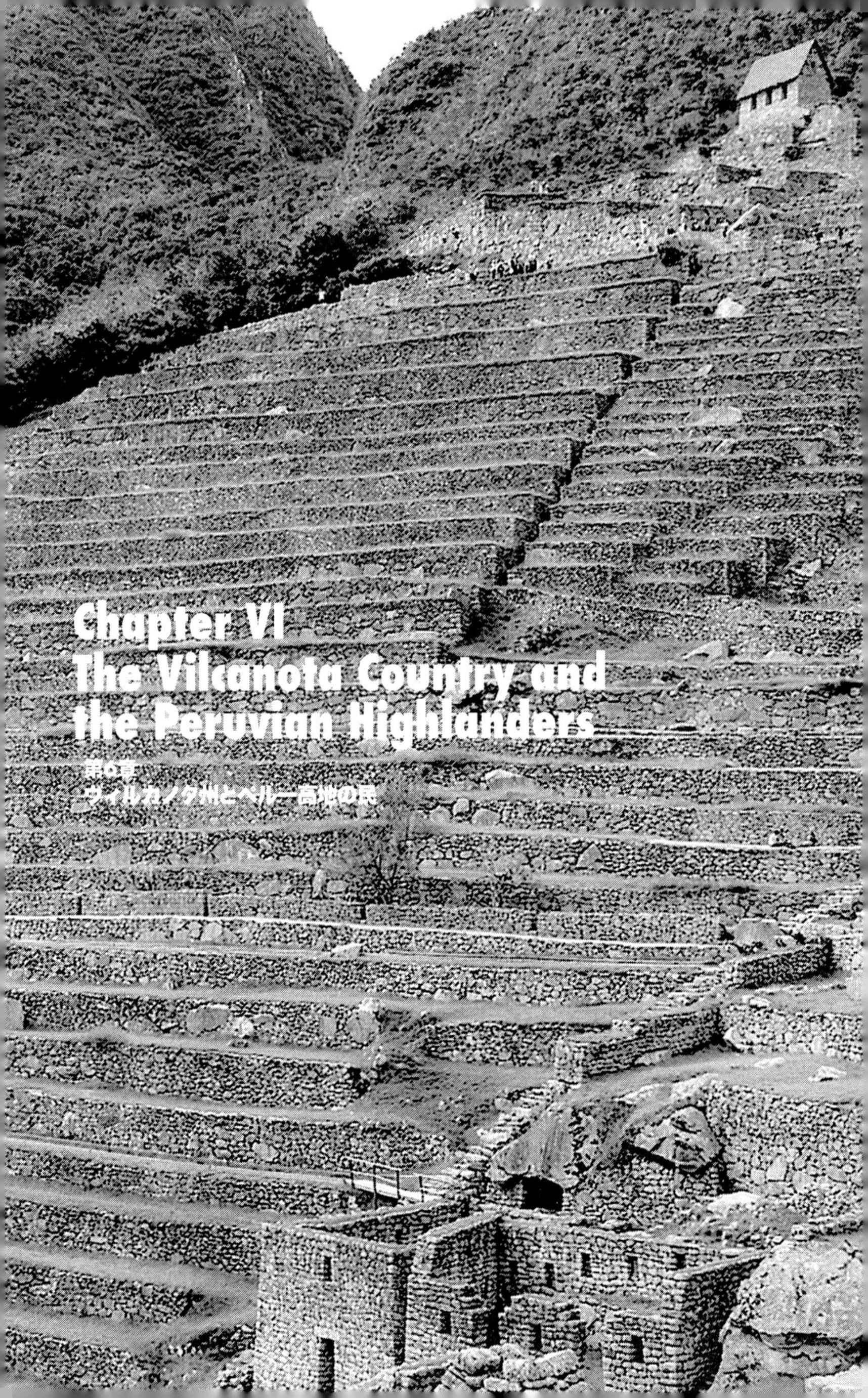

Chapter VI
The Vilcanota Country and the Peruvian Highlanders

第6章
ヴィルカノタ州とペルー高地の民

第6章／ヴィルカノタ州とペルー高地の民

チチカカ盆地の最北端には、コルディリェラ・ヴィルカノタ山麓部の草原が広がっている。ここではアルパカの大群が、甘くて、やわらかい牧草を食べながら暮らしている。この地方の州都はサンタ・ローザで、ウール商人がアルパカの毛を求めて集まってくる。このアルパカの毛は高値で取引されるため、サンタ・ローザの街に繁栄(はんえい)をもたらした。ペルー南部では、その軽さと優れた質感で知られたアルパカの毛布が、手織り機で織られている。この地が北米ロッキー山脈のパイクス・ピークの頂上に匹敵(ひってき)する高地であるにもかかわらず、ずんぐりむっくりしたサンタ・ローザ人は、元気で、健康的で、エネルギッシュだ。そして、最高の仕事をするケチュア族アシスタントのリカルド・チャラハも、ここサンタ・ローザ出身だった。この街の住人のほとんどが、純粋なインディヘナの血をひいている。

サンタ・ローザのインディヘナは、多くのすばらしいリャマを飼っている。豊かな牧草地が近くにあることも手伝って、リャマはインディヘナによく世話されている。サンタ・ローザでは自分たちの仲間への帰属(きぞく)意識が強く、仲間同士は誰であれ、その集団から離れたくないと思っているようだ。かつて私はクスコの知人を介して、イェール大学博物館に収蔵するための立派なリャマの皮と骨格を収集しようとしたことがあった。私の友人はクスコではとても知られた人で、ケチュア語も流暢(りゅうちょう)に話した。そして、彼はよい価格を提示しながら、仕事を進めた。さまざまなリャマの所有者から、「彼らのラクダ(生活にかかせない動物リャマ)」の皮と骨を集めて、アメリカに出荷することを約束させた。しかし、それは結局、かなわなかった。どうやらリャマを殺すのは不吉だと考えられていて、そのときに死ぬ運命となったリャマはいなかったようだ。リャマは馬のように飼い主に愛情を示したりはしない。しかし、私はリャマが飼い主を蹴ったり、噛(か)んだりするのを見たことがない。

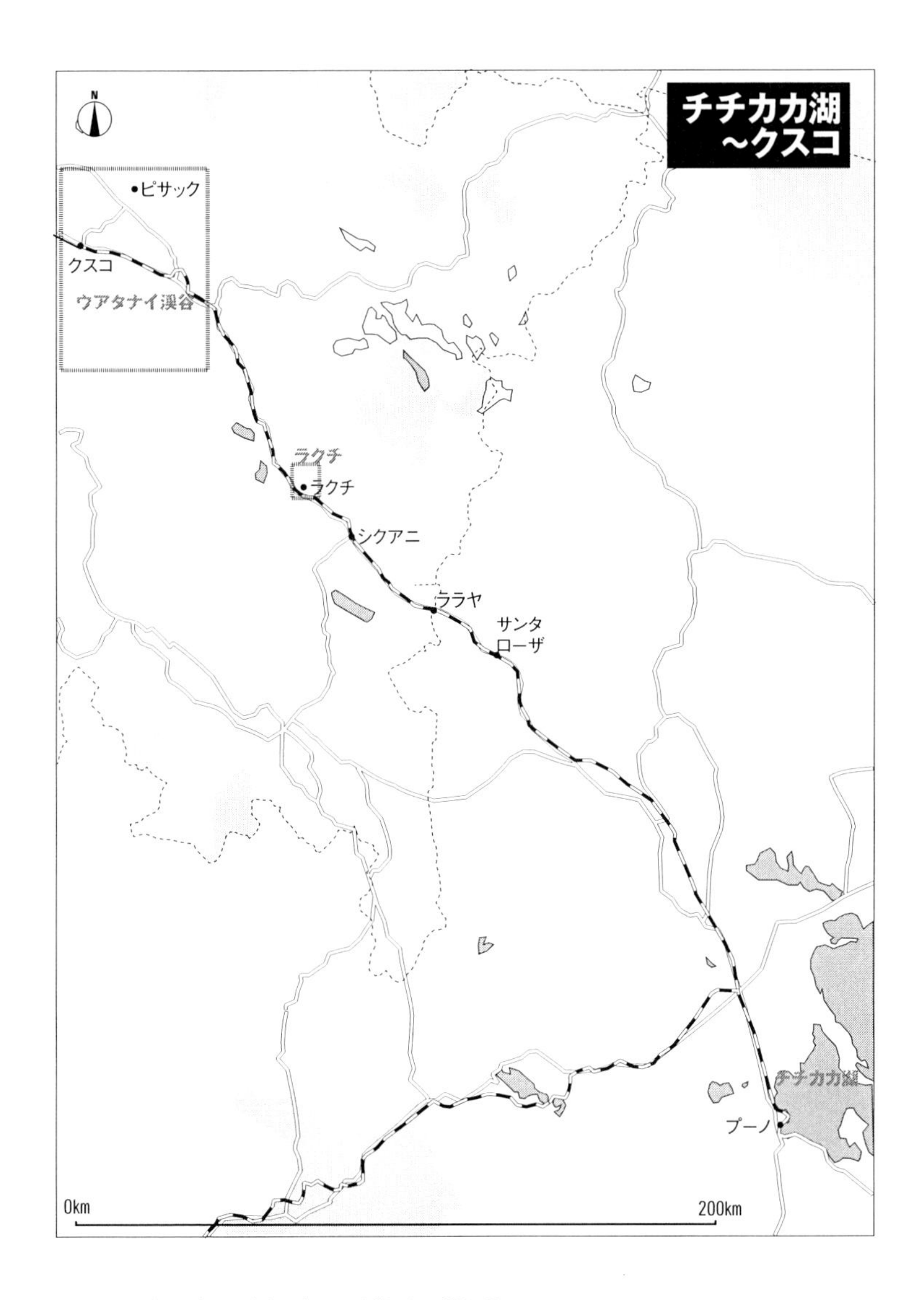
N
チチカカ湖
～クスコ
ピサック
クスコ
ウアタナイ渓谷
ラクチ
ラクチ
シクアニ
ララヤ
サンタ
ローザ
チチカカ湖
プーノ
0km
200km

リャマは、コロンブスが新大陸に到達する一四九二年以前、北アメリカででも、南アメリカでも、重荷を背負う唯一の動物だった。それはスペイン人がインカの大地のあらゆる場所で確認している。小さな偶蹄（二本指の足）の裏側には肉球がついていて、山育ちのラバでも歩けないような険しい坂道も、リャマは楽々と歩いて進むことができる。またリャマはくしゃみをしたり、刺激をともなう唾液をしばしば人に向けて吐き出すので、「ペットには適さない」と言われている。

私が大学にいたころ、興行師バーナムのサーカスが街にやってきたことがある。その一団にはリャマが十数頭いて、その威圧的な表情、不快でないたたずまい、そして肩の高さが三フィートしかないといういでたちから、わんぱく少年たちはリャマをからかっていた。一方、少年たちのふるまいに、「復讐のときが来た」と感じたリャマは、すぐさまくしゃみと唾液で反撃に出た。そして、リャマをからかった少年たちは早々と退却をよぎなくされた。少年たちは目をこすりながら、泣き叫び、家に帰って顔を洗わなくてはならなかった。そんなことを目のあたりにしたにもかかわらず、不思議なことに、私がペルーの高地で過ごした二年間で、リャマが人間に襲いかかるところを見たことはない。

一九一五年に私がここサンタ・ローザに滞在していたとき、ある人がとても気立てのよいラクダ科のビクーニャを飼っていた。そのビクーニャは、「（生物学的好奇心で）近づきたい」という私たちの（ビクーニャにとっての迷惑な）動機うんぬんは関係なく、二〇フィート以内に近づいた侵入者にはくしゃみを直撃させて応戦してきた。ビクーニャはアメリカに生息するラクダの仲間のなかで、もっとも小さな動物だが、細長い首、小さな頭、すらりとした足、そして長い羽毛を垂らした身体は、ラクダというよりダチョウのように見えた。

サンタ・ローザの教会の庭には、何世紀にもわたって尊敬と崇拝の対象として、守られてきた節だらけの木が二～三本立っている。旅行者のなかには、「14,000フィートが樹木限界線である」と考える人もいるが、サンタ・ローザにこの木が立っているということは、アンデスにおいて（私たちの言う）「樹木限界線」を適用するのは間違いだと示しているだろう。

クック氏は、「ペルー高原は沿岸部の砂漠をのぞいて、かつては森林におおわれていた」と考えている。人類がはじめてアンデス山脈に到達したとき、岩山、雪原、氷河以外の場所はすべて森林におおわれていたという。現在では樹木の見られない地域も多いが、クック氏の調査によると、標高の高い高地でも、太陽の光、気温、湿気という植物が育つための充分な環境があり、土壌もそれなりに肥沃である。クック氏の見解の正しさは、私が見たペルーの高原地帯の氷河沿いに孤立して茂るいくつかの森林の存在によって証明されていると思う。とくにソイロコチャ山の斜面に広がる森林は、バムステッド氏の調査で、海抜15,000フィート以上であると確認されている。この森林は、人の暮らす谷からは滝や絶壁で隔絶されているため、燃料となる木材の供給源にはなっていない。ペルーでは、耕作可能の土地に原生林がほぼ残っていない。渓谷の一部、放棄された農耕地のアンデネス（段丘）で、樹木が自生して自然な再植林が行なわれている。この森の木々はさまざまな種に分類されるが、クック氏によると伐採しても切り株からすぐに芽が出てきて、何度、伐採されても自ら再生する驚くべき特徴をもっている。

サンタ・ローザの（教会の庭の）木の近くには、高い鐘楼が立っている。それは美しい鐘楼で、大小四、五個ほどの鐘がそれぞれの窓に吊るされている。その光景は、絵に描いたように印象的であった。日曜日の朝、これらの鐘はいっせいに鳴らされるが、その音は不協和音、また音が割れた状況になる。このとき「カラン、カラン」と鳴り響く鐘の喧騒は忘れられない。それはまるで騒音で、フレデリック・ハミルトン卿が広州（中国広東省）の慣習について述べた言葉を思い出した。「悪魔を追い払うためにやったのだろう、と中国人なら言うはずだ」。それは「悪魔のなかの悪魔でさえ、どこまでも不快にさせる」ものだ。アメリカやイギリスの教会の鐘は、普通、甘い音色を響かせ、人々を礼拝に招く意味がある。また、なにかお祝いを告げるため、喜びの声とともに鳴らすものだ。しかし、ペルー南部（サンタ・ローザ）の鐘には、人を誘うような音色も、喜びに満ちた音色もない。まれにクスコ（かつてのインカ帝国の都）の大鐘のように、味わい深い鐘の音色が聞こえてくることもある。しかし、これは死を前にしたキリスト教徒への、「最後の聖餐」の際に鳴らされるものだ。多くの信仰を集める聖人の記念日には、爆竹や打ち上げ花火といった中国の民間行事を彷彿とさせる道具による演出も見られる。これは元気な子どもなら誰でも共通する、大きな音を出すことへの根源的な欲求なのかもしれない。

日曜日の午後、サンタ・ローザの広場では、休日を楽しむケチュア族の人たちで埋め尽くされていた。彼らは、トウモロコシを醸造してつくるまろやかな地酒チチャをあおっていた。サンタ・ローザのケチュア族はとても気さくで、ふだんとは違う笑い声と陽気さにあふれていた。彼らにとって日曜日は、休息と娯楽と社交の日にほかならないのだった。サンタ・ローザでは、平日は、小さな子どもをふくめてほとんどの人が、丘陵の牧草地に出かけ、この街に繁栄をもたらす家畜（アルパカなど）の群れを見守っている。そして日曜日の午後、彼らはチチャ酒を浴びるように飲む。

もともとペルー山間部の住人は見知らぬ人間との接触を嫌う傾向にあるが、サンタ・ローザの善良な住人の態度は違っていた。もちろん広場に二列にならんで坐り、卵、ジャガイモ、ピーマン、そのほかの野菜を売る女性の売り手は、写真を撮られることを喜ばなかった。しかし、この街の男性と男の子は私の前に群がり、私の言動を注意深く見ていた。村や部族をとりまとめるために選出されたインディヘナの地方行政官の一部は、私たちにとても協力的で、銀製の大きな杖をもって、市場にいる内気な女性たちをカメラの前に立たせてくれた。もっとも彼女たちは私たちに怯え、不満な表情を浮かべた裸足姿の集団であった。女性たちはこの高原特有の引き締まった胴着、重たいウールのスカート、ボリューム感あるペチコートに身をつつみ、肩には手織機で織

▲上　サンタ・ローザのインディヘナの知事や市長たち[『INCA LAND』掲載写真／1922年発刊]　▲下　日曜市の薬売り、シクアニの広場にて[『INCA LAND』掲載写真／1922年発刊]

られたショールをかけていた。頭には、藁でできたリバーシブルの「パンケーキ(のような)帽」をかぶっていた。この帽子は雨天には粗い毛糸で、晴天時には金属片やベルベット(織物の一種)でおおわれる。そしてこの地方の習慣から、帽子の両端に房飾りを垂らしていた。初代インカ皇帝は、インディヘナがどの部族に属しているか、役人にわかるよう、「村ごとに異なる衣服を着るように命じた」と伝えられている。

インディヘナ女性を写真におさめるのは、とても難しい仕事であった。しかし、気立てのいい親父、知事や市長の協力とその説得によって、一二人の女性がようやくカメラの前に立ってくれた。口を開かずとも、彼女たちの表情はとても雄弁に(彼女たちの気持ちを)物語ってくれた。ある者は非常に憤慨していて、ある者は人を馬鹿にしたような、また威張って人を見下したような顔をしていた。そのうちの二、三人は、「(写真を撮られることで)今後、どんな悪いことが起こるかわからない」というひどく怯えた表情だった。彼女らの知人男性たちも同様で、その表情は楽しんでいるとか、冗談だと思っている様子はなかった。こうしたなか、何人かのインディヘナ男性は、「自分の写真を撮ってもらいたい」と私たちの後ろについてきていた。そして、どのグループの女性を写真をとるときでも、彼らはその列の端にいてポーズを決めていた。

インディヘナの男性も、少年たちも、常に耳あてのついたウールのニット帽をかぶっていて、昼でも夜でもそれを脱ぐことはほとんどなかった。彼らはニット帽にくわえて、さらに大きめのフェルト帽をかさねてかぶっていた。その姿を前から見てみると、ただでさえ屈強そうな彼らのたたずまいがさらに大胆に見えた。インディヘナの男性の肩には、鮮やかな縞模様で彩られたウール製ポンチョがかけられている。彼らのズボンは、膝と足首の中間までの丈しかない。そして、このズボンは高原に生える、背が高く、露に濡れた草のなかを歩く牧童たちにとっては好都合な服装のように思えた。この「ハイウォーター(高水位用)・パンタロン」は、サンダルを履いても似合うが、日曜日になると裕福な男たちはみなヨーロッパ製のブーツを履いていた。

サンタ・ローザの街では、建物の屋根が波型の鉄でふかれていて、それが街の繁栄を示している。茅葺きや瓦屋根にくらべて見栄えはしないものの、手間がいらず、雨季でも安心して過ごすことができる。屋根はボルトで垂木にしっかりと固定されている。強い風の吹くこの高原地帯では、茅葺き屋根が（屋根のうえにかけられた）ロープと重しで固定されているのを何度か目にした。屋根の破風（妻側の端、断面）頂部には、十字架や小さな旗、動物の頭蓋骨などがとりつけられていることもある。これは風水上、邪気を避け、幸運を家にもたらすためのものであろう。ヨーロッパで魔除けとして使われている蹄鉄も、ペルーではあまり使われないようだ。しかし、馬の頭蓋骨はとても効果がある魔除けとして使用されている。

ラ・ラヤの街は、サンタ・ローザの北西、チチカカ湖盆地の縁に位置する。そこでは降雨がチチカカ湖に流れていくか、大西洋に流れるのか、わからないほどの平地が広がっていた。アラランカ鉄道駅近くに出るこの湧き水は、確実に北に向かって流れている。この泉は、ウカヤリ川やアマゾン川の重要な支流であるウルバンバ川の源流のひとつだと言える。それを称して「（ここが）アマゾンの源流」という言い方は、『アマゾンの源流から河口まで』という魅力的なタイトルの映画を制作したキャプテン・ブランク（冒険譚を話す講演者）が、講演で述べた大胆な発言によるものをのぞいて聞いたことがない。彼の作品『密林にて』に掲載された野生動物の写真のほとんどは、まるでパラ（ブラジルにあるアマゾン流域の地）の動物園で撮影されたかのように見える。また彼の劇的なカヌー旅行の写真は、実際はクスコから一週間もかからないサンタ・アナの友人の農園あたりで撮られたものだろう。ただ、『アマゾンの源流から河口へ』という気どったタイトルをつけているとはいえ、彼を非難する必要はないと思われる。

ウルバンバ川は、この川の流域に暮らす人たちのあいだでは、さまざまな名前で呼ばれている。上流部はヴィルカノタと呼ばれることもあるが、これは川ではなく湖、そればかりかこの付近の雪におおわれた山々をさす言葉でもある。下流部はインカの人々によって「ウィルカ（ビルカ）」または「ウィルカマユ（ビルカマユ）」と呼ばれていた。

ラ・ラヤの分水嶺近くには、何世紀も前にクスコのインカ族と、チチカカ湖盆地のコリャ族（コリャ王国）や戦闘的な民族を分断していたと思われる城壁の跡があった。この地を放牧地とする所有者によって修復された箇所もあるが、ほとんどの城壁は谷間を横切り、近くの斜面をよじのぼってコルディリェラ・ヴィルカノタの崖まで続いている。その様子をおぼろげに確認できた。この城壁は、粗い石でつくられていて、歴史的な城壁のそばにはインカ帝国の守備隊が暮らしていたと思われる古い家屋の跡も残っている。遺跡のなかには切り石や石積みの跡は見られなかった。それはイギリス北部に残るローマ帝国時代の「ハドリアヌスの長城」や中国の「万里の長城」のような恒久的なものではなく、一回の軍事作戦のために急いでつくられた要塞であったように思う。チチカカ湖盆地の住民と、ウルバンバ渓谷やクスコ渓谷の住民とのあいだでは頻繁に戦争が行なわれていたことも伝えられている。これはそのときの遺跡のひとつかもしれない。

一方で、これらの遺跡はインカ帝国時代よりもはるか古くにさかのぼる可能性もある。ペルーに関する黎明期の歴史家のひとりモンテシーノス一世は、インカ帝国よりもはるか昔の支配者である、ペルーのアマウタ族の第六二代支配者パチャクティ六世、すなわちティトゥ・ユパンキについて言及している。紀元八〇〇年ごろ、パチャクティ六世のもとに、この地には南方と東方から強大な兵士の大軍がやってきて、インカの大地を荒らし、都市や街を略奪した。これは明らかに野蛮な民族の移動に由来するものであり、その災難はしばらく続いたと思われる。この戦争でそれまで二〇〇〇年にわたって築きあげられたアンデスの古代文明は存亡の危機に陥った。

パチャクティ六世は闘争心よりも信仰心豊かな皇帝で、軍事ではなく、農業で大きな成果を出してきた民族

▲上　ラ・ラヤのジャガイモ畑［『INCA LAND』掲載写真／1922年発刊］　▲下　縦糸を敷いて、横糸と編みあわせて、織物をつくる。ラ・ラヤの峠付近にて［『INCA LAND』掲載写真／1922年発刊］

の支配者であった。このとき占い師や神官から、いくつかの悪い兆候を耳にしていたので、皇帝は怯えた。そして、「戦争の準備をするのではなく、神々に生贄を捧げるよう」忠告を受けていた。しかしながら、皇帝は「将軍たちに戦略上の要衝の防御を固め、戦争の準備をしておくよう」に命じた。侵略者ははるか南方（アルゼンチン方面）からやってきたと思われる。彼らの故地の森林が徐々に枯れていき、そこが耕すことのできない草原地帯になったことによる飢えと、苦しみが、彼ら（野蛮な民族）を駆りたてたのかもしれない。モンテシーノス神父によると、当時、ペルーの高地に進出した人たちの多くは、農作物生産のための耕作地を求めてやってきた。彼らを、その故地から追放した「巨人族（パタゴニア人もしくはアラウカン人）から逃げてきた」のだという。彼らは長い旅の途中で、平原、沼地、密林を通過してきた。そのなかで、アンデス原住民社会の大規模な再編成が行なわれたことは明らかであろう。大軍勢が通過した地域の首長たちは、充分な力を結集して彼らに対抗することはできなかった。パチャクティ六世は、ここラ・ラヤ峠付近に、インカ軍の大部分を集結させ、敵の襲来に備えていた。モンテシーノス神父の記述が事実であるなら、このラ・ラヤの城壁は、約一一〇〇年前に「要所を固めて備えよ」と命じられた首長たちがつくったものではないか？　とも推測される。

　たしかにチチカカ湖盆地から見ると、ウルバンバ盆地の都市や街への玄関口にあたったラ・ラヤ峠は、長らく天下の趨勢を左右する「兵家必争の地」であった。パチャクティ六世は、この城壁の背後に軍を配備していた、と考えられる。皇帝の配下たち、つまりペルー高地に生きる牧童たちにとって、もっとも身近な武器である投石器で武装したのだろう。しかし、侵略者たちは弓矢をもっていた。弓矢はより相手にダメージをあたえられる武器であり、その矢は（投石器よりも）速く、見えにくく、かわしにくい。パチャクティ六世は、金の輿に乗って、配下を叱咤激励してまわっている最中に敵の矢を受けて生命を落とした。そしてインカの軍隊は壊滅した。

モンテシーノス神父によると、このときこの戦場から逃げることができたのは、わずかに五〇〇人だったという。彼らは負傷者を残して、戦場を離れ、「タンプ・トッコ」という安全な洞窟に逃げ込んだ。そして、そこで自らの主であったパチャクティ六世の遺体を埋葬したという（多くの作家たちは「彫刻の残る岩の下に洞窟があるパッカリタンプに皇帝の遺体が安置された」と考えている）。現在のペルーにはタンプ・トッコという地名をもつ場所は残っておらず、昔のスペイン人作家が記述した遺跡の名前としても出てこない。しかし、ペルーに現存する多くの遺跡のなかで、「タンプ・トッコがどれに合致するのか？」を見極めたいと思っている。そして、それが今回のペルー遠征のおもな目的のひとつでもあるが、それは後続の章のなかでふれていきたい。

ラ・ラヤ付近では、羊やアルパカの大群、多くの家畜小屋、牧童（ぼくどう）たちの使う茅葺（かやぶ）き屋根の小屋などが見られた。ケチュア族の女性は、決して一日を暇に過ごしているわけではない。杭（くい）で地面に固定された手織り機で、ショール、ガードル（腰巻き）、ポンチョ、ブランケットなどの織物をつくっていた。家畜の世話をしているときも、道を歩いているときも、女たちは、いつも糸を巻いたりつむいだりしている。男や子どもたちも、同様に糸を紡（つむ）ぐことがある。

この地方の子どもたちは、六歳か七歳になるとすぐに羊飼いになり、彼らは羊の世話をすること以外のことは何も知らない。子どものなかにはエアデール・テリア（犬）に似た大きさで、長い毛をもつサンカ・シェパード（犬）を連れている者もいたが、その犬はとても臆病（おくびょう）で、「吠えては逃げる」という有様だった。このサンカ・シェパードと他の二種類の犬は、「インカの人々が繁殖（はんしょく）させた」と考えられている。この地の犬たちは、私の忠実な愛犬エアデール種のチェッカーズと仲良くなろうとはしなかった。しかし、飼い主のインディヘナは、チェッカーズが英語を理解できることに興味をもったようだった。彼らはケチュア語以外を理解する犬をはじめて見たようだった。

クック氏、ギルバート氏と私は、ラ・ラヤ近くの丘陵地にある、（ジャガイモ栽培の場所としては記録的に高い）海抜14,500フィートにあるジャガイモ畑を訪れた。この付近の高地のジャガイモ畑を耕したり、鋤を入れたりするとき、インディヘナは約一五フィートごとに「ファロー」と呼ばれる四角いマーク（溝）をつけるのを習慣にしているようだった。

ケチュア族は夜が明けたら、すぐに家を出て仕事をはじめる。彼らの妻たちは、家に電気の照明がないことと、夜明け前の寒さのなかで起きるのを嫌う。そのため一〇時より前には朝食の準備をせず、朝食は家から蓋つきの土器で仕事場へ運ぶか、男たちの仕事場近くの野原で調理することになる。

私たちはひとりの元気のよい農地地主が、ジャガイモ畑を耕す何人かのインディヘナを監督しているところに出くわした。地主はヨーロッパ風の服装をしていて、明らかに知性があり、裕福な環境にいる人物に見えた。その場所は鉄道線路の近くだったが、近代的な農機具は使っていないようだった。インディヘナに、彼らが使い慣れた先祖代々の道具以外を使わせるのは難しいことなのだろう。「畑を耕す」という作業は、おそらくスペインがペルーを征服するはるか昔から、何世紀にもわたって行なわれていたのに違いない。

インディヘナ農夫たちはそれぞれが原始的な鋤や、鋤の柄を足に結びつけた足鋤をもち、長い列をつくる。そして、合図とともに、声をあげながらいっせいに声をあげて前進し、鋤を畑に入れていくのだった。男たちの前には、女性たちがいて、彼女たちは土砂を手で掘り返していた。男性たちは動きやすいようにポンチョを脱いでいたが、女性たちはいつも通りの服を着て、重たいショールを肩にかけたまま働いていた。つらくて苦しい仕事でも、ペルー共同体の活動を通した喜びにふれることで、苦しさはやわらぐのだろう。そこでは誰もが意志をもって働いていた。まっすぐ一列になった作業の隊列から遅れないようにしようという思いが仕事ぶりから見えた。（農作業の）遅れをとった者は、からかわれていた。共同作業というのは、一見すると強い規律に支配されていても、ときに楽しく見えることもある。「ボス（指導者）」はすぐそばにいるのだから、自由を好む人たちには、強い指示と統制によるやりかたはあわないのだろう。

インカ帝国の支配下にあった数世紀のあいだ、インディヘナには個人が努力する機会はほとんどあたえられなかった。私有財産は認められていなかった。すべての財産は政府（国庫）に属していた。収穫した農作物はインカ帝国、その神官や貴族たちに奪われていた。それでも、人々はそれほど不幸なわけではなかった。ひとりで労働する機会はほとんどなく、すべては共同で行なわれていた。畑を耕したり、作物を収穫するにあたって、インカ帝国の皇帝は「労働者たちは、それぞれの家族で集まって大人数で農業を行なうように」と命じていた。彼らは、農作業の際に、村の噂話をしたり、一緒に歌ったりすることで、農作業のつらさをやわらげた。そして、彼らは一定の間隔で休憩時間をとり、そのあいだに地酒チチャを大量に飲んで、喉の渇きを潤し、鋭気を養った。

アンデスの農村地帯では、今でも共同で農作業を行なう習慣が残っていて、何人ものインディヘナが、巨大な小麦や大麦の束を運んでいるのを目にする。また数十頭の牛が数ヤード間隔で一列にならんで、広い畑をいっせいに耕す様子を見たこともある。地主たちはリマに頻繁に出かけ、ときにはパリやニューヨークにも訪れて、現代の発明品（便利な道具）を購入している。しかし、アンデスの畑は、いまだに三世紀も前に征服者スペイン人たちがもちこんだ方法で耕されている。スペイン人たちがペルーにもたらしたのは、労役に使う家畜と古代の地中海でも使われていた尖った原始的な鋤であった。

ジャガイモだけがラ・ラヤの作物ではない。ブタクサ（キク科）の一種である食用植物カニューアは、リマで暮らすヨーロッパ人にもほとんど知られていない。私たちが訪れた四月には、ちょうどこの植物が収穫されていた。カニューアの脱穀場は、地面に大きな毛布を敷いただけの簡素なものだった。そのうえにカニューアの茎をおき、殻竿でたたくのだが、このとき毛布は灰色の小さな種が外に出てしまわないようにする役割をもつ。この一連の作業工程には、ヨーロッパ由来の道具はいっさい使われておらず、おそらく何世紀も前から変わっていない。

また標高14,000フィートの高地では、キヌア（雑穀）や大麦も栽培されていた。キヌアはブタクサ（キク科）の一種とされる。高さは三〜四フィートに育ち、いくつかの品種からなる。種子が白いものは、ゆでるとオートミール（手軽な食事）に似た食感を味わえる。クック氏は、味と食感の点で、スコットランドのオートミールよりもこちらを好んだ。種子の白いキヌアはゆでたあとも、そのかたちをたもち、「（通常の）オートミールのようにヌルヌルしない」のだという。他の品種のキヌアでは、その葉がさまざまな色に変化するため、魅力的な姿を見せてくれる。

谷を下っていくと、古い時代から新しいものまで、大規模な耕作地跡が着実に増えていった。そして、古いアンデネス（段々畑）がいくつも見られた。小麦畑も多く、なかには「テンポラレス（仮の畑）」と呼ばれる山側の高い場所で、栽培されている様子も目にした。ここでは斜面が急なので、耕作や開墾が試みられることはなく、農家は運を天にまかせ、「あわよくば」という気持ちでわずかの収穫を得ている。シクアニのすぐ近くの場所に、ソラマメを栽培する畑があって、乾燥した茎が少しずつ積みあげられていた。オコバンバと呼ばれるオカ（カタバミ科の多年草）の生える草原地帯パンパでは、ちょうど熟しつつある食用のイモ類（塊茎、ジャガイモやクワイのようなもの）の畑を見つけた。近くには、収穫期に（どろぼうを見張るための）夜警が寝泊まりする茅葺きの小屋もあった。

私たちが道端で出合ったペルー高地に暮らす人たちは、チチカカ湖盆地やそこからそう遠くないサンタ・ローザの人々とは、特徴も、たたずまいも、服装も違っていた。彼らは典型的なケチュア族であり、農耕を営み

▲　畑を耕す方法はインカ帝国時代以来のもの（ワマン・ポマ『新しい記録と良き統治』より）

ながら平和に暮らしている。そして、昔からアンデスで使われてきた、小さな手回しの紡ぎ車で羊毛をつむいでいた。ケチュア族の小屋は、日干しレンガで建てられていて、屋根は粗い草で葺かれていた。これらケチュア族の肌は、褐色で、髪はまっすぐで黒く、白髪はめったに見られない。ある地域に暮らすケチュア男性は髪を長くして編む習慣がある。髭は薄いか、または生えていない。はげた頭の人はあまりいない。歯は私たちのものよりも耐久性があるように思う。砂糖プランテーション（大規模農園）のある地域をのぞき、アンデス山脈地帯のどこへ行っても保存状態のよい歯が見られるのは注目に値する。砂糖プランテーション地域ではケーキとか、黒糖を混ぜたトウモロコシなど、歯に悪い砂糖を口にする機会がふんだんにあるのだろう。

　ケチュア族の人は、丸顔で、体格はエスキモー（イヌイット）に似ている。そばかすはあまりなく、顔と腕に少し見られるようだが、（ケチュア族の）観察例が少ないため何とも言えない。一方、ケチュア族の多くはあばた（天然痘によるぼつぼつ）におおわれていて、それは予防接種の義務がなく、「医療が充分に行き届いていない国」での生活を示している。そして太ったケチュア族を見かけることはほとんどない。これが人種的な特徴からくるものなのか、それとも彼らの食生活に、脂肪をつくる栄養素が不足していることに由来するのか、判断がつかない。ただ言えることは、ペルーの高地に暮らす人たちは、リャマを最大限に利用してきたものの、リャマのその細い足と弱い腰を成長させることはできず、リャマを八〇～一〇〇ポンド以上の荷物を運ぶのにはもちいなかった。つまり本当に重たい荷物を運ぶときには、自らの足腰に頼らざるを得なかった。その結果、フェリス博士によれば、ケチュア族の腕はあまり発達していないが、肩幅は広く、背筋は強く、脚のふくらはぎは他のどの民族よりも大きくて力強いのだという。

　ケチュア族の男は、何より握手することを好む。インディヘナがなんらかのグループに加わるとき、ほとんどの場合、ひとりひとりと順番に握手していく。紳士的な儀式を行なうのだ。これがスペイン人によってもたらされたものなのか、それともインカ帝国以前の時代から受け継がれてきたものなのかはわからない。いずれにしてもケチュア族男性の握手は、大学の学部生たちが年度のはじめに行なう心のこもった握手とは、似ても似つかぬ性質のものだった。実際のところ、ケチュア族の握手はとても弱々しく、（握手した者と）より親密になるという点では不十分だった。ある外科医がケチュア族の握力を測定したところ、前腕の筋肉が発達しておらず、最大握力は男女ともに弱く、「男性の平均値はアメリカのホワイトカラー層の成人男性の半分程度である」とのことだった。

　人類学者アレス・ハードリチカ博士は、「北アメリカと南アメリカの原住民は、同じ系統の人種である」と考えている。北アメリカと南アメリカそれぞれの部族のあいだで見られる人相の大きな違いは、過去一万年から二万年のあいだの環境がつくったものであろう。アメリカ自然史博物館のフランク・チャップマン氏は、「ティエラ・デル・フエゴの寒冷地では海面に生息する動物や鳥類が、ペルーでは海面では見られず、彼らの慣れ親しんだ気候（寒冷地）に近い、とても高い高地に存在する」という生物学的に興味深い指摘をしている。同じように、ペルー南部の寒くて標高の高い地域の住民と、海抜9,000から14,000フィートの高さの街や村に住んでいる住民が、ティエラ・デル・フエゴ、アラスカ、ニューファンドランド島といった極地に住む人たちとのあいだに身体的特徴の類似点があることも興味深い。フェリス博士は、ニューファンドランド島エスキモーと、ケチュア族はともに「アメリカ大陸で、もっとも背の高くない民族だ」と指摘する。

　聞き取り調査や現地を観察して確認できたことだが、ケチュア族の四人にひとりは子どもがいない。そして子どもをもつ家庭では、平均三～四人の子どもがいる。大家族は一般的でなく、ひとつの家族で生きている子どもの数は、生まれた子どもの数の半分以下であるらしかった。乳幼児の死亡率が、きわめて高い。子どもに充分な栄養の、適切な食事をあたえるという認識がとぼしいようだった。こんな環境で子どもがどのように成長していくのか？　それはある意味驚異的であった。

　インディヘナ（ケチュア族）の多くは、咳や気管支炎といった持病を抱えていた。実際、この高原でもっとも頻発している病気は、喉と肺の疾患だった。肺炎はすべての地域でもっとも深刻な病気で、もっとも恐れられている病気でもあった。空気が希薄で、酸素が平地より不足している場合、肺炎は8,000フィートでも危険な病となり、11,000フィートでは例外なく致命的となる。患者の命脈が、二四時間もたもてないことがあるという。結核はこの地でよくかかる病気で、原因は間違いなく高地の人々の生活環境にある。高地の人たちは、部屋の窓や戸をしっかりと閉め、外気（新鮮な空気）が入ってこないようにしてから眠る。一方、寒くて荒涼とした高原の気密性の高い小屋と違って、温暖な谷間では、茅や葦でできた開放的な小屋に暮らす人たちのあいだでは結核はめったに見られない。もちろん「保健委員会」のようなものも存在せず、人々は衛生上のことで悩むことはあまりない。水道は汚染されている場合が多いので、高地、平地に関わらず、人々は極力それを飲まないようにしている。その代わりにスープを大量に摂取する。

　このあたりの渓谷で最大の街シクアニは、ジャガイモを栽培する高地とトウモロコシを栽培する低地の境界線に位置する。私たちは、シクアニの有名な日曜市場に足を運んだものだ。そこには多くのインディヘナの「薬屋さん」がいた。彼らが売っている薬は、インカ（地元）の人たちにはその効能が知られているものだった。擬薬、珍薬、万能薬、特効薬など、四〇～五〇種類もの薬がならんでいた。そのうちの半分は、「新鮮な冷気は、直接、吸わないようにする」とか、「すきま風の害を防ぐ」といった効能を謳うものだった。「薬」には、鉄鉱石や硫黄などの鉱物、何百年前からインカ人が栽培したり、ウルバンバ渓谷下流の熱帯密林で採集された植物の種、根、葉を乾燥させたもの、太平洋から運んできたヒトデなどの動物もふくまれていた。それらのなかには、本当に効く薬（薬草）もあれば、患者を精神的にはげます程度の薬もあった。それぞれの薬は、色とりどりの毛糸の袋に入っている。小さな手織り機で織られた、デザインも色もさまざまな薬袋は、地面にならべて展示されている。そして、袋の口を折り返して、中身が見えるようになっていた。

シクアニから数マイルと離れていないラクチというところに、スクワイアの著書に記された通り、驚くべき遺跡「（インカ帝国の神）ビラコチャの神殿」が残っている。それは一見すると、高さ四〇〜五〇フィートの日干しレンガ製の高い橋脚が九〜一〇本ならんでいるように見えた。しかし、よく見てみると、それらはすべて大きな神殿の中央の壁の一部だということがわかる。

中央の壁には大きな扉があり、扉と扉のあいだは壁龕（ニッチ）になっていて、上部は下部よりもせまくなっている。入口の柱には、棒を通すための小さな穴が開いている。そして中央の壁の基壇部は、約五フィートの厚さの石でできている。そこで積まれた石は美しくカットされていて、長方形でないものの、粗く角張った部分を細心の注意を払って、組み合わせ、しっかりとした土台にしてあった。かつては粘土で塗り固められていたようで、表面装飾は魅力的だが、不思議なことに建築家が石細工を隠そうとしていた証拠も見てとれる。建築家はすべて日干しレンガで壁が構成されているように見せたかったようだ。しかし、もしこの大きな壁が地面に直接建てられていたら、洪水や侵食の被害を受けていたかもしれない。そして、今でもこの壁は、美しい石づくりの土台のうえにしっかりと載っている。また壁は完全なたたずまいではなく、わずかに西に傾いていた。壁の西側は風化が進んでいるようにも見えた。おそらく東から吹きつける強い風によるものであろう。

この遺跡の興味深い点は、インカ帝国の建築としては、とてもめずらしい高さ二〇フィートほどの円形建築（食料貯蔵庫、コルカ）の存在だった。円形建築は、石の土台のうえに、日干しレンガでつくられていて、現在、一本しか残っていない。スクワイアの時代には、これ以外にも円形建築の跡が見られたのだろうが、私はそれを見つけることができなかった。（これらの円形建築は）もともとは屋根のストリンガー（桁）とタイビーム（繋ぎ材）を支えるために二列にならんでいたと考えられる。タイビーム（繋ぎ材）の片端は円形建築のうえに載り、もう片端は主壁に埋め込まれていたようだった。タイビーム（繋ぎ材）を壁にはめこむ穴には、石のまぐさ（横材）が残っている。

この食料貯蔵庫そばに、私の知る限りにおいて、他にくらべようのない建築（ビラコチャ神殿）が立っている。大きなくぼみで飾られている境界壁、その基礎は切り石をていねいに敷き詰めたもので、なかほどは日干しレンガ、上三分の一は（切り石でない）粗い石でできている。今となってはとても奇妙な外観をしているが、もともとは細かい粘土や漆喰でおおわれていたのだろう。場所によっては漆喰の壁がよい状態で残っていて、とくに風雨の影響を受けなかった部分の保存状態はよい。この高さ五〇フィート近い神殿の大きな日干しレンガ製の壁は、ラクチ遺跡の最大の見どころだろう。予想通り、この壁は徐々に崩壊していっている。雨の多いこの地域で、屋根もなく、保護もされず、これほど長いあいだ放置されながら、逆にこの現状をたもっているのはとても不思議なことかもしれない。少なくとも、「五〇〇年ものあいだ、日干しレンガの壁が激しい降雨に耐えて残っている」ということは信じがたい。硬めの材木でつくられたまぐさ（横材）は一部が壁に埋まっているが、すべて失われて、日干しレンガだけの状態になっている。神殿の近くの泉に石灰がふくまれているかどうか、を調査する必要もあるだろう。石灰がふくまれていれば、天然のセメントが充分に供給され、風化に耐えられる強度を土（粘土）にあたえたのかもしれない。いずれにしてもこの日干しレンガの驚異的な壁が、一二月から三月までの夏季の大雨を受けているにもかかわらず、何世紀にもわたって、屋外で風雨に耐えることができた原因については、さらに研究する価値があるだろう。

この神殿は、古代パンテオンのジュピターやゼウスのような、インカ帝国の大神であるビラコチャをまつったものだとされている。しかし、原初的な信仰をもつ人々が、彼らの生活や仕事に必要な（陶器をつくるための）粘

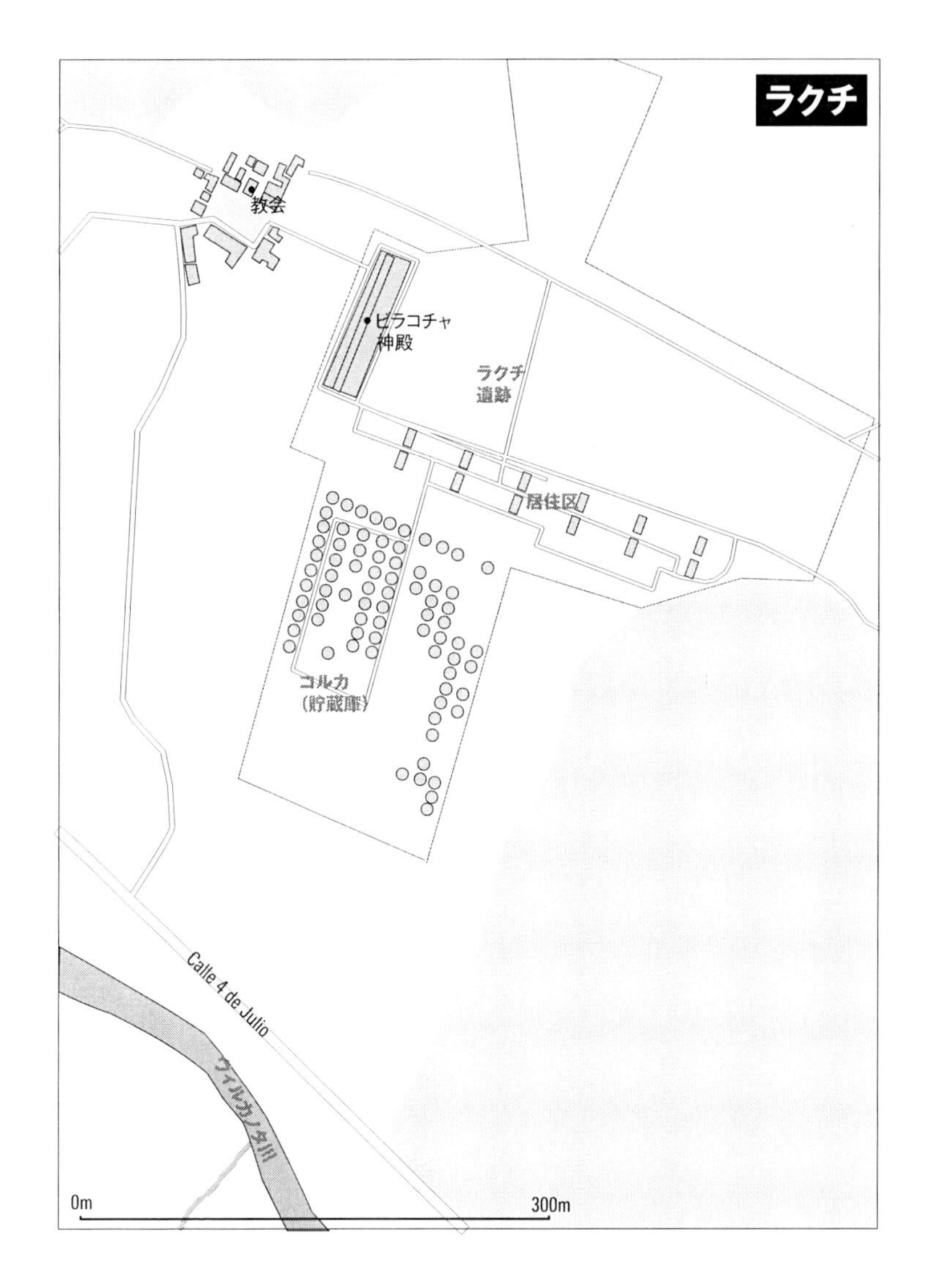
ラクチ
教会
ビラコチャ
神殿
ラクチ
遺跡
居住区
コルカ
（貯蔵庫）
Calle 4 de Julio
ヴィルカノタ川
0m
300m

土をあたえてくれる土着神をまつるために、この神殿を建てたと考えるほうが妥当であろう。隣接する近くの村のおもな産業は、今でも陶器を生産することらしかった。アンデス山脈地帯で、これ以上の質の高い陶土は見つかっていない。先史時代の陶工たちが、神の怒りを鎮めるために、自らの腕を発揮したのは当然のことだろう。それは土(粘土)への感謝というよりも、神の機嫌を損ね、陶器を焼く際にたたりを受けることを避けるためであったのだろう。

インカ帝国の優れた陶器が、とても繊細な質感をもっていることはよく知られている。陶芸を学ぶ者ならば、粘土を焼いた結果が予期せず、不正確なものになることもご存知だろう。ひたむきに努力をしたところで、突然、不運はやってくる。陶器制作に情熱を傾けていた人たちが、できるだけ多くの成功と幸運を手に入れるために、この神殿を建てたと考えられないだろうか？　ちょうどこの古代神殿の近くには、ふたつの鐘楼をもつ小さなキリスト教会が立っている。この教会の庭は、陶器を焼くのにも適しているように見える。古代の陶芸家が「インカの神さま」ビラコチャの神殿に祈ったように、現代の陶芸家も、このキリスト教会に祈ることで、陶器が美しく焼けるように想いをたくしたのかもしれない。キリスト教会の壁は一部は日干しレンガで、一部は遺跡から切り出した石でできている。

また、ここからそう遠くないところに、先史時代のもので、比較的新しい溶岩流跡が見られる。そしてこの溶岩流が、古代の陶芸家が手に入れていた貴重な粘土層を破壊してしまったのではないか？　とも思われる。そうすると、この神殿は「火山の神」の怒りを鎮めるため、溶岩を噴出させるほどの怒りを鎮めるため、つまり、「火山の神」を鎮魂するために建てられたのかもしれない。もしかしたら、ビラコチャという名のインカの優秀な支配者が、とくに陶器に興味をもって、神殿の建設を手がけたのかもしれない。そうであれば、祖先崇拝を重視するこの地方の人たちが、ここでビラコチャを偲んで礼拝したのは無理のないことだろう。

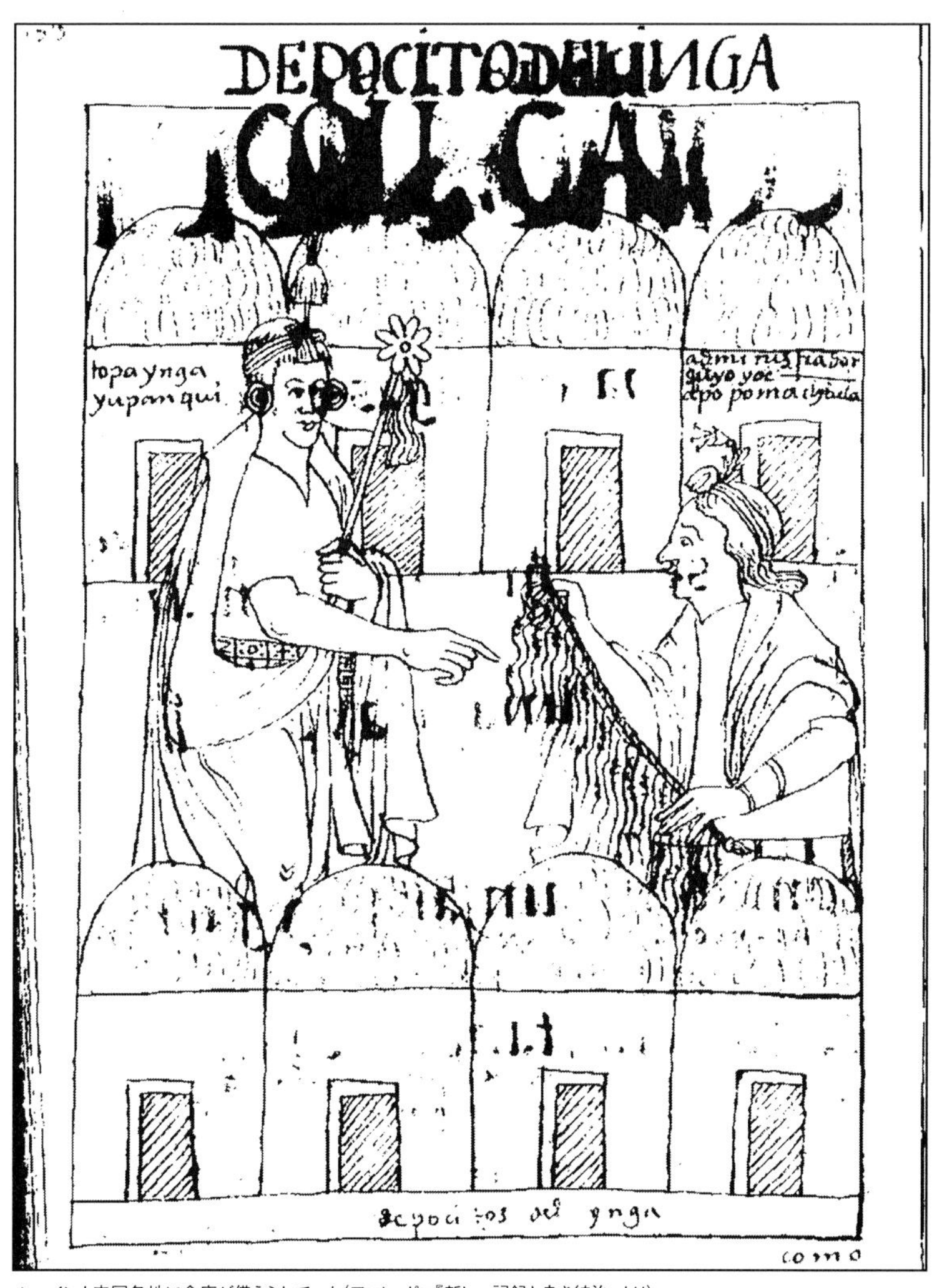

▲　インカ帝国各地に倉庫が備えられていた（ワマン・ポマ『新しい記録と良き統治』より）

一七世紀の教会弁護士フェルナンド・モンテシーノスは、有名な総督だったチンチョン伯爵の信奉者と言われ、一六二九年にスペインからペルーに渡った。彼の妻はマラリアにかかったが、ペルーの樹皮(じゅひ)やキニーネ(キナの木の皮からつくられた治療薬)を使って治療し、この薬をヨーロッパに導入することに貢献(こうけん)した。モンテシーノスはきちんとした教育を受け、歴史研究に専念した人物でもあった。彼はペルーのあちらこちらを旅して訪れ、いくつかの著作を残している。モンテシーノスによるインカ帝国(タワンティン・スウユ)の歴史は、正統派の弁護士らしいが、序文で「ペルーは、ノアの曾孫(ひまご)であるオフィールのもとで発展した」といった主張をしたことで、それまでの評価を台無しにしてしまった。しかし、彼の研究成果が価値あることには変わらず、イギリスのペルー考古学研究の第一人者である故クレメンツ・マーカム卿(きょう)は、モンテシーノスの記述をかなり信用し、採用していた。スペインによる侵攻以前のペルーについてのモンテシーノスの記録は、ハーバード大学のフィリップ・A・ミーンズ氏が(冒険や旅行の学術資料を出版する)ハクルート協会のために最近編集したものである。

Chapter VII
The Valley of the Huatanay

第7章
ウアタナイ渓谷

第7章／ウアタナイ渓谷

ウアタナイ渓谷は、ウルバンバ川支流にいくつかある谷のひとつであった。インカ人に親しみある食用作物の栽培に適した気候条件をもち、多くの耕作可能な土地が広がっている。ウアタナイ渓谷の面積は一六〇平方マイル以下と思われるが、ここに「南米史上最大の帝国」、すなわちインカ帝国の中心地があった。

この地域は現在も耕作されていて、多くのインディヘナがこの谷に暮らしている。ウアタナイ川の流れは自然地形にそって蛇行しているところもあれば、インカ農民がつくった、洪水や浸食から畑を守るための石垣によって流れを変えられているところもある。気候はとても温和で、極端な寒さを感じることはない。ただ乾燥した冬の季節（六月と七月）には低地でも水が凍り、13,000フィート以上では一年中、夜ならいつでも霜が降りることがある。しかし、総じてみれば、暖かくもなく、寒くもない適度な気候をもつと言える。

この渓谷はとても広大で、しかも豊かなため、スペインの征服者たちが自らの兵士のために土地を分割し、それぞれの土地に暮らすインディヘナの労働力を、自分たちのために利用した。今でもこの方法は踏襲されていて、道すがら、大地主に出会うこともめずらしくない。アンデス地方では、ラバがもっとも信頼できる家畜だが、これらの地主たちは普通、より大きくて、より速く、より穏やかで、より歩調のよい馬を好んでいる。ウアタナイ渓谷の「貴族（大地主）」は、深めの鞍を使い、そのうえに重厚感ある羊皮や厚い毛皮のマットを敷く。流行りの鐙は、ピラミッド型の木製のもので、銀のベルトがついている。渓谷の道が険しいことから「鞦韆（馬のお尻から鞍にかけるひも）」が必要で、それは通常、浮き彫りの加工がされたパネルで装飾され、そこに中世の馬具を思わせる小さな飾りがつけられている。通常、手綱はていねいに編み込まれ、銀の装飾のある革製のものを使い、馬の威勢を示すために、浮き彫りで加工された革製の目隠し（アイシェード）がつけられている。この目隠しは下げ

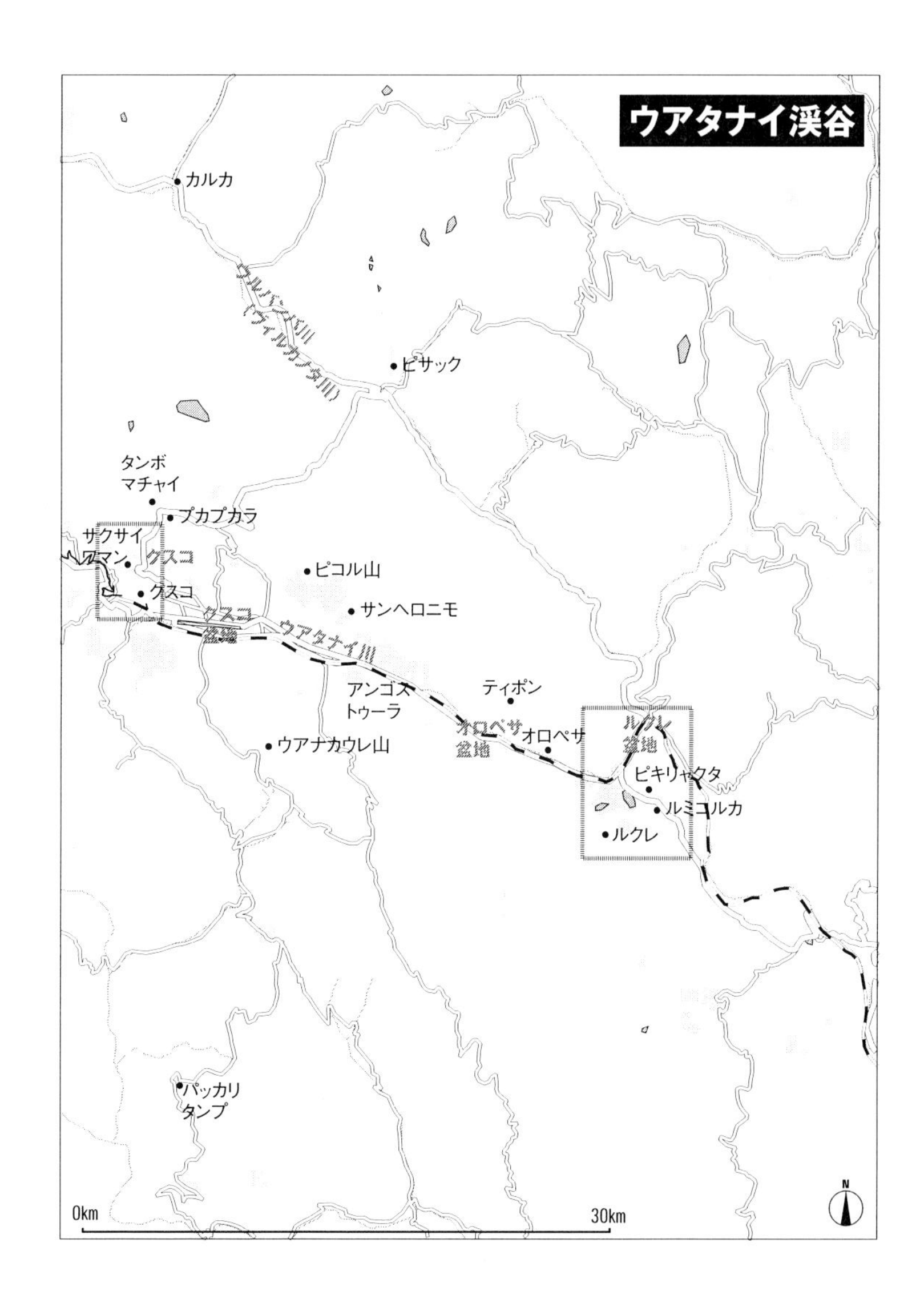
ウアタナイ渓谷
カルカ
ピサック
タンボ
マチャイ
プカプカラ
サクサイ
ワマン
クスコ
クスコ
ピコル山
サンヘロニモ
クスコ
盆地
ウアタナイ川
ティポン
アンゴス
トゥーラ
オロペサ
盆地
オロペサ
ルクレ
盆地
ウアナカウレ山
ピキリャクタ
ルミコルカ
ルクレ
パッカリ
タンプ
0km
30km
N

すぎると、両目をおおって見えなくなるので、馬をとめるにはヒッチング・ポスト（馬とどめの固定柱）よりも便利なものであった。

　ウアタナイ川の渓谷は、ルクレ盆地、オロペサ盆地、クスコ盆地という三つの盆地から構成されている。オロペサ付近の玄武岩の断崖が、南東のルクレ盆地と中央のオロペサ盆地を分けている。また中央のオロペサ盆地と北西のクスコ盆地のあいだには、アンゴストゥーラの峠、いわゆる「せまい谷あい」があって、それがクスコへの自然の入口となっている。そして、これらの盆地にはそれぞれ興味深い遺跡が残っている。そのうちルミコルカとピキリャクタにある遺跡がもっとも特筆されるものだろう。

　渓谷の最東端、ヴィルカノタに通じる峠のうえには「ルミコルカ（ルミ＝「石」、コルカ＝「穀倉」）」と呼ばれる古代の門が立っている。これは「クスコの首長の領域と、ヴィルカノタの首長の領域を分けるインカの要塞であった」と考えられている。現在、この要塞は地元では「フォルタレザ」と呼ばれている。城壁の主要部分は、粘土で固めた石積みだが、門の側面はていねいに切りとられた火成岩の積み石でおおわれていて、まったく異なるスタイルが入り混じっている。この高原地帯に多くに支配者たちが割拠していた時代に、どこかの支配者がこの石の粗い壁をつくったのだろう。しかし、のちのインカ帝国時代になると、ウアタナイ渓谷とヴィルカノタ渓谷のあいだの要塞は必要なくなり、壁の一部を壊して立派な門をつくったと考えられる。

　積み石の表面は、粗い凹凸が見られる以外はきれいにしあげられている。これらの凹凸は古代の石工たちが、小さなバール（鉄梃）で積み石を調整する際に使用していたものだと思われる。石工たちは壁が完成した後、この凹凸をとりのぞくつもりだったのかもしれない（マチュピチュの未完成の建造物のなかにも同じような凹凸があった）。「石の穀倉（ルミコルカ）」というこの門の名前は、今は廃墟となっている近くの建築物にもともとつけられていたものだろう。

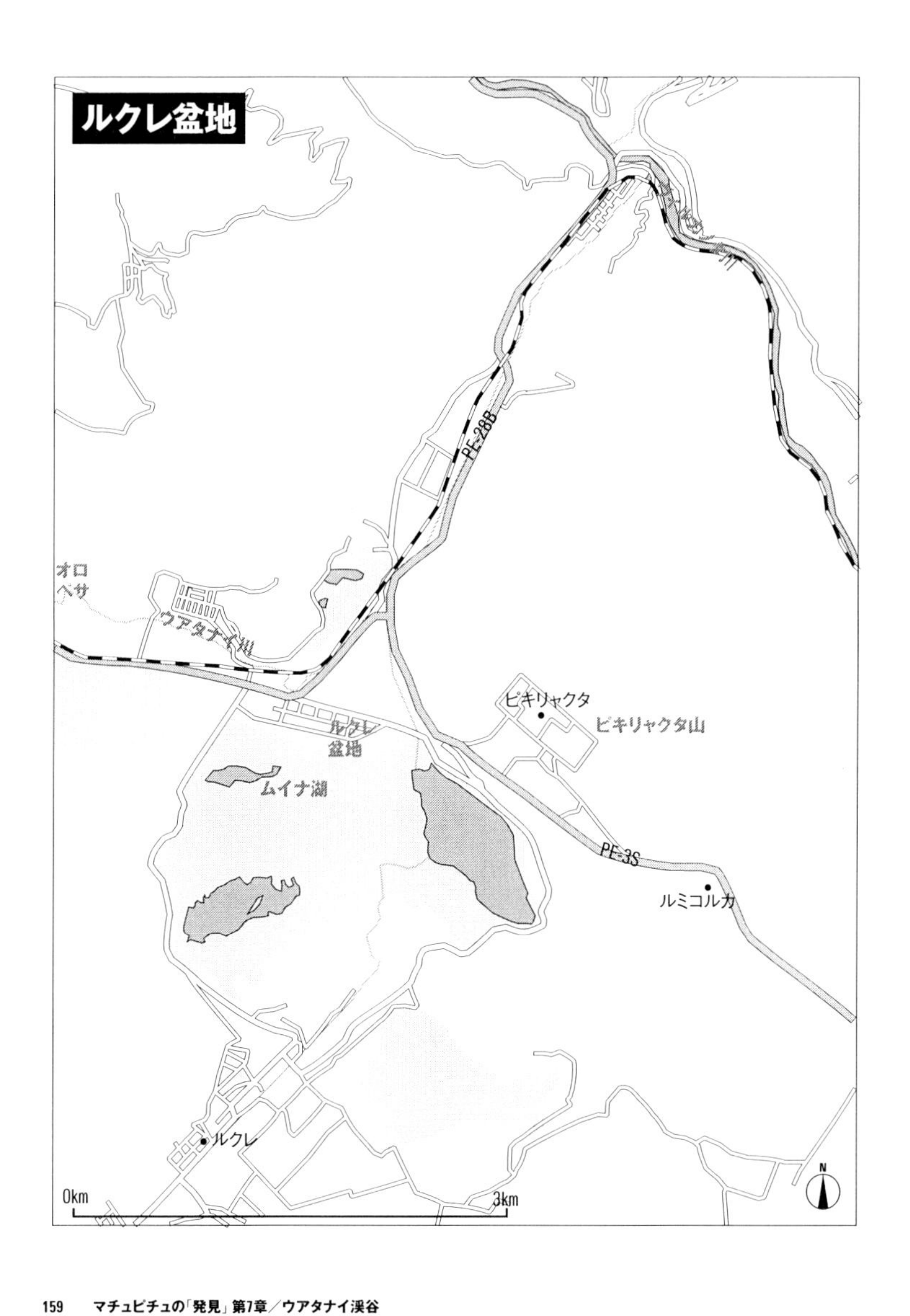
ルクレ盆地
PE-28B
オロ
ペサ
ウアタナイ川
ピキリャクタ
ピキリャクタ山
ルクレ
盆地
ムイナ湖
PE-3S
ルミコルカ
ルクレ
0km
3km
N

ルミコルカの岩山のうえには、古代のテラスやいくつかの遺構が見られる。ルミコルカからそれほど遠くないピキリャクタ山の傾斜地には、ピキリャクタと呼ばれる広大な都市遺跡が残っている。そのなかの多くの家は、とても高い壁をもっていて、市街地の外側に南北に伸びる高い城壁は、あきらかにヴィルカノタ渓谷から迫ってくる敵を防ぐためにつくられている。他の方向は、城壁が必要ないほどの急斜面となっている。城壁の素材には、ピキリャクタ山の斜面を覆っている溶岩の破片がもちいられている。遺跡の敷地にはサボテンやイバラの木が生えているが、火山性の土壌が豊かなことから、近隣の村より農民が集まり、農作物の栽培を行なっている。そのためピキリャクタ都市遺跡の上方の傾斜地は、今でも広く耕されている。アンデネス(段々畑)は見られず、小麦と大麦がおもに栽培されている。

インカ帝国の地名や場所を特定することはとても難しい。その例として、現在、「ルミコルカ」と呼ばれているこの門は、スクワイアの著作『ペルー』では「ピキリャクタ」と記されていることがあげられる。またスクワイアはほぼ一平方マイルに広がる都市遺跡(ピキリャクタ)を、「インカ帝国の偉大な街ムイナ」と呼んでいる。だが、ルクレ盆地の底にある小さな湖もムイナと呼ばれている。スクワイアはラクチからの道中、まず「ピキリャクタ山」を見て、次に「この門(ルミコルカ)」を見た。次に「ムイナ湖」を見て、それから「都市遺跡(ピキリャクタ)」を見た。そして、スクワイアがそれらの名前を尋ねると、地元の人は近くにあるもっとも目立ち、あたりさわりのない自然の名前を遺跡名として答えたのだろう。

しかし、私の経験はスクワイアのものとは違っていた。私たちがお世話になったアギラール博士は、クスコ大学の著名な教授で、この土地に別荘(カントリーハウス)をもっていた。そして、この地域について精通しているので、(スクワイアが受けたものとは)別の方向からこれら古代遺跡を案内してくれた。教授の話によると、この都市遺跡はピキリャクタと呼ばれ、この名前は遺跡の東側にそびえる高さ1,200フィートの山の名前でもあった。ア

▲上　ラクチのビラコチャ神殿跡［『INCA LAND』掲載写真／1922年発刊］　▲下　ルクレ盆地、ムイナ湖、ピキリャクタの城壁［『INCA LAND』掲載写真／1922年発刊］

ギラール博士はオロペサの近くに住んでいて、オロペサから来ると、ピキリャクタ山は目立つ場所にそびえている。そして、都市遺跡と山が真正面に向き合っているように見える。したがって、オロペサ方面から遺跡を見る人が、遺跡に「湖の名前」ではなく、「山の名前」をつけるのはごく自然なことだろう。しかし、山の名前は遺跡の名前であるかもしれない。

「ピキ」は「ノミ（蚤）」、「リャクタ」は「街や都市、また国、地区、領域」といった意味をもつ。ここは「ノミの領土」だったのだろうか？　それとも「ノミの街」だったのだろうか？　インカ帝国時代には、どのような名前で呼ばれていたのだろうか。縁起が悪いとして、古い地名は捨てられてしまったのだろうか？　理由はともかく、プレ・インカと思われる、「長らく放棄されていた大きな都市の痕跡がここに残っている」という事実はきわめて興味深いものであった。何軒もの家と、数多くの建物群が規則正しく配置され、通りは碁盤の目状に整備されていた。都市全体の面積は、この地域の主要都市オリャンタイタンボよりもかなり広いと言える。そして、ここには誰も住んではいない。たしか、ヴィルカノタ川をはさんだ東側には、この州の最高峰であるアウサンガテ山を頂点とする険しい山岳地帯が広がっている。ピキリャクタ遺跡は人口の多い地域に囲まれていて、北にはピサックとユカイの渓谷があり、南には何十もの村が点在しているヴィルカノタ渓谷、西には人口密度の高いウアタナイ渓谷と、ペルー高原最大の都市クスコが位置する。

ピキリャクタ遺跡の半径二〇マイル以内には何千という人々が暮らしていて、人口は増加傾向にあるという。交通の便も悪くなく、鉄道駅から東に一マイルと離れていない。しかし、この都市は「捨てられた」という言葉がぴったりとあてはまる。間違いなく、かつてここは重要な大都市であった。この街が放棄された理由は、水源がなかったことによるものだろう。ピキリャクタ山は長さ五マイルほど、幅二マイルほどの大きな山で、ウアタナイ川とヴィルカノタ川の上部に2,000フィートの高さでそびえ立っている。川や渓流、泉などはほとんど見られず、孤立した死火山であり、火成岩、溶岩、安山岩、玄武岩でおおわれている。

　川のない山の傾斜地に、なぜピキリャクタのような大きな都市がつくられたのだろうか？　造営当時とくらべて気候は大きく変わったのだろうか？　そうだとしたら、この周辺一帯が今でもペルー南部でもっとも人口の多い地域のひとつである理由は何だろう？　一滴一滴の水を、人やリャマの背中に載せて丘を登って運んだのだろうか？　いやそうではないだろう。水辺から四〇〇フィートも登った台地に、これほど大きな都市を建設し、居住できた理由があるはずだ。しかし、もしも都市遺跡ピキリャクタの近くに、水の供給源がなかったら、都市の住人はすべて水の運搬人に運ばせるしかなかった。ピキリャクタでは、川の流れる場所から半径六マイル以内の範囲に、現在は人が住んでいない集落跡が六か所存在する。

　この不可解な問題は、さらなる研究の成果が待たれるとして、私はそれを解明する答えが「要塞だとされたルミコルカの遺跡にある」と考えている。スクワイアによれば、「この要塞（ルミコルカ）は、初代インカ皇帝の支配権がおよぶ南限であった」という。そして要塞（ルミコルカ）は、一方の端は山に、もう一方は高く突き出した岩山に達している。その姿は水道橋に似ていることから、「エル・アクエダクト（水道）」とも呼ばれたが、この名前は明らかに誤りであったろう。しかしスクワイアは、壁の断面が両端に向かって次第に厚みがなくなっていることから、「これがもし別の場所にあったら、防衛や要塞のための建造物だという仮説と矛盾するかもしれない」と推測している。スクワイアは、この城壁（ルミコルカ）は水道橋がそうであるように、「城壁の上部は全体的に同じ高さだが、両側の丘に近づくほど、城壁の高さが低くなり、城壁の厚さも薄くなっていること」に気づいた（つまり、地形にかかわらず、城壁の上部の高さは同じになる）。それでもスクワイアは、依然として「この遺跡（ルミコルカ）が要塞である」という考えにとりつかれ、現地の名前（水道）で見られるこの地方の伝統を否定したばかりでなく、自分の目で確認した証拠にも背を向けたのだった。

ルミコルカの遺跡は、要塞ではない。ピキリャクタの人々に水を供給するために、この地方の有力な首長が建設した「古代の灌漑水路（アゼキア）の跡」であろう。この地域一帯の地形を調べてみると、ルクレ村の南西を流れ、近代的な繊維工場に水力を供給している河川が、この灌漑水路（アゼキア）への水の供給源になっていた可能性がある。標高10,700フィートで集められた水は、ルクレ盆地の南斜面に沿って六マイル流れ、ルミコルカ山をまわり込んで旧道を越えていく。そのように、標高約10,600フィートに位置するこの水道橋を使って、水は運ばれたのであろう。この水道橋は、充分な量の水をピキリャクタまで運び、古代都市に水を供給した。

多くのアンデネス（古代の段丘）が続くところが、ルミコルカの傾斜地の特徴としてあげられる。それら段丘の稜線は、かつて灌漑水路が流れていたであろうルートの等高線にほぼ一致している。実際、丘の傾斜地には、水路が通っていたとわかる明確な痕跡が残っている。ルクレの背後にある谷にも、古代の灌漑水路の痕跡がかすかに見られる。しかし、丘の上部ではかなり浸食が進んでいることから、もし可能性として、水道が数世紀にわたって使われなくなっていたのなら、その痕跡がすべて消えてしまっていても不思議ではない。

私はやむない事情から、詳細な調査研究を行なって、このルミコルカ遺跡の全体を把握できなかったことを、とても残念に思う。そして、なぜこの都市が放棄されたのか？　その解明は、未来の研究者の手に委ねることにしたい。私はそれまでのあいだ、「ピキリャクタにはプレ・インカの都市があって、その首長と住人たちはルクレ盆地とその支流を開拓し、クスコとは別の政治的存在、共同体がここにあった」と考えたいと思う。インカ人＝クスコ人の支配者は力をつけて、やがてルクレ盆地の人々を征服した。そして、ピキリャクタにいた部族を自らの領地（インカ帝国の領土）のどこか遠くに追いやったのだろう。それはインカ帝国の歴史では、よく知られた植民地支配のやりかたであった。そして、ピキリャクタを建設したプレ・インカの住人が去ったあと、この地を支配して住み着こうとした後継の住民は、ついに現れることなく、水道橋は朽ち果てた。（ピキリャクタのある）このような土地は、人々が生活するうえで適さないと最初は思われていたことは容易に想像できる。なじみないつくりの住宅に、住んでみたいとは思えなかったのだろう。もしも水が豊富にあったなら、街は再建され、そこにそびえる高い城壁も何らかの使い道があっただろう。いずれにしても、ルクレ盆地のこの遺跡は、とても興味深い問題を私たちに提供している。

オロペサ盆地でもっとも重要な遺跡は、キスピカンチ村の数百フィート上方、快適で水はけのよい谷あいにあるティポン遺跡であろう。この遺跡には、インカ帝国（タワンティン・スウユ）特有のていねいなつくりをした家が見られ、積み石のまぐさで飾った多くの壁龕（へきがん）（ニッチ）が左右対称にならんでいる。ほとんどの家の壁は、粗（あら）い石を粘土で固めたものだった。ティポン遺跡は、オロペサ盆地を拠点とする有力な首長（しゅちょう）の住居であったと考えられる。この遺跡は、村の景色と南側の丘が見渡せる場所に位置し、現在そこには麦畑が広がっている。ティポンには切り石でつくられた美しい噴水が残っている。テラス（人工の段丘地形）のつくりには、ほぼ正方形の石がしっかりと組みあわさっていて、完成度が高い。テラスからテラスへ続く道には、積み石の階段が敷かれていた。ここにあるような優れた構造をもつテラスは他に例を見ないものだった。このテラス（段丘）は、今でもキスピカンチの人たちに耕作されている。

現在、ティポンには人はまったく住んでいないが、羊飼いやヤギ飼いの少年が近くを頻繁（ひんぱん）に往来している。農民にとっては、狭い谷を五〇〇フィートも登って、古い建物に暮らすよりも、谷底にある広大な畑の隅っこに住むほうが便利なのだろう。安全性の理由からも、ここ（谷の上）に住居を構える必要がなくなったと思われる。私が遺跡を調査したり、インカ帝国（タワンティン・スウユ）でつくられていた土器をいくつか発掘しているあいだに、同行していたクスコ大学学長のギーゼッケ博士がアギラール博士と一緒にティポン上方の山に登っていた。そして彼らから、その頂上付近に「要塞があった」という報告を受けた。アギラール博士はキスピカンチとオロペサのあいだ、谷間の美しい景色を見渡せるところに別荘を構えている。私のオロペサ滞在は、その別荘への招待と、アギラール博士の寛大なもてなしとで、とても心地よく、しあわせな日々であった。

オロペサ盆地からクスコ盆地に入るためには、サン・ヘロニモの街の近くにあるアンゴストゥーラ（「せまい谷あい」）の砂岩製の崖の開口部を通ることになる。アンゴストゥーラの先、ウアタナイ川南岸の傾斜地には、インカ特有の切妻屋根の家が何軒も立っている。古代の建物には、小さな石を粘土で固めた壁のなかに、ドアや窓、壁龕（ニッチ）があり、まぐさ（横材）は木製だったが、今では朽ち果てている。この遺跡の名前を尋ねると、「セイラ」という答えがあった。それはウアタナイ川沿い（オロペサ盆地）に現存する村の名前でもあった。ピキリャクタと同様に、セイラにも現在、水が見られない。ただこの村はカイラという名の小川からそれほど遠くないので、11,000フィートの等高線にそってつくられた長さ二マイルにも満たない灌漑水路によって、かんたんに水を供給することができただろう。これはインカ帝国が高地に平和をもたらしたあと、それまで比較的安全だった丘陵上の村を捨て、谷底の街道沿いに移住してその利益を享受しようとした村人の事例に似ている。クック氏の研究によると、人間の手によるクスコ盆地の森林伐採と、傾斜地で行なわれる近代的な耕作方法によって、大規模の浸食が発生しているようだった。雨季には土砂崩れも頻発する。

セイラ遺跡の反対側にはピコル山があり、この双子の山容は、クスコ盆地の北側でもっとも目立った姿をしている。その傾斜地からの排出物は、サン・ヘロニモ村北の砂利の扇状地を急速に成長させていた。グレゴリー教授は、この扇状地を横切る河川が「扇状地の頂点から下の端まで砂利を運ぶ堆積によって、今でも古代の土地を埋め続けている」と指摘する。またアンゴストゥーラの渓谷にはさまれたウアタナイ川には、支流からの土砂が流入しているが、その流入速度が流出速度を超えてしまっている。そのため流入した土砂の排出（流出）が滞り、クスコ盆地の下端に詰まっているという。

もしもセイラが古代オロペサからクスコを守るための要塞だとしたら、インカ帝国の支配がアンデス山脈を越えて広がったとき、当然の帰結として、放棄されたのだろう。一方、セイラを築いた人たちは農民であり、彼らは浸食と堆積が進んで、クスコ盆地下部が埋め尽くされようとした時点で、この地を捨て、より耕作地に近い場所に移った可能性も高い。私は、丘の下に広がっている美しい畑が、わずか数日、あるいは数時間で、ピコルの急斜面から豪雨とともに押し寄せる大量の砂利におおわれていく様子を見た。その被害を受けた、この地の農民たちの落胆はいかほどであったか、想像に難くない。彼らが別の場所に移り住むようになったのは、このような大災害があったからなのかもしれない。実際のところ、この村（セイラ）がいつ放棄されたのかはわかっていない。もっと調べれば、スペイン人によるサン・ヘロニモ村が設立された時代にはすでに廃墟になっていた可能性もある。森林伐採、土地の浸食、砂利の堆積などの要因で、セイラの住人は追い出されたのであろう。農業工学を学ぶ人なら、私の説に同意してくれるに違いない。

　クスコ盆地の南縁に目立った山はないけれども、最高峰のウアナカウレ山（13,427フィート）は特筆される。ここではインカ帝国のおもな祭りや宗教的祭典が行なわれるなど、インカの伝統に深く関わった山だと言える。ウアタナイ渓谷の北側はさらににぎやかで、ティカティカ峠（12,000フィート）からパチャトゥクサ山（15,915フィート）まで、雪でおおわれた五つの小さな峰が見える。ウアタナイ渓谷では、ここもふくめて万年雪はどこにもない。

　クスコ盆地に生きる人たちは、慢性的な燃料不足に陥っている。天然の石炭が出ないからだ。鉄道の石炭はオーストラリア産のものが使われている。石炭だけでなく、薪も不足している。古代の森はずっと昔に消えてしまっていた。樹木といえば、ヨーロッパ産のヤナギやポプラが数本、同じくオーストラリア産のユーカリの木立が一～二本、姿を見せるばかりだ。「クスコの街は樹海のうえに位置する」と考えられ、そう書かれてもきたが、実際はそうではなかった。クスコの近隣の丘に木がない原因は、完全に人間の手によるものだった。すなわち長期間におよんだスペインの植民統治、（集約的な段丘農業がなされる以前の）初期農民による森林の開墾、人口の急増にともなって増加した薪の需要といった理由があげられる。クスコの住民は、「燃料は家の暖房に使っていい」とは思っていない。食事のための燃料に使うのも充分ではないほど不足している。クスコの燃料は、人や動物の背中で担いで街に運ばれてくる薪や藁に多くを依存しているのだった。

小麦や大麦を収穫した後に残る刈り株だらけの畑で、羊の群れが餌を食べているのを見た。何世紀にもわたって、近親交配が進み、新しく優れた血統を導入して原種を改良するといった努力をしなかったため、それらの羊は痩せて足が長く、四本の角がある牡羊が何匹も見られた。

クスコ盆地の丘（傾斜地）のほとんどは耕作が可能で、ウアタナイ川のほとりには広大な平地があることから、この地に（アンデスではとてもめずらしい）人口が集中し、インカ帝国の中心部となった理由を理解できる。重要な遺跡のほとんどは、盆地北西部にあたるクスコ、または、都市北部の「パンパ（平原）」に集中している。それは、この地域の四分の一ほどの面積で、ジャガイモの大規模栽培が可能な耕作地だからだろう。ピサックとパウカルタンボに通じる峠の麓、このジャガイモ王国の中心部に位置する地点に、プカ・プカラという名前の絵のように美しい遺跡が残っている。

プカラとはケチュア語で「要塞」を意味し、プカ・プカラで「赤い要塞」となる。小さな丘の上部に構えられた直方体の要塞をひと目見れば、その名前がこの地名にぴったりなのが理解できるだろう。その城壁は、不規則な岩をかっちりとくみあわせてあり美しく、要塞を強化するために丘の両側の小さな崖が利用されている。アンデネス（段々畑）に湿気がたまるのを防ぐため、当時の建築家が周囲の傾斜地より、数フィート高い壁を切り込んでつくった開口部や排水口も目についた。クスコの街の古い城壁の多くでも、同様の排水設備が見られる。

▲上　サクサイワマン、驚異的な巨石による壁［『INCA LAND』掲載写真／1922年発刊］　▲下　ルミコルカ、水道橋の廃墟［『INCA LAND』掲載写真／1922年発刊］

古代の人たちは排水の重要性を充分に理解し、それを設計することに苦心していたのだろう。現在、プカ・プカラでは、リャマの牧童や放牧民たちがのびのびと生活していて、彼らはこの囲い(城壁)を便利な家畜小屋として使っている。おそらくプカ・プカラは根菜類を栽培し、近くの草原でリャマやアルパカの群れを飼っていた先史時代の牧畜民の部族長が建設したのだろう。

　プカ・プカラの上方、ラカヤ・チャカの流れを少しさかのぼったところに、周囲を切り石の噴水に囲まれた温泉がある。その近くには美しいテラスの跡が残っている。そして地面に接する儀式用の壁龕(ニッチ)で、壁を四か所に区切られた大きく立派な壁がある。高さ六フィートほどの上部は、(丘陵の)地表部と同じ高さに設計されている。この遺跡はタンボ・マチャイという。一五六〇年、クスコに住んでいたスペインの歴史家ポロ・デ・オンデガルドは、インカの王族たちがまだ生存していた当時のすべてのインカ人が崇拝していた聖域のリストをつくっている。そのリストには、タンボ・マチャイの近くにあって、「(わき立つ水にちなんで名づけられた)ティンプクプキオ温泉」があげられている。その次にあげられた聖地(ワカ)はここタンボ・マチャイで、「インカ帝国第一〇代皇帝のユパンキが結婚披露宴を行なった場所である」という。「タンボ・マチャイはアンデス山脈を越える道の近くの丘のうえにあった。彼らが子ども以外のすべてを犠牲にした場所であった」と記している。

　タンボ・マチャイ遺跡の石づくりはとてもすばらしい。積み石がとてもていねいに組まれていることから、宗教的な聖域であったことは間違いないであろう。ケチュア語の「マッチニイ」という言葉は、「洗う」「口の狭い大きな水差しですすぐ」ことを意味する。タンボ・マチャイでは、王室や神官が使用する道具を浄める儀式が行なわれていたのかもしれない。モリーナは、タンボ・マチャイは一一月の大祭で騎士として武装したクスコの若者たちが、その月の二一日に水浴びと着替えのためにやってきた場所だと指摘する。その後、若者たちはそこから街に戻り、親族から説法を受けた。そして生贄を捧げたそれぞれの若者を鞭打って、「勇気をもって、太陽とインカの裏切り者にならないように、先祖の勇敢さと武勇を模範とするように」と彼らを諭したという。

タンボ・マチャイは、サン・セバスチャンの街の近くでウアタナイ川に合流する小さなラカヤ・チャカ川上方の小さな断崖に位置する。ラカヤ・チャカ川はウアタナイ川に達する前に、カチマヨ川に合流するが、カチマヨ川は塩分濃度が非常に高く、近くに大規模な塩田があったことで知られる。実際、ペルーを征服したスペイン人ピサロはこの地をラス・サリナス（塩）と名づけたが、これは「インディヘナが念入りにアンデネス（段々畑）をつくって、カチマヨ渓谷を塩田で埋め尽くした」という話にちなむ地名であった。プレスコットが記述しているが、一五三九年四月二六日、スペイン人征服者ピサロとアルマグロの両軍による大規模な戦いが行なわれた。両軍はスペインによるペルー征服のためにいったんは団結したものの、領土の分割をめぐって戦うことになった。塩田の近くには、インカ時代の壁や、石の家（ルミファシ）と呼ばれる壁龕（ニッチ）をもつ建造物跡が多く残っている。ウアタナイ渓谷の多くの泉には、塩がふくまれていて、それは私たち、地理技術者の一行にとって大きな悩みの種となっていた。私たちは、入手可能だった唯一の水が飲用できないほどの塩分をふくみ、お茶もいれられないような場所で、しばしばキャンプせざるを得なかった。

グレゴリー教授によれば、クスコ盆地はかつて湖面をたたえる湖だったという。そして「古代の水面は、現在のサン・セバスチャンとサン・ヘロニモのかなり上方にあった」と考えられている。この湖は、「更新世（約二五八万年前〜一万一七〇〇年前）の初期にもっとも湖面が広かった」と考えられている。古代湖がつくったシルト層（礫混じり泥）は、トウモロコシ、ソラマメ、キノア（雑穀）の栽培に適していて、農民たちにとっても魅力的で、今でもクスコ盆地では盛んに耕作がされている。この古代湖は、科学研究に忠実なペルーの友人ウィリアム・L・モーキル氏に敬意を表して、「モーキル湖」と名づけられた。モーキル氏の多大な尽力がなければ、私たちはペルー探検をここまで進めることはできなかっただろう。氷河期以前のモーキル湖は、その規模を繰り返し、変動させていた。ときおり、湖岸の一部が露出し、目の細かい地層まで植物が根を張り、太陽の照りつけた地表はひび割れを起こしていた。そして、かつては古代動物のマストドン（ゾウ類）がその岸辺で草を食べていた。モーキル湖は、おそらく氷河期のすべて、あるいはほとんどすべての期間を通じて存在していたのだろう。そこからこぼれ落ちる水の流れは、ウアタナイ川となり、セイラ付近の砂岩丘陵を切り崩し、アンゴストゥーラ峡谷を形成した。

クスコ市の少し下を流れるウアタナイ川の岸辺には、今では消滅したモーキル湖の地層が残っていて、貝の化石が多く見つかっている。そのうえには現代の洪水や地すべりでもたらされた砂利の層が残っていて、そのなかから土器や骨が見つかるかもしれない。ウアタナイ川のおもな支流のひとつがチュンチュルマヨ川で、この流れを境にして、クスコの最南端部三分の一が街の中心から切り離されている。この川岸は段々状になっていて、今でも庭や菜園として利用されている。親切なカナダ人宣教師たちのキリスト教布教拠点があり、そこは快適であるとして西欧人のオアシスとなっている。

一九一一年七月のある朝のこと、フート教授やアーヴィング博士（外科医）とともにチュンチュルマヨ川の支流アヤワイコ川を散策していたときのことだった。小さな渓谷の砂利の土手に、最近の浸食で露出したいくつかの骨や土器がむきだしになっているのを見た。興味を覚えて、さらに調べてみると、最近の火山噴火が古代の火山灰層の山を切り崩していたこともわかった。クスコに向かう側には、粗く仕上げられた石をていねいに組み合わせた石積みの壁が続くところがあった。それは一見すると、峡谷の片側がそれ以上流されるのを防ぐためにつくられた壁のように見えた。石壁の上端と同じ高さの土手には砂利が堆積していて、この石積みの壁は砂利の堆積物よりも昔につくられたものであることがわかった。

この谷の五〇フィート先に、砂利の築堤(土手)に埋もれた別の石積みの壁が現れた。その築堤には耕作地が広がっていた。三〇分ほど砂利を掘っていくと、その畑の下にも石積みの壁が残っていた。のちにボウマン博士が調査したところ、石積みの壁の厚さは約三フィート、高さは九フィートだった。そして、壁の両側を粗けずりな石でていねいにおおわれ、瓦礫のなかに埋まっていた。この人の手による壁は、深さ六〜八フィートの深さまで、砂利積みの水中堤防(水制)で完全におおわれていた。その状態は、一目でわかった。

これ(その状態の壁)は理解しがたいことであって、私は、その謎を解こうと思いながら、数日経ってから、さらに不思議なものを見つけることになった。峡谷を半マイルほど進むと、新たに切り開かれた道路が、こぶりで垂直に切り立った砂利の土手に向かって走っていた。その土手を道路面から五フィートほど上ったところの砂利のなかに、小さな岩のようなものが散らばっている。よく見ると、それは人間の大腿骨の端部であった。どうやらそれは砂利の土手と一体化していたようで、土手はほぼ垂直に七〇〜八〇フィートの高さだった。私は、インカ帝国の中心で、「深さ七五フィートの砂利の下に人骨が埋まっていた」という事実に感銘を受けた。私は近く、一九一一年の遠征隊のメンバーだった、ボウマン博士とフート教授(地質学者と生物学者)に同行してもらい、アヤワイコ渓谷を訪問するときが来るまでは、この人骨には触れず、そっとしておくことにした。そして、その後、この大腿骨を発掘したところ、その奥から多くの骨の断片が出てきた。それらはとても、もろいものだった。四インチ以上ある大腿骨は自らの重さに耐えられず、砂利を一部とり除いた後に折れてしまった。砂利自体は少し湿っていたが、骨は乾燥して粉状になっており、灰色がかっていた。発掘した大腿骨は、ホテル・セントラルに運び、ワセリンに浸して綿で包んで梱包し、(イェール大学のある)ニューヘイブンに送った。この骨の調査研究は、ピーボディ博物館の骨学学芸員ジョージ・F・イートン博士が担当した。

一方、ボウマン博士は、アヤワイコで採集した細かい砂利が、氷河期のものであることを確信していた。最初にこの骨を調べて、イートン博士はそのなかに「馬の骨」を見つけて驚いたという。しかし、クスコで撮影した七月一一日に発掘された骨の写真を精査しても、「馬の骨」は見あたらなかった。つまり、ボウマン博士が、七月一一日に発掘した崖のすぐそばでさらに一、二個の骨を掘り出し、七月一一日発掘分の骨に加えたのだという。ボウマン博士は骨を梱包する際に、それらを追加したのだろう。しかし、彼はそのことを大して気にとめず、砂利の層について、「それが氷河期のものである」という自分の考えを信じきっていた。そして、「『馬の骨』が、ペルシュロン種の種馬のものだったとしても気にしない」と宣言した。（周辺地域の地質をさらに調査するまでは）これら脊椎動物の遺体の年代は、「おそらく二万年前から四万年前だと推定される」と、ボウマン博士は確信していたようだった。

ボウマン博士は、あの埋もれた石積み壁に関する論文のなかで、「この壁はプレ・インカのもので、壁をおおっている沖積した堆積物との関係から、堆積物が沖積する以前に建てられたことがわかる。つまり、現在クスコ盆地に残るもっとも古いタイプの建造物である」と結論づけている。イートン博士の調査によると、発掘された骨八本は、三人分の「人間の骨」の一部のほかに、四本が「リャマの骨」の一部、一本が「犬の骨」、三本が「牛の骨」であったという。人間の骨は、現代のケチュア族の骨と、重要なすべての点で一致していた。リャマや犬の骨はインカ帝国時代、もしかしたらもっと新しい時代のものと推定され、三本の「牛の骨」は年代の判定がかなり難しかった。「牛の骨」の断片は、骨格のなかでもっとも特徴のない部分の骨だったという。そして、絶滅したバイソンの第一肋骨に似た第一肋骨の断片もあり、そこにもっとも興味を惹かれた。この牛の肋骨の断片は、明らかにバイソンの骨の特徴に似ていて、アメリカの家畜には見られないものだった。イートン博士は「調べた骨は、ここ（クスコ）にバイソンのなんらかの種が存在する可能性を示している。ただ少数の個体の第一肋骨から得られた特徴だけで、バイソンとほかの家畜を区別することはこれまでにない」と述べ、それが

▲上　クスコのウアタナイ渓谷とアヤワイコ川［『INCA LAND』掲載写真／1922年発刊］　▲下　クスコ北に展開するサクサイワマン遺跡

バイソンであることは否定できないと考えた（通常は更に多くの証拠にもとづいて行なうため、否定も肯定もできない）。ボウマン博士は、脊椎動物の遺体の年代測定に関する自分の説に大きな自信をもっている。しかし、その「地質学的関係についての報告書」のなかでは、「この牛の遺骨が、現代の牛の骨と明確に区別できていないことが自分の説の弱点だ」と認めている。また「この骨が発見された断崖の地層は、思ったより若い砂利地層でおおわれている可能性がある。つまり、この骨は、後に谷が部分的に埋められた時期に堆積した砂利層のなかで発見されたのかもしれないが…、しかしその可能性はきわめて低いと思われる」とも述べている。

南北アメリカ大陸では、カルフォルニアとアルゼンチンのように、遠く離れている場所から、ともに氷河期の人間の痕跡が報告されている。しかし、慎重に調査を進めると、いずれの人骨に関しても、それが存在していた（生きていた）年代ははっきりとはわかっていない。発掘された骨が断片的であること、（その骨格の特徴から）氷河期に生きた人間の特徴の決定的な証拠をつかめないこと、（ボウマン博士が氷河期のものだと主張する）人骨をふくんだ砂利は、彼の考えよりもずっとのちの時代のものである可能性があることから、私たちは一九一一年にさらに完全な調査を行なうことにした。「すべての疑問を解消し、懐疑的な部分をなくすことがもっとも望ましい」との考えからだった。クスコ盆地の地質をさらに研究していけば、一部の地質学者が予想していたように、ボウマン博士は自説の間違いを認めるかもしれない。しかし、もしもそれが「氷河期のものである」というボウマン博士の説を裏づける結果になれば、その説に懐疑的であった人々は、ボウマン博士は自説の補強をしていると言うであろう。

そこでクスコのあるウアタナイ渓谷の地質を徹底的に調査して、それらを結論づけるためには、「第三者の独立した研究発表ができる地質学者を連れていくことが望ましい」と考えた。私は、ボウマン博士の同僚であるグレゴリー教授にその調査を依頼した。グレゴリー教授の提案により、地形学者のアルバート・H・バムステッドのチームが、ウアタナイ渓谷の詳細な地図を作成することになった。それまでペルーを訪れる機会のなかったイートン博士にも同行してもらい、現代のペルーに生息する牛の骨や、その他の骨格の調査研究をしてもらった。さらに一九一一年に骨を採取した地点で、アヤワイコの丘の傾斜地にトンネルを掘ることが重要だと考えた。そこで、コロラドで工学を学んだK・C・ヒールド氏にその監督を依頼した。ヒールド氏は砂利の固まりのなか、四・五×三フィートの断面、一一フィートの奥行きのトンネルを掘っていった。彼はトンネルを開通させるために材木が必要だとも考えていたが、意外にも砂利がしっかりと詰まっていたので、その必要はなかった。骨も、遺物も見つからず、ただ粗い砂利だけが残っていて、地層の痕跡も見られない。どうやら骨があった場所は、古く細かい砂利のある、地すべり跡にあったようだ。

グレゴリー教授はクスコ盆地の研究のなかで、「アヤワイコの砂利層は過去、数世紀のあいだに何度も埋められたり、掘り返されたりしてきた」という結論に達した。そして過去一〇〇年のあいだにいくつもの砂利の段丘が定期的に破壊され、また構成されたことを示す証拠を、グレゴリー教授は発見した。つまり、「アヤワイコの渓谷で発見された、骨や壁が古代のものである」とは証明されなかった。クスコ礫岩層は、更新世末期に最大の広さと厚さになっていたと考えられるが、より新しい堆積物がそのさらにうえに堆積されていた。この地層に隣接する斜面に起きる表面浸食は、気候の変化で、その量や性質が変化し、おそらく氷河期から継続的に続いていたが、（それは）人間の居住がはじまってから大幅に増大した。「地質学データを見ると、クスコの礫岩層で発見された人骨は、数百年以上前のものではない」という結論だった。

しかし、「バイソン（牛の骨）」はどうだろう？　イートン博士はクスコに到着してまもなく、市場で売られていた肉用牛の第一肋骨を調べたところ、「『バイソン（牛の骨）』はペルー原産の家畜に違いない」と確信にいたったという。「アンデス山脈のこの地域の生活環境では、希薄な空気もあって、呼吸筋の働きが活発になる。そして家畜の牛は、ときおりバイソンのものに近い第一肋骨をもつようになる」。こうして「バイソン」と「クスコ人」の骨にまつわるロマンは儚く、哀しい結末となった。一時は、四万年前の古代人か？　とときめいてもいたが、今ではその骨は二〇〇年ほど前の人のものではないか？　と推測されている。アヤワイコという地名は、ケチュア語で「死体の谷」とか「死者の谷」という意味をもつ。今から三世代前のクスコで、ここはペストの犠牲者を埋葬する場所だったという話が残っている。

Chapter VIII
The Oldest City in South America

第8章
南米最古の都市クスコ

第8章／南米最古の都市クスコ

南米最古の都市クスコは、スクワイアが訪れたころとは、すっかりさま変わりしているようだった。いやそれどころか、『南米横断』で書いた私自身の第一印象からも、かなり変わっている。たしかに、古代インカ帝国(タワンティン・スウユ)の痕跡(こんせき)はいたるところに残っているが、一方、その分、社会が発展した足跡も見られる。電話、電灯、路面電車、そして映画が人々の生活に浸透(しんとう)していた。街並みもきれいになっているように見える。現代の旅行者なら、いくつかの不満や不便に遭遇(そうぐう)することもあるだろう。しかし、インカ帝国(タワンティン・スウユ)が成し遂げた功績の多くは、彼ら自身の国でも再現できていないし、世界の他の地域でも匹敵(ひってき)するものがないことを忘れてはならない。そして、クスコは今、確実に進歩している。

一九一一年にヌニェス知事によって一新されたことで、大聖堂前の広場（アルマス広場）はきれいになった。市場や古い石畳(いしだたみ)に代わって、コンクリートの歩道や鮮やかな花壇が整備され、夕方、そこは心地よい市民の憩い(いこ)の場となっている。今、クスコでもっとも有名な市場は、サンフランシスコ・プラザという。あらゆる種類の商品をあつかう店舗が集まり、とてもにぎわっている。インディヘナの使う食料品や道具は、ほとんどすべてここで買うことができる。市場には頻繁(ひんぱん)にインディヘナが集まり、ものの売り買い（売買）をしたり、何かを議論したり、おしゃべりをしている。とくに早朝は、絵の好きな人やインディヘナの一風変わった風俗や習慣に興味のある人にとっては、尽きることのない娯楽(ごらく)を提供する場となるだろう。

クスコの小売商人は、昔からの習慣で、業種ごとに集まっている。ある通りには帽子屋がならんでいて、別の通りにはコカの葉を売る人がならんでいる。洋服屋や仕立て屋は長いアーケードのなかにあり、何軒もの小さな店が軒(のき)を連ねている。店内は暗く、光はアーケードの入口一か所から差し込んでいた。この市場ではアメリ

▲　インカ帝国の首都クスコの様子（ワマン・ポマ『新しい記録と良き統治』より）

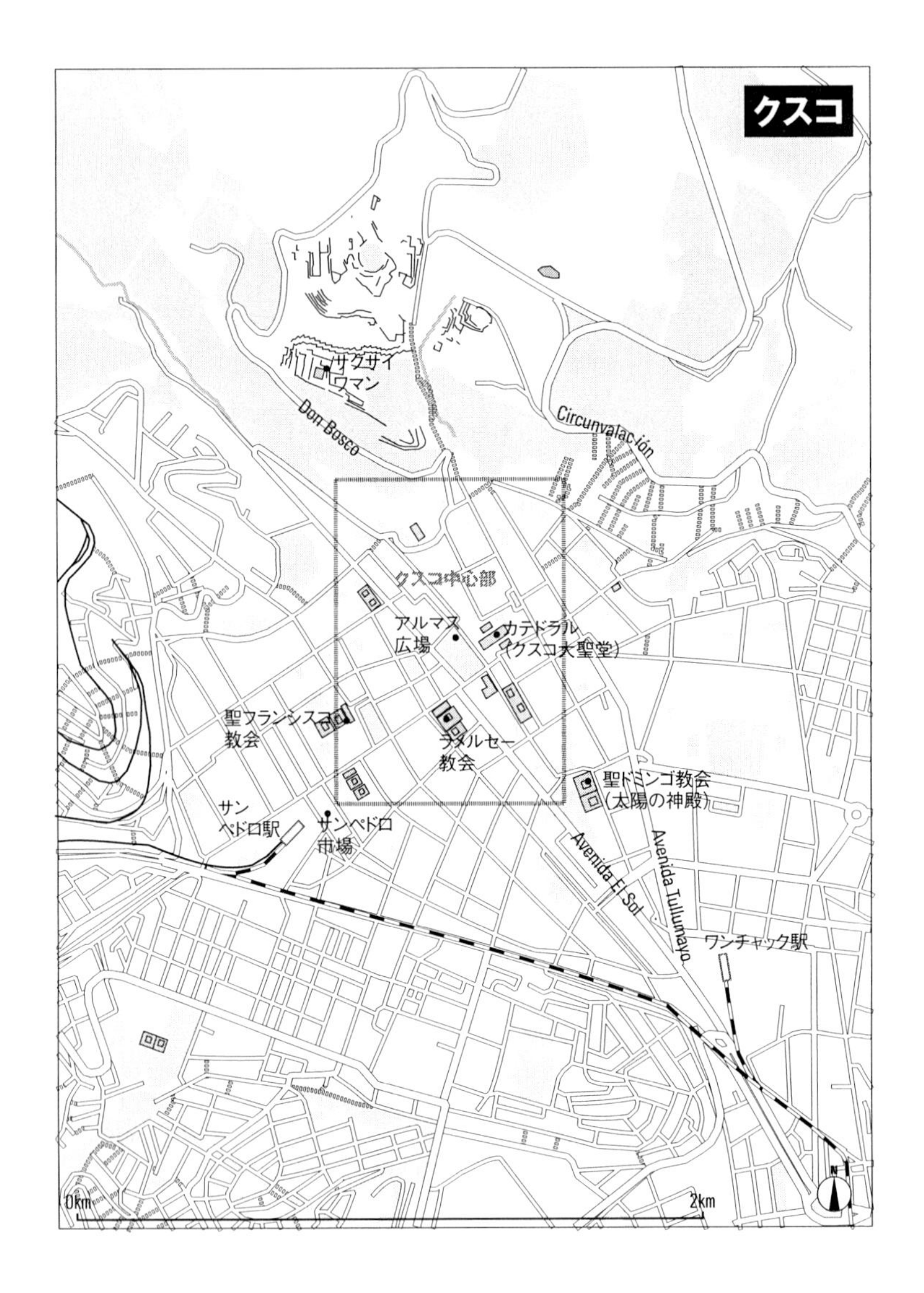
クスコ
サクサイワマン
Don Bosco
Circunvalación
クスコ中心部
アルマス広場
カテドラル（クスコ大聖堂）
聖フランシスコ教会
ラ・メルセー教会
聖ドミンゴ教会（太陽の神殿）
サンペドロ駅
サンペドロ市場
Avenida El Sol
Avenida Tullumayo
ワンチャック駅
0km
2km
N

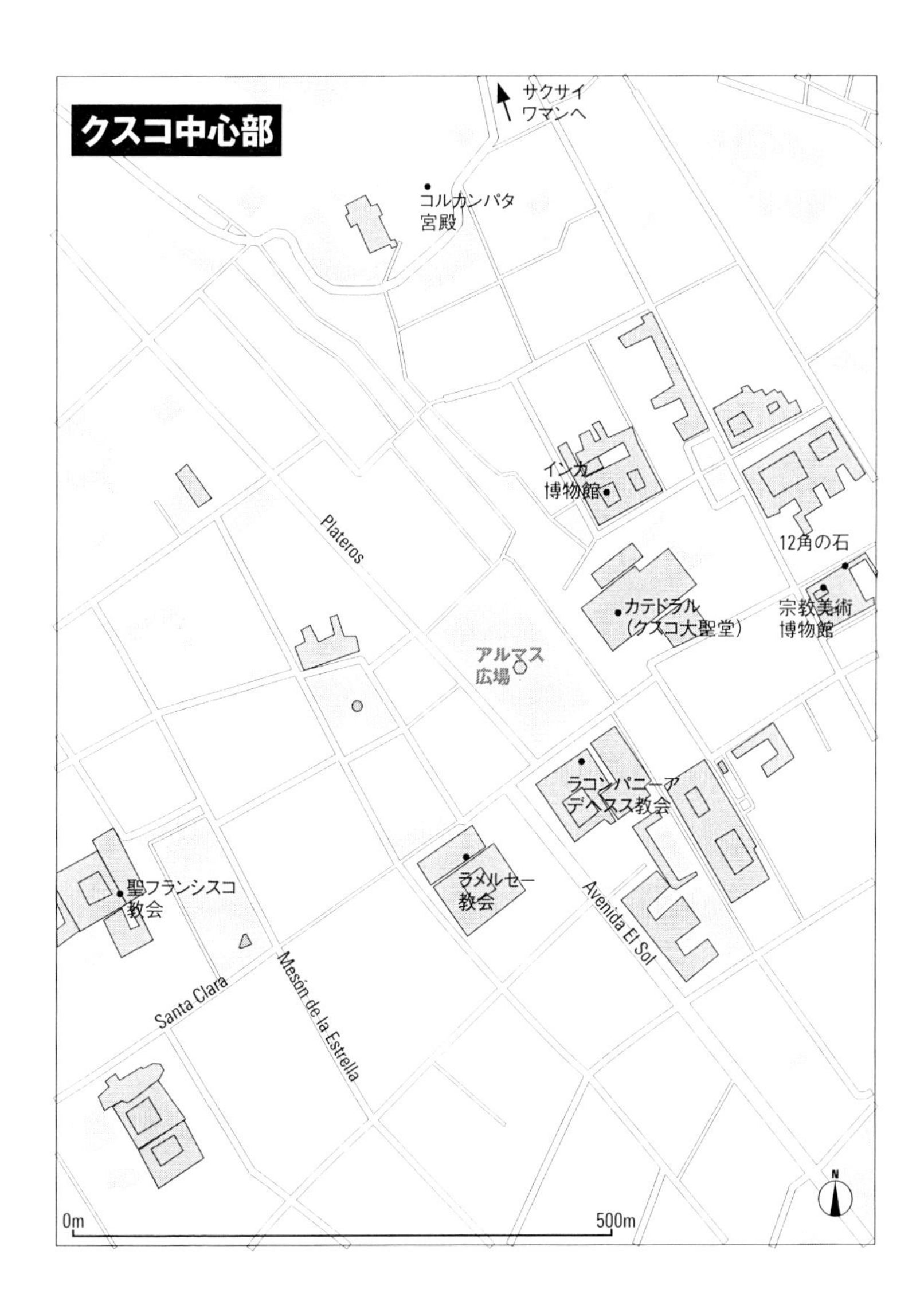
クスコ中心部
サクサイワマンへ
コルカンパタ宮殿
インカ博物館
12角の石
Plateros
カテドラル（クスコ大聖堂）
宗教美術博物館
アルマス広場
ラコンパニーアデヘスス教会
ラメルセー教会
聖フランシスコ教会
Avenida El Sol
Santa Clara
Mesón de la Estrella
0m
500m
N

カ製のミシンが使われていて、オーダーメイドの服がつくられるだけでなく、標準サイズや各種パターンの品も豊富にそろっていた。別のアーケードには、ラバ追いたちの目に訴えるあらゆるラバ用品をあつかう専門店がならんでいる。最高のラバを邪視(魔力)から守る豪華な装飾のほどこされた端綱、コカの葉やその他貴重品を入れるための革製の袋、布製の腹帯、革製の手綱、ラバを縛るよりダイヤモンド・ヒッチ(ラバの背に載せた荷物を縛る方法)に使えそうな皮製の投げ縄、旅の疲れを癒やすための横笛、遠くの村に向かうときそのはなむけに守護聖人の前で燃やすろうそくなど、それらはラバ追いたちの商売道具すべてであった。

そのときネルソン博士(外科医)は、クスコの街にあふれる絵のように美しいケチュア族を知るために、ケチュア族一〇〇人の体格測定を行なう必要があると考えた。そして、ホテル・セントラルにそのための研究室を設けたのであった。この研究のための対象者として、友好的な警察に依頼し、クスコ中から純血のケチュア族だけを連れてきてもらった。それは、いわば警察に強制連行された被害者でもあった。しかし、そのケチュア族たちは、体格測定の実施を恨んではいなかった。測定が終わったあとの帰りに、手間をかけた補償として小額の銀貨を受けとることができ、むしろ彼らは驚き、喜んでいた。

ネルソン博士の被験者の多くが、「クスコを、自分の生まれ故郷である(自分たちがクスコ人である)」と予想していたが、実際にはそうではなかった。クスコから少し離れたアンタやウアラコンド、マラスといった、わりと小さな街の出身者が多く、むしろ都市部出身のインディヘナのほうが少なかった。なぜそうなったのか? これにはいくつかの原因が考えられる。まず測定に協力した警察は、遠方の村からよそ者を「連行」したほうが、喜んで自分たちの提案にしたがってくれると考えたのだろう。第二に、都市の人たちは仕事を抱えていたり、暇があったら広場で買いものを楽しもうとする人が多く、警察が都会人を制御することが難しかったのだろう。クスコの住民は、辺境の村にくらべて混血(メスティーソ)が多く、「今日でもスペイン語を話す者は二、三人しかいない」ということも偽らざる事実であろう。さらにその警察にとって気がかりだったのは、都会の流行とは異なる田舎のケチュア族の風変わりな衣装（民族衣装）が目立ちすぎていることだった。クスコに長く住んで、西欧的感覚を身につけた衣装のケチュア族を集めたほうが無難だったのかもしれない。

スクワイアによると、「一八七〇年のクスコの人口のうち、八分の七は純粋なケチュア族であった」という。今日でも、クスコの街を行き交う人の多くは、純粋なケチュア族の血をひいているようだ。そのなかには、周囲の村からの来訪者が多いことも見てとれる。クスコはアンデス山脈のなかでも、もっとも人口密度の高い地域の中心地なのであった。おそらくクスコ人の大部分は、スペイン人とケチュア族の混血なのであろう。スペイン人の征服者（コンキスタドール）たちは、ヨーロッパ女性をこの地に連れてはこなかった。そしてスペイン人のほぼ全員が、先住民を妻として娶った。もともとスペイン人は、ケルト人、イベリア人、ローマ人、ゴート人、カルタゴ人、ベルベル人、ムーア人など、ヨーロッパ各地、そしてアフリカ北部といった多くの人種との混血が進んでいる。そのため、北ヨーロッパのアングロ・サクソン人やチュートン人（古代ゲルマン人の一派）にくらべて、アメリカ先住民との婚姻（こんいん）に対する抵抗感が少ないのであろう。その結果、何世紀にもわたってスペイン人とケチュア族の混血が進み、その結果を詳細（しょうさい）に把握することは難しい。ある作家は、「かつてクスコには二〇万の人が暮らしていた」と述べている。しかし、原始的で、未熟な交通手段では二〇万人もの人口を養うのは困難であろう。モンテシーノスによれば、一五五九年のクスコには、二万人ほどの先住民しかいなかったという。

クスコの魅力は、古さと新しさが共存していることだろう。身なりの良いクスケニョス（クスコ人）の一団が、インカの壁を路面電車で越えてやってきて、駅で出迎える彼らの友人たちと挨拶を交わす、といった具合である。しばしば路面電車は、小さな袋につめたジャガイモをクスコの市場に運んでいる最中の、静かだが上機嫌のリャマの群れに出合う。運転手が乱暴に急ブレーキをかけても、衝突が避けられないことだってままある。

近代的なラ・メルセ修道院は、インカ帝国時代の建築から切り出された石でつくられている。六～七世紀前にインカの石工の手でつくられた石に、今、見えるのはクスコ最大の劇場の看板広告であった。一九一五年七月二日、ベルギー赤十字社の催しものがあったのだ。この看板を、畏敬の念をもって見入っていたのは、アンデス山脈の辺境の村に暮らすインディヘナの少年たちだった。彼らは色鮮やかなフリンジ（房）のついたポンチョ（上衣）を着て、凝った耳あてで飾られたニット帽をかぶる習慣があった。そして、ヨーロッパでは見られないようなデザインの衣装を身にまとっていた。絵に描いたようないでたちの訪問者（インディヘナの少年たち）の隣には、縞模様の服、布製の帽子、コート、イギリス風のズボン姿のクスコの悪童が裸足で立っていた。

四〇〇年前にスペイン人によって建てられた住宅の壁には、電線が張りめぐらされている。また現在はクスコ大学の一部となっている古いイエズス会（キリスト教）の教会の美しい石づくりの壁面も電線におおわれている。この建物は、ピコルにそびえる双子の山近くのウアコットの採石場で採れる赤みをおびた玄武岩を素材としていた。グレゴリー教授によると、このウアコットの玄武岩にはやわらかさとなめらかな質感があって、一六世紀の教会建築家の好んだ、精巧な彫刻をほどこした石造物に適した素材であるという。また、インカ帝国で広く使われていた閃緑岩にくらべて、玄武岩は早く風化することも特徴だろう。風化した部分の赤色の壁が、このイエズス会の教会を、古風で荘厳な雰囲気にしている。（教会にある）その大学の中庭は、イェール大学が設立されるずっと前から、アーケード（屋根）にイエズス会の学識ある教師たちの足音を響かせてきた。しかし、最近、コンクリートで舗装され、そこはテニスコートに姿を変えてしまった。そして、学長のギーゼッケ博士の掲げる理念「健全な精神は、健全な肉体に宿る」という真理を学ぶ学生たちの喧騒であふれている。

現代のクスコは、約二万人の人口を抱える都市であった。ペルー南部でもっとも重要な州の政治的主都であ

▲左　壮大なペルー高原地帯の氷河、クスコとビルカバンバのはざま［『INCA LAND』掲載写真／1922年発刊］　▲右　クスコに残る由緒正しいイエズス会の教会、すぐそばには大学の回廊とテニスコートが見える［『INCA LAND』掲載写真／1922年発刊］

るにもかかわらず、私たちが訪れた一九一一年当時は、病院が街の西側の大きな墓地の隣にある一か所だけであった。それは半官半民の非宗教団体が運営していた。実際、街のはずれにあり、墓地に近いため、葬儀用の花輪や著名な記念物が患者たちの目を楽しませる唯一のものとなっていた。建物には大きな中庭と開放性をつくる列柱が見られ、野外療養の許される患者にとっては理想的な環境であった。

アーヴィング博士（外科医）がこの病院を訪問したとき、患者は全員、小さな窓しかなく、閉め切られた病室に収容されていたという。その雰囲気は陰気で、光も不十分だった。このようなペルーの病棟と、私たちの慣れ親しんだアメリカの病棟のあいだには、言い表せないほどの差があった。この病棟には、もっと多くの日光と新鮮な空気が求められる。患者は屋外で過ごしたほうがまだましなほどで、実際、ベッドも玄関におかれていた。この病院には、専属の医師もいないようだった。そして「日光や新鮮な空気は害をもたらす」というペルー山間部に古くから伝わる教えにしたがい、病院内はできるだけ暗くなるように細心の注意が払われていた。言うまでもなく、この病院の死亡率は高く、地元での評判も悪いが、クスコでの唯一の病院であることには違いなかった。そして私たちが訪れたクスコ以外のすべての街では、「自分の家以外の場所」で、病人を治療する手段をもちあわせていなかった。大きな街では、一般的な薬を手に入れることのできる店はあったが、ほとんどの街や村では治療薬を買うことはできない。大学の責任者であるギーゼッケ学長が、学生たちにサッカーやテニスをして汗を流すように勧めているのもうなづける。

大学を見下ろせる丘の斜面には、コルカンパタ宮殿の興味深いテラスが残っている。ここには一五七一年、インカ皇帝ティトゥ・クシの従兄弟カルロス・インカが暮らしていた。スペインによるインカ帝国征服後、ビルカバンバ山脈の山中での不安定な亡命生活を克服することに成功したインカ統治者のひとりであった。コルカンパタの庭園には、ペルーで見られるインカの石造物で、もっとも美しいものが残っている。これがすばらしい宮殿に残されたすべてなのか？ それとも（ティトゥ・クシが従兄弟のために心地よい住居を建てようとした）滅びゆく王朝インカの最後の力を示しているのか？ 私には不思議でならない。

この庭園は、イタリア豪商の御曹司ドン・セザール・ロメリーニによって、ていねいに管理されている。そのドン・セザールは銀行家であると同時に、皮革やほかの国の産物や商品をあつかう貿易商人でもあり、鉛筆から製糖工場まで、木材や帽子、お菓子、金属製の器具といったあらゆる種類の商品の輸入もしていた。そればかりでなく、スペイン植民地時代の家具や、インカの美しい陶器の愛好家でもあった。さらに自分の仕事の合間に、私たちの探検に協力してくれる旅人の理解者でもあった。ドン・セザールは頻繁に田舎の地主に連絡してくれたり、紹介状を書いてくれたりして、私たちの旅を容易にしてくれたものだった。また、私たちの装備を保管する倉庫の提供、信頼できるラバ追いを雇う手助け、ラバや馬具を現地で購入する際に私たちが騙されないようにも気を配ってくれた。旅の地での困難を克服するために貴重な助言もしてくれた。一言で言えば、私たちがドン・セザールにとっての最高の得意先（顧客）であるように、周囲にわかるように振る舞ってくれたのであった。そして、ドン・セザールは、私たちへの多くのものをあたえてくれたのに、まったく報酬を受けとろうとはしなかった。彼は、私たちの探検を成功に導いてくれた人物のひとりであり、すべての探検家たちが記憶にとどめておくべき人物であろう。

コルカンパタにあるドン・セザールの別荘のさらにうえに、サクサイワマンの丘が位置する。この丘の斜面を登ることは可能だが、標高11,900フィートのこの地では、平地以上の労力を必要とする。サクサイワマンの「要塞」に到達するもっともかんたんな方法は、クスコを四分する三本の運河のうち、最東端を流れるトゥルマユ川（「弱々しい川」という意味）にそって進むことであろう。トゥルマユ川の川岸には、皮なめし工場があり、そこから急な渓谷を少し登ると、古い製粉所の跡が位置する。この石づくりの水路とそれに隣接する遺跡は、今日のクスコ人は「インカ帝国《タワンティン・スウユ》のものである」と言っているが、私にはインカ帝国《タワンティン・スウユ》の石造物には見えない。インカ人は輪転《りんてん》（車輪がまわること、インカ帝国《タワンティン・スウユ》には車輪がなかった）の機械的原理を理解していなかったのだから、（水車など）水力を利用する方法を知っていたとは思えない。最後に、水路を注意深く調べてみると、インカの石組みでは通常使われない種類のセメントの痕跡《こんせき》が確認できた。

トゥルマユ川を少しさかのぼり、壮大な巨石の門を通りぬけると、拙著《せっちょ》『南米横断』で紹介したサクサイワマンの驚くべき、石灰岩《せっかいがん》の巨大城壁が見えてくる。ここでは古代の建築家の建設した三つの大きなテラスがあって、それらのテラスは深い渓谷のあいだにある二つの丘のうえに三分の一マイルにわたって広がっている。「要塞」最下段部のテラスには、重さが一〇トン、あるいは二〇トン以上もある巨大な石が積まれている。そして、それらすべてが精密《せいみつ》に組みあわされている。私は何度もサクサイワマン要塞を訪れているが、そのたびにこの遺跡に圧倒され、驚かされている。迷信深いインディヘナがはじめてこの壁を見たら、「神がつくったものに違いない」とさえ思うであろう。

サクサイワマンの北東約一マイルのところに、一部を植物におおわれた小さな人工の丘陵がいくつか残っていて、これらは灰青色《はいあおいろ》の石灰岩《せっかいがん》の破片で構成されていた。数えきれないほど多くの石切り職人の労働力をもってして、つくられたのだろう。蒸気ドリル、爆薬、鉄の器具、軽便鉄道《けいべんてつどう》が発達した現代においても、これらの丘のたたずまいは注目に値する。古代ペルーの石工たちが文明の利器をもたなかったことや、山のような石灰岩《せっかいがん》片が石器を使って切り出され、すべて手作業で採石場《さいせきじょう》から運ばれたことを考えると、その壮大さ、造営への意欲がどれほどのものだったか、想像力をかきたてられる。

サクサイワマン遺跡は、膨大《ぼうだい》な数の人間の労働によってつくられただけでなく、優れた統制によって完成した作品でもある。何千もの人たちが石切り場から石の塊《かたまり》をとり出し、必要なかたちに削りとって、荒れた土地のうえを何マイルも運ぶ。複雑に石を組みあげる長い期間、人々が農作業から解放されていたはずだ。それは指導者が多くの人々の業務を組織し、統制する頭脳と能力をもっていたということを意味する。このようなサクサイワマン人は、戦争の準備や、訓練には多くの時間を費やさなかっただろう。サクサイワマンの建築工程には、無限の苦しみ、無限の時間、そしてすべてを捧げる覚悟を必要とした。そのような指導者の資質は、農民を主体とする民の支持を得られない限り、この建築を建設することの理解は得られなかったであろう。

サクサイワマン人は、慎重につくられた石積みのアンデネス（段々畑）を頼りに、飢えや飢饉を回避することを学んだ。そして、畑の農作物がアマゾンの平原に流されてしまうといったことを避けるため、飢えや苦しみから逃れることを学んだのだった。そう考えると、サクサイワマンは「（彼ら自身の）神々を喜ばせたい」という願望から建てられたのではないか？　と推測できる。サクサイワマン人にとって石積みのアンデネスは、農産物（生命）を育むために重要な役割を果たしていた。そしてアンデネスづくりを教えてくれた神に感謝を捧げるために、怪物的と言えるほど巨大なテラス（段々畑）をつくったと考えるのは妥当ではないだろうか？　私にはサクサイワマン建設に膨大な労力が費やされた理由は、要塞としての防御機能よりも、宗教性に起因するものだと思われる。

クスコを裏山側から攻撃しようとする敵に対して、強固な守りをもった要塞を造営するというなら、もっと小さな石を使えば、はるかに短い時間と少ない労力で建設できただろう。このサクサイワマン造営には、何千人もの人々の労働力を制御し、農業生産上でも、軍事戦略上でも、あきらかにコストに見あわない非生産的とさえ言える労力を必要とした。そして、人々に超人的な努力をさせたのは、偉大な戦士の最高級の虚栄心によるものだったのかもしれない。その反面、古代ペルー人は、戦いよりもむしろ宗教的な人たちで、勇猛な戦いの神よりも、太陽を崇拝する傾向があった。サクサイワマンには、アンデネス（段々畑）で育つ作物を実らせる神を、何としてでも喜ばせたいという信仰心があったのだろうか？

征服者であるスペイン人自身は戦士であり、二〇世代にわたる戦闘民族の子孫であった。ヨーロッパの要塞の姿に慣れ親しんでいた彼らが、サクサイワマンを「要塞だ」と見なしたことは驚くべきことではない。スペイン人にとって、その堡塁を軍事的に利用する以外に選択肢はなかった。「彼ら十字軍（インカを征服したスペイン人）」の子孫が、手に入れたばかりの、その堡塁と堡塁への進入路がもつ価値（堅牢さ）を見過ごすわけがなかった。その強力な城壁の高さ、強さは当時の兵士たちにとっても心強い味方となった。自分たちの慣れ親しんだ大砲でも、この要塞（サクサイワマン）を落とすことはできないだろう、ということを彼らは知っていた。

実際、インカの戦いやピサロのクスコ入城後の戦いにおいて、サクサイワマンは要塞として何度も使用されている。そのため、スペイン人はヨーロッパの要塞がふだん直面している包囲戦を想定していた一方、インディヘナは火薬や大砲の使いかたさえ知らずにいた。そのため、サクサイワマンの本当の建設理由を、スペイン人は思いもよらなかっただろう。最初にサクサイワマンの威容を目のあたりにしたヨーロッパ人が、これを要塞だと見なすのはとても自然なことで、むしろそれ以外（軍事目的の要塞）の視点でとらえることはできなかった。神聖な都市クスコが谷を登ってくる侵略者に襲われる可能性がより高いという事実。西からの緩やかな斜面を越えてくる侵略者。何世紀にもわたる中央アンデスの主要街道であった北からの峠道を通ってくる侵略者。それらの要素は、「サクサイワマンは要塞に違いない」と考えた作家たちを悩ませることはなかっただろう。

雨季の終わりに春分の日を祝い、夏至の日には「最北の地」から太陽が戻ってきたことを祝うため、太陽の信徒が集まる場所としてサクサイワマンは使われていたのかもしれない。サクサイワマンが何のために造営されたかの真意ははっきりとしないが、莫大な費用をかけて建設されたという事実から、軍事目的よりも、宗教

▲　スペインの征服者のディエゴ・デ・アルマグロとフランシスコ・ピサロ（ワマン・ポマ『新しい記録と良き統治』より）

目的のほうにより重心をおくべきだと私は思う。サクサイワマンは巨大な要塞というよりは、古代の神殿のようなものだったのだろう。いずれにせよ、このクスコからさらに北に向かった私の探検をご紹介するため、ペルーの一部を支配したインカ帝国（タワンティン・スウユ）最後の四人の皇帝について記していきたいと思う。

Chapter IX
The Last Four Incas

第9章
最後のインカ四代

第9章／最後のインカ四代

プレスコットの記した古典的名著『ペルー征服』の読者なら覚えているだろう。部屋を金の器で満たすことで生命乞いしたインカ帝国(タワンティン・スウユ)第一三代皇帝アタワルパ（一五〇二ごろ〜一五三三年）の試みが無駄に終わり、結局は征服者(コンキスタドール)ピサロに殺害されたことを。そして王子のひとりをスペインの傀儡(かいらい)として国を統べるインカの王位につけさせたことを。この若い王子は、インカ帝国(タワンティン・スウユ)第一一代皇帝ワイナ・カパックの子マンコ・インカ・ユパンキで、帝国の創設者である初代皇帝マンコ・カパックの名を襲名(しゅうめい)するのにふさわしい人物だと見られていた。

マンコ・インカ・ユパンキは優れた能力をもち、気骨のある若者であった。一五三四年、彼は然るべき儀式をへて、皇帝位に就いたが、それはすばらしくも、野蛮な茶番劇に過ぎなかった。帝国を統治するというマンコ・インカ・ユパンキにとっての野心や望みを満足させられなかったばかりか、むしろ、その思いをより哀れなものにした。彼はスペインの意のままに操られることに疲弊(ひへい)した。予想通り、すぐに厳しいスペインの監視下を脱出し、傀儡(かいらい)の皇帝という立場から逃がれた。そして、彼に忠実なケチュア族の軍隊を育て、彼ら自身の本物のインカ帝国(タワンティン・スウユ)の再建を目指した。

このマンコ・インカ・ユパンキの戦いに参加したドン・アロンゾ・エンリケス・デ・グスマンは、インカ帝国(タワンティン・スウユ)の都をとり戻すためのクスコ包囲戦を「世界でもっとも恐ろしく残酷(ざんこく)な戦争」と評したほどだった。一五三六年、スペイン人の同志アルマグロの助けもあって、ピサロのいるクスコの包囲網はとかれ、スペイン人のクスコの安定はたもたれた。祖先から受け継がれてきたインカ帝国(タワンティン・スウユ)の都クスコを取り戻す、最後の機会を逃したマンコ・インカ・ユパンキは、オリャンタイタンボに撤退した。ここでマンコ・インカ・ユパンキはウルバンバ川のほとりに強固な防衛線を張ったが、オリャンタイタンボはピサロのひきいるスペイン騎兵隊の前にかんたんに

▲　カハマルカで幽閉されたインカ皇帝アタワルパ(ワマン・ポマ『新しい記録と良き統治』より)

陥落した。インカ帝国の軍勢は、石づくりの壮大な建物、要塞、宮殿、穀倉地帯、そして祖先から受け継がれてきた空中庭園を守るべく、最大限の戦いを繰り広げた。しかし、スペイン軍の攻勢を前に、撤退を余儀なくされる事態となり、彼らは雪道のなか、峠を越えて、北に向かって逃れた。そこは「南米のスイス」と言われるビルカバンバ(山脈)の奥地にあるビトコス(ビルカバンバ)という場所だった。

マンコ・インカ・ユパンキを追走するスペイン軍は、山深いその地が難攻不落であることを知った。ビルカバンバは、深い山々に守られた巨大な自然の要塞だった。そこにいたるには危険な急流を渡るか、もしくはヨーロッパのもっとも高い山よりもさらに高く、狭い隘路を通って山を越えていく、という方法以外では到達することはできない。ハンニバルやナポレオンの軍隊でさえ、(ビルカバンバにくらべれば)低いアルプスの峠を通過するのも危険だった。結局、スペインのピサロはマンコ・インカ・ユパンキを追って、パンティカラの峠を越えることはできなかった。

ペルーのアンデス山脈には、それほど美しい雪山が多くあるわけでないが、そこからすぐ近くには鋭く切り立った氷の峰をもつベロニカ山(標高19,342フィート)がそびえている。またそこから遠くないサルカンタイ山は、標高20,565フィートに達する壮大な雪山であった。そしてサルカンタイ山そばの鋭い針のような山容のソレイ山(9,435フィート)、その西にパンタ山(18,590フィート)とソイロッコ山(18,197フィート)が鎮座していた。これらの山々の肩には、名もなき氷河や、勇敢な探検家以外はほとんど見たことのないような小さな谷が広がっている。これらの谷へは、雹や雪まじりの激しい嵐に見舞われることを覚悟して峠を進まなくてはならない。雨季になると、ビルカバンバ山脈地帯のほとんどは立ち入り禁止区域となる。乾季であっても、きわめて交通手段の厳しい環境だった。どんなに足の丈夫なラバでも、人の助けがなければ、この道を歩くことはできないだろう。

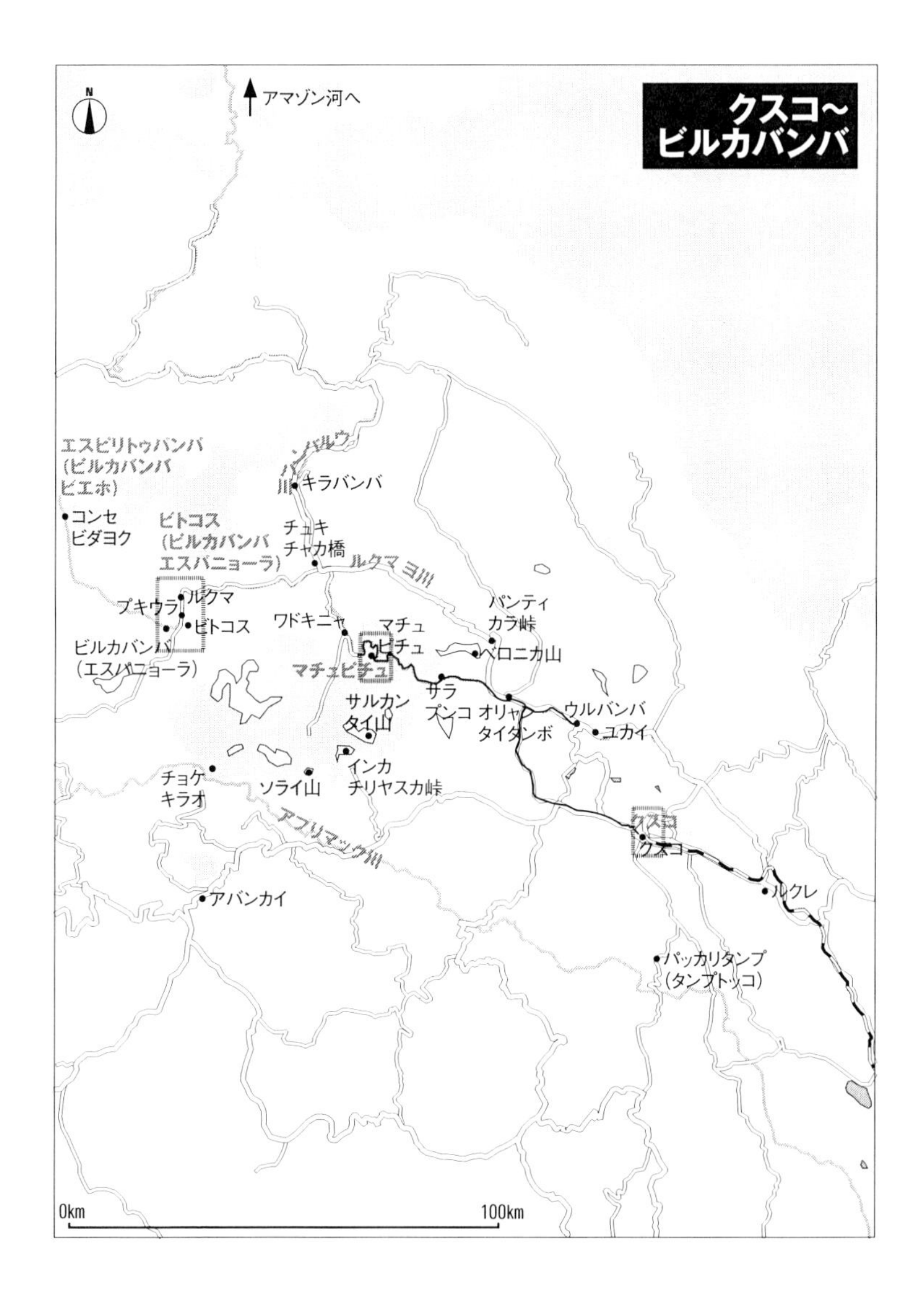
クスコ～
ビルカバンバ
N
アマゾン河へ
エスピリトゥバンバ
（ビルカバンバ
ビエホ）
キラバンバ
コンセ
ビダヨク
ビトコス
（ビルカバンバ
エスパニョーラ）
チュキ
チャカ橋
ルクマ
プキウラ
ビトコス
ビルカバンバ
（エスパニョーラ）
ワドキニャ
マチュ
ピチュ
マチュピチュ
パンティ
カラ峠
ベロニカ山
サラ
プンコ
サルカン
タイ山
オリャン
タイタンボ
ウルバンバ
ユカイ
チョケ
キラオ
ソライ山
インカ
チリヤスカ峠
アプリマック川
クスコ
クスコ
ルクレ
アバンカイ
パッカリタンプ
（タンプトッコ）
0km
100km

そして、この場所こそ、マンコ・インカ・ユパンキにとっては理想的であった。一五五〇年のペルー戦争を克明に記録したシエサ・デ・レオンは「（マンコ・インカ・ユパンキが）各地から集めた大量の財宝…そして、繊細な肌触りで、とても美しく派手なウールの衣服をたくさん運んでいた」と述べている。一国の支配者（インカ皇帝）が豊かな「財宝」を放棄して亡命するとは、スペイン人には到底、考えられなかった。ただマンコ・インカ・ユパンキがあふれるほどの金や銀をもっていたかどうかは疑問点が残る。装飾品をのぞいて、彼は貴金属をほとんど必要とせず、実際、それ（インカの「財宝」があるということ）はスペイン人の好奇心を刺激するだけのものだっただろう。

マンコ・インカ・ユパンキにしたがう人たちは、金や銀の支払い（賃金）を受けとることはなかった。彼らの労働力はインカ皇帝が得るべき報酬であり、彼らには自分たちの作物を育て、自分たちの衣服をつくるのに必要なだけの報酬が割りあてられていた。実際、彼らの生命は皇帝マンコ・インカ・ユパンキの手に委ねられていて、「偉大な首長（インカ皇帝）」に忠実にしたがうのは何世紀にもわたる慣習であった。そのため、インカ皇帝が美しい織物、その他の役に立つものを持ち去ったとしても、それは当然のことだったかもしれない。

ビトコス（ビルカバンバ）は隔離され、スペインの軍隊から守られていたため、インカの人たちは快適な気候や環境の恩恵を受けることができた。またそこは、トウモロコシ、ジャガイモ、サツマイモ、各種の果物はじめ、温帯や亜熱帯地域の農産物がかんたんに育つ、水の豊富な地域であった。ここビルカバンバを拠点に、マンコ・インカ・ユパンキは頻繁に出撃し、スペイン人の予想不能な方角から攻撃するゲリラ戦を展開していた。そして、彼の襲撃はたいてい成功していた。マンコ・インカ・ユパンキはひと握りの従者をつれて山奥から出撃し、あるいは泳いだり、また原始的な筏でアプリマック川を渡って外界へ出た。彼が、クスコとリマを結ぶペルーの主要街道に到達することはわりとかんたんであった。当時、このルートを利用する役人や商人たちは、とても不安定な状況におかれていたという。そのため、マンコ・インカ・ユパンキは、「スペインが、ペルー（インカ帝国）にあたえた仕打ちに対する復讐の襲撃であること」をインカの配下たちに理解させ、彼らを鼓舞した。

インカ帝国を征服したスペインの歴史家シエサ・デ・レオンは、「スペイン人は、インカ皇帝の遺産を奪い、彼を母国（クスコ）から追放した」と記していて、マンコ・インカ・ユパンキの立場を正当化していることは興味深い。マンコ・インカ・ユパンキがビルカバンバのような山間部に避難場所を確保し、そこを拠点にスペインを大いに悩ませていた。そしてそれを見たクスコのインカ貴族（おもにインカ君主の子孫で構成された）の多くが、マンコ・インカ・ユパンキにしたがうようになった。インカの貴族たちは、スペイン人から「大きな耳」を意味するオレホネスと呼ばれていたが、これは彼らが大きな金のイヤリングをつけるため、わざと大きくした耳たぶの穴に由来する。

マンコ・インカ・ユパンキがビルカバンバの山脈に亡命してから、三年後の一五三九年、クスコで、インカの王女とひとりのスペイン人征服者とのあいだの息子インカ・ガルシラーソ・デ・ラ・ベーガが生まれた。ガルシラーソは幼いころ、自分の親戚にあたるインカ王族の活動を耳にしていた。そして、彼は少年時代にペルーを離れ、残りの人生をスペインで過ごした。インカ・ガルシラーソ・デ・ラ・ベーガはヨーロッパで四〇年過ごしたあと、記憶を頼りに、自分の祖先にあたるインカ帝国についての著作『インカ皇統記』を記した。彼は子どものころ、不愉快な報告をしばしば聞いていたのであろうが、マンコ・インカ・ユパンキに関しては同情的な立場で記している。

その時代、亡命政府をひきいるマンコ・インカ・ユパンキの配下たちが、スペインが征服を進めるペルーの道中で、何度も強盗を働いていた。しかし、山中に亡命中のインカ帝国（新インカ帝国）はスペイン商人には敬意を払い、彼らの自由を認め、インカ人にとって、役に立たない商品や製品の略奪はしなかった。彼らが狙いを定め、奪ったのは、家畜として飼育されているリャマとアルパカだった。インカ亡命政権はビルカバンバの山奥を拠点としていて、山には飼いならされた家畜がいなかったからだ。そこにはトラやライオン、体長二五〜三〇フィートの大蛇や、その他の毒をもった昆虫が生息しているばかりだった（以上は、一六八八年にロンドンで出版されたポール・ライコー卿の翻訳から引用している）。歴史家ガルシラーソによれば、マンコ・インカ・ユパンキの兵士たちは「（「これは自分たちのものだ」と言いながら）インディヘナの所持する食べものだけを奪った」といい、「インカ帝国全体の所有者であった皇帝は、自分たちに必要で、普通の生活に必要な物資は合法的に奪うことができた」とも述べている。しかし、私個人としては、マンコ・インカ・ユパンキがスペイン商人の「商品や製品」を略奪しなかったか、どうかは疑問に思っている。後述するように、マンコ・インカ・ユパンキの宮殿では、ヨーロッパ起源の金属製品が見つかっていて、これは皇帝の配下たちがスペインを襲撃して、もち帰ってきた可能性が高い。さらにプレスコットがよく引用しているように、ガルシラーソは一六歳でペルーを離れて、スペインで長い生活を送っている。そして、彼の読者であるヨーロッパ人から軽蔑される「母の側（インカ人）の美徳をたたえたい」という自然な欲求に影響されていることを忘れてはならない。

当時、マンコ・インカ・ユパンキが使っていた武器、そして戦術について、グスマンは次のように述べている。

「インカ帝国の兵士は兜や盾、鎧などの防具は装備せず、槍、矢、ダブ（銃のようなもの）、斧、槍斧、投げ矢、投石器などをもった。そのうちのアイラス（投擲武器）という武器は、三個の丸石を縫った革で包み、それぞれを一キュビトの長さの紐の先に留めたものだった。インカの兵士はこれを馬に投げつけて、馬の足を捕獲する。ときには同じやりかたで人間の腕に巻きつけてしまう。この地方のインディヘナはこの武器の使いかたに精通しており、鹿を追ってこの武器で捕獲することもある。彼らの主要武器は、投石器であった。投石器を使って、馬を殺してしまうほどの勢いで、彼らは巨大な石を投げつける。実際、その威力は火縄銃にも劣らないほどで、私は

▲ 新たにインカ皇帝に即位したマンコ・インカ・ユパンキ（ワマン・ポマ『新しい記録と良き統治』より）

投擲（とうてき）された石が三〇歩の距離を飛んで、男が握っていた剣を真っ二つに割ってしまったのを見たことがある」という。

マンコ・インカ・ユパンキの襲撃（しゅうげき）はついに看過できないほどのものとなり、スペインの征服者（コンキスタドール）ピサロはインカ征討のために、ビジャディエゴ隊長のひきいる小部隊をクスコから派遣した。ビジャディエゴ隊長は「インカ人の攻撃に対抗するには、騎兵の存在がかかせない」ことを理解していたが、ビルカバンバ山中では馬を自由に乗りこなすことはできなかった。しかし、自らの強さと、武器の力を確信していたことから、高い山を登って懸命に進軍し、おそらくパンティカラ峠と思われる山の谷間に向かった。それは「家族と豊富な財宝に囲まれて亡命生活を送っている」というインカ皇帝を倒して、その戦利品を手に入れてやろうという野心からだった。

ビジャディエゴ隊長のひきいる一隊は、困難な行軍のために疲弊（ひへい）してしまい、空気が薄くなる高度（16,000フィート）の影響を受けて弱っていた。そこへインカ兵の待ち伏せにあった。インカ帝国軍（タワンティン・スウユ）は八〇人弱の小規模な集団で、二八〜三〇人のキリスト教徒（スペイン人）を襲い、二〜三人を除いて、ビジャディエゴ隊長とその部下を全員殺害してしまった。ビルカバンバ山脈の峠を越えたことのある者ならば、スペインによるこの軍事遠征が失敗に終わったことを不思議に思わないだろう。見晴らしのよい場所に配置された、鋭い洞察力（どうさつりょく）をもつ兵士の指示で、インカ帝国軍（タワンティン・スウユ）が一七世紀の重たい武器を装備して、疲れ切ったスペイン兵の部隊の撃破に成功したとしても不思議なことではない。インカ兵は岩だらけの峠で、巨大な岩に身を隠していた。すぐ手の届くところに天然の武器（投石用の巨石）が散財していて、「馬を殺すほどの勢いで巨石を投げつける」ことのできる八〇人の兵士たち。スペイン人の武器が発射される前に、よりすばやく投擲（とうてき）されるインカの巨石によって、ビジャディエゴ隊長の小隊を殲滅（せんめつ）させることは、それほど難しいことではなかった。このときの生存者たちはクスコに逃げ帰り、自分たちが受けた悲劇とその有様を報告した。ピサロがインカ帝国(タワンティン・スウユ)を征服したときの兵力はわずか二〇〇人足らずだった。そしてそれが、今回、マンコ・インカ・ユパンキに全滅させられたビジャディエゴ隊長の小隊の数倍だったことを考えると、この逆襲の意味が伝わってくる。その重要性は、誇張(こちょう)するきらいのあるスペイン人作家たちが、「(マンコ・インカ・ユパンキの部隊を)八〇人強のインカ人としか見ていない」という事実によってさらに高まってくる。おそらくそれほど大した数の兵士ではなかったのだろう。そのとき「数千人のインカの軍勢」と報告されなかったのは不思議ですらある。

やがてフランシスコ・ピサロ自身も、スペイン軍の威信を傷つけたこの若いインカ皇帝(マンコ・インカ・ユパンキの)を罰するために、急いで兵隊をひきいて出発した。しかし、この試みも失敗に終わった。インカ皇帝はビルカバンバの山や川を越えて、ビトコスに退却した。歴史家シエサ・デ・レオンによれば、「ピサロはビルカバンバの山中で、敵(インカ人)の生首を見せて部下を励ました」という。残念なことに、敵の生首を槍(やり)の先に突き刺して威勢(いせい)を示す習慣は、ヨーロッパだけのもので、ペルーにその習慣はなかった。北米の原住民が敵の頭皮を剥(は)いだように、アマゾンの密林(ジャングル)に住む野蛮な原住民にも似たような習慣がある。それは敵の首を切り落とし、頭蓋骨(ずがいこつ)をとりのぞき、縮んだ頭皮と顔を乾燥(かんそう)させて、武勇の証、戦利品として身につけることだった。ペルー中部の平和を愛する農耕民インカには、このような野蛮な習慣はなかった。当時、マンコ・インカ・ユパンキとともに暮らしていたスペイン人のなかで、ビジャディエゴ隊長以下の遺体へ鞭(むち)打つような暴挙を報告する者はいなかった。(自分たちが打ちのめされたように)もしも同じ状況にあったら、「スペイン人がとったであろう行動を、インカ人も行なった」と征服者(コンキスタドール)たちは考えたのだろう。

フランシスコ・ピサロによるビトコス(ビルカバンバ)侵攻が失敗したあと、彼の弟ゴンサロ・ピサロがインカ亡命政権の追跡を引きついだ。そして、いくつかの峠や橋を占領したものの、迷宮状態と言えるビルカバンバ本拠地への侵入は成功しなかった。そしてビジャディエゴ隊長にくらべてそれほど無謀な作戦を立てなかったので、マンコ・インカ・ユパンキと対峙することはなかった。フランシスコ・ピサロは若いインカ皇帝の亡命政府を征服することも、クスコからリマへの旅行者が襲撃されるのも防げないでいた。そして、彼とともにいたスペイン王室の将校たちの同意を得て、旅行者の安全を守るために、交通の要衝にアヤクチョの街をつくった。しかし、モンテシーノスによれば、「マンコ・インカ・ユパンキはアヤクチョの住民たちをも、少なからず悩ませた」という。そして、亡命インカ帝国の抵抗に手を焼くフランシスコ・ピサロは「インカ皇帝の妻のひとりクラ・オクリョを、他のインカ人とともに捕らえた。そして彼女を裸にして鞭打ちにし、矢で射殺した」という。

マンコ・インカ・ユパンキの亡命政府があったビトコス(ビルカバンバ)で起こったことについては、あまり多くの記録が残っていない。一六三九年にペルーで『コロニカ・モラリザーダ(聖アウグスチノ修道会の宣教活動、その敬虔な記録)』を出版したカランチャ神父によると、「東と南に向かって二〇〇リーグ以上におよぶ広い地域、さまざまな地方に暮らす無数のインディヘナ、すべてのインカ人が、皇帝マンコ・インカ・ユパンキに服従していた」という。またカランチャ神父は「スペインから逃れてきた、キリスト教の洗礼を受けたインディヘナたちに、インカ皇帝はその新しい信仰を捨てさせた。そしてインカの古い偶像を崇拝しない者を拷問した」と修道士らしい熱心さ、宗教的な熱情をもって訴えている。もちろんこの話は、言葉どおりに受けとらなくてよい。ただ、ビルカバンバへ逃がれてきたインディヘナが、洗礼を受けていない(キリスト教に改宗していない)ように振る舞ったことは間違いないだろう。

苛酷な支配者のスペインのもとから逃れてきたインディヘナのほかにも逃亡者はいた。一五四二年、ゴメス・ペレス、ディエゴ・メンデスをはじめとするスペイン人六人がビルカバンバに逃れてきたのだった。カランチャ神父によれば、「彼らはアルマグロの配下で、マンコ・インカ・ユパンキ好みの悪党たち」であった。ピサロ

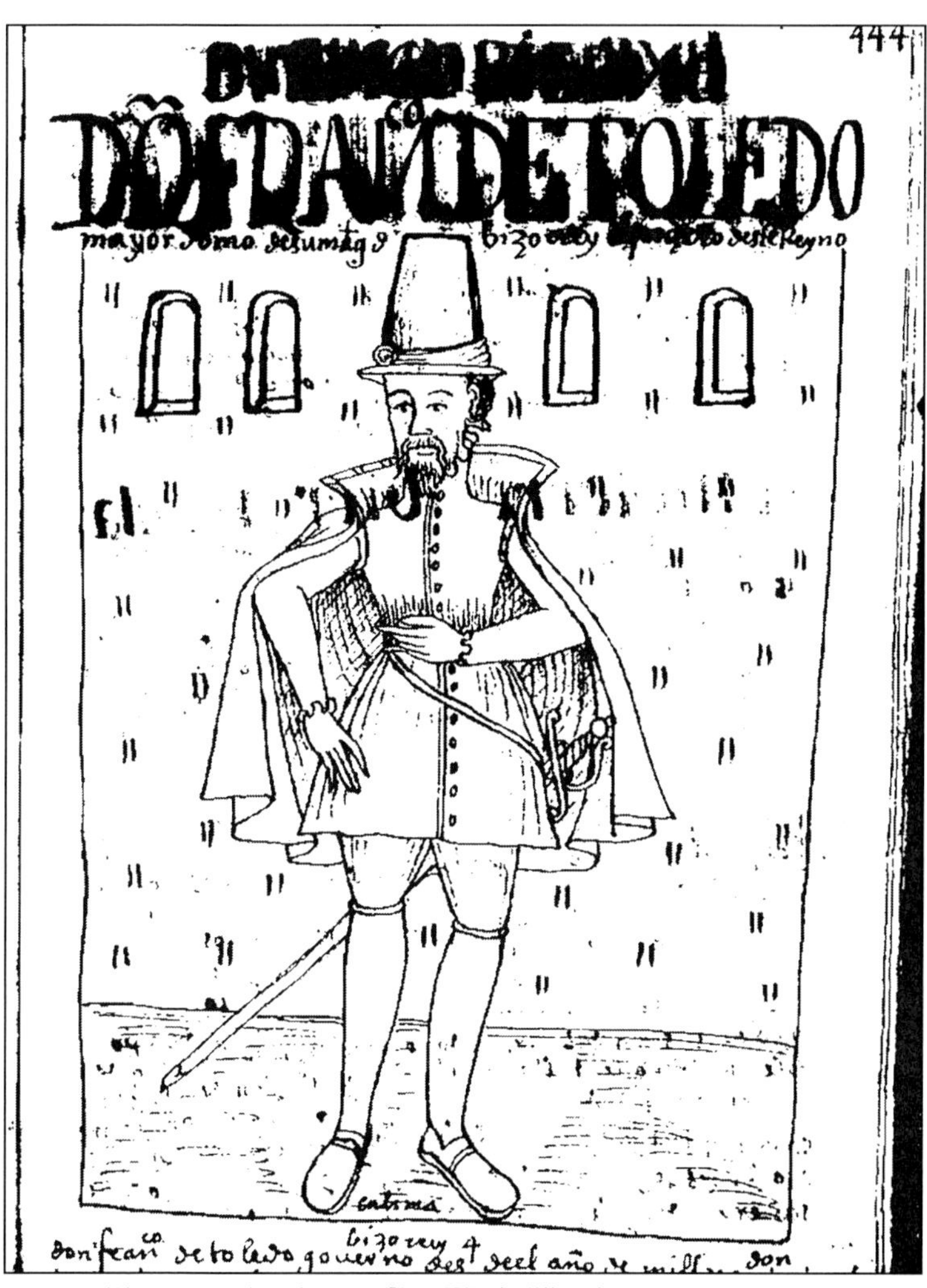

▲　スペイン総督フランシスコ・デ・トレド（ワマン・ポマ『新しい記録と良き統治』より）

とアルマグロというスペイン人征服者たちの内戦により、彼らはピサロのもとから逃げなくはならなかった。そして、彼らはビトコス（ビルカバンバ）での歓迎を喜んだ。亡命スペイン人たちは時間つぶしに、ゲームをしたり、インカ人にチェッカー（ボードゲーム）やチェス、ボウリング、ホースシューズ（馬具を使った輪投げ）を教えたりしていた。モンテシーノスによれば、乗馬や弓も教えていたという。彼らはゲームに熱中し、ときにそれがもとで暴力的ないざこざが起こった。後述するように、そのうちのひとつはインカ帝国の運命に致命的な結果をもたらした。

　彼らはマンコ・インカ・ユパンキから「スペインのペルー副王領」で起こっていることを常に知らされていた。インカ亡命政府は、「高山に囲まれた岩だらけの、人里離れた山間部の土地」にあっても、自分たちに必要な情報（変化）はすべて把握していたのだった。一五四四年、ビトコス（ビルカバンバ）に届いたもっとも大きなニュースは、新たなスペイン総督（副王）の任命にまつわるものであった。ラス・カサス司教が、被支配者のインディヘナのおかれた苦しみをなんとかやわらげようと努力した結果、新たな法律がつくられることになった。この新法では、スペイン王室の官吏は「レパルティミエント（インディヘナ農奴の所有権）」を放棄すること、強制労働を撤廃することなどが定められていた。征服者にあたえられたレパルティミエントは、その相続人に受け継がれることはなく、国王に返還されることになった。つまりこの新法は、スペイン王室の親インディヘナ政策を打ち出すもので、（これまでの政策を進めていた）ピサロを排除する法的根拠となった。これはインカ帝国の皇帝マンコ・インカ・ユパンキにとって朗報であり、ビルカバンバの山中に逃れていたスペイン人避難民にとっても歓迎された。

　彼ら逃亡スペイン人たちはインカ皇帝を説得して、スペインの新総督に手紙を書くことの許可をもらった。そして、スペイン新総督に面会して、スペイン国王に仕える意思を示したのだった。彼らはインカ皇帝に

「インカ帝国もいつの日か、このような方法で帝国を、少なくともその核心部分を、取り戻すことができるだろう」と話していたという。ビルカバンバからスペイン総督に、このようなメッセージを送ってもらうべくインカ皇帝を説得した彼らの目的は、のちに「過去のことを許してもらいたい」「スペインの支配下に戻ることを許してほしい」という彼ら自身の手紙から判明した。ゴメス・ペレスはスペイン人亡命者のなかで指導的な立場にあったと思われ、インカ帝国（亡命政府）とスペイン人難民からの手紙を届ける人物に選ばれた。

ゴメス・ペレスは、その配下とインカ亡命政府から護衛を命じられた十数人のインディヘナにつきそわれてビルカバンバを出発した。そしてスペイン総督に手紙を渡して、「インカ亡命政府の状態と状況、およびインカに仕えていた自身の真の意図を詳細に説明した」という。スペイン総督はこの知らせを喜んで受け、彼らの希望どおり、すべての罪を完全に赦した。またインカ亡命政府に対しては、「愛と尊敬の念をこめて、親しみある表現をもちいて」、インカの意向が戦争と平和の両面で、よりよい方向に向かうようにと考えていた。ゴメス・ペレスは、このような満足のいくスペイン側の回答を得て、インカ皇帝と仲間のもとに帰っていった。スペイン難民たちはこの知らせを喜んで、国王に帰順し、故国に帰る準備をしていた。しかし、彼らのビトコス（ビルカバンバ）からの出発は、歴史家ガルシラーソが次のように表現した悲劇的な事故によってはばまれることになった。

「インカ帝国の皇帝マンコ・インカ・ユパンキは、スペイン人の機嫌をとり、彼らとともに楽しむために、ボウリングの競技場をつくる指示をしていた。彼らのあいだではよく起こることだが、ある日、インカ皇帝がゴメス・ペレスとともに競技をしていると、対象までの距離について意見の違いが起こり、喧嘩になってしまった。というのも、このペレスという男は判断力や理解力にとぼしく、熱く、はげしい頭の持ち主で、ふだんからささいなことでインカ皇帝と争っていた。そして、たびたび皇帝を怒らせていたのだが…。その無礼さに耐えられなくなったインカ皇帝は、彼の胸を突き飛ばして、『誰に向かって口をきいているのか?』と責め立てた。一方、ペレスは、あとさき考えずに、手をあげてインカ皇帝の頭を強く殴り、彼を殴り倒してしまった。そして、皇帝は三日後に死亡した。インディヘナたち(インカ人)は彼らの皇帝が殺害されたことに激怒し、こぞってゴメスとスペイン人のもとに押し寄せた。ゴメスらは家に逃げ込んで、剣をもって扉を守ったが、インディヘナたちは家に火をつけた。彼らはたまらず市場に逃げ出したが、そこへインディヘナたちは彼らに襲いかかり、矢を射て、スペイン人をひとり残らず殺害してしまった。そして、その後、怒りと憤りにまかせて、(彼らの習慣にあるように)死体を生で食べるか、燃やしてその灰を川に流すかして、スペイン人の痕跡や姿が残らないようにすることを決めた。彼らが相談した結果、死体を野原に投げ捨てて、禿鷹や鳥にそれを食べさせることで合意した。これはインディヘナが、スペイン人の屍に対して、最高の侮辱と不名誉をあたえると考えたのだった」

歴史家ガルシラーソは、この話をこのように結んでいる。

「私は、その場にいた首長や貴族たちから、その事件の一部始終を聞いた。彼らは、あの軽率、髪の毛もない、愚か者(ゴメス・ペレス)の言い尽くせない狂気を目のあたりにした。そして彼らが、私の母や彼らの両親に涙を流しながら、この話をするのを聞いた」

このスペイン人虐殺の悲劇には、いくつものバージョンが伝わっている。

ともかく、このような悲劇もあって、一五四五年、魅力的で活力に満ちた人物(マンコ・インカ・ユパンキ)による統治は、突然、幕を閉じることになった。皇帝マンコ・インカ・ユパンキは、サイリ・トゥパク、ティトゥ・クシ、トゥパク・アマルという三人の若い息子を残していた。サイリ・トゥパクはまだ成人していなかったが、父の代わりにインカ皇帝となり、摂政の助けを借りて、ビルカバンバで一〇年間、亡命政府の統治を行なった。

一五五五年のある日、「(このインカ皇帝は)アバンカイ近くの橋を燃やそうとした」とモンテシーノスは記述している。モンテシーノスの記述が正しければ、新皇帝サイリ・トゥパクは隣人（スペイン人）の活動を邪魔することはなく、迷惑をかけることもなかった。不思議なことに、モンテシーノスはこの橋の炎上を、一〇年前に死んだ皇帝マンコ・インカ・ユパンキのしわざだとしている。

一五五五年、リマに新しいスペイン総督がやってきた。総督は、まだ若いインカ皇帝サイリ・トゥパクが人里離れたビルカバンバの山中にいるよりも、自らの手に届くところにいるほうが安全だと考えた。総督はクスコに住んでいた（当時は年をとった）インカの王女であるベアトリクス・コーヤを通じて、この難しい問題の解決を試みた。そして、それは賢明な判断だった。彼女は、総督の提案を好意的に受けとめ、インカ王族の血をひく使者と、インディヘナの召使いをビトコス（ビルカバンバ）に派遣した。橋が壊れていたり、ほとんど通れないような危ない道があったり、それは危険な旅だった。

サイリ・トゥパクのとりまき（摂政《せっしょう》）たちは、「使者がビルカバンバに入域して、スペイン総督の招待状を届けること」を許可した。インカ王族の血をひく者がもってきた書状であったとはいえ、それはインカ帝国《タワンティン・スウユ》側にとって魅力的なものだとは思えなかった。そこで、この書状を盾《たて》にして、クスコに使者を送り、スペイン側に不正がないかどうかを確認することにした。スペイン側が最初に送ってきた使者よりも、より信頼のおける王族のジョン・シエラをクスコから派遣して、この件を処理するように要請した。これには、時間がかかった。

一五五八年、スペイン総督はあせり、リマからメルキオール修道士とジョン・ベタンソスを派遣してインカ帝国《タワンティン・スウユ》と交渉するようにした。ベタンソスは、あの不幸な（ピサロに殺害されたインカ皇帝）アタワルパの娘と結婚し、妻の言葉（ケチュア語）をよく理解しているふりをしていた。モンテシーノスによれば、彼は「偉大な言語学者」だったという。彼らは自信をもってビトコス（ビルカバンバ）に向けて出発した。彼らはベルベット（織物）やダマスク織りの布を数枚、金メッキをほどこした銀製のカップ二個を、インカ皇帝への贈りものとしてたずさえていた。最初にインカの地に到着したという名誉を得るため、彼らは「ビトコスの谷への鍵（入口）」となるチュキチャカ橋まで全力で進んだ。ここで彼らはインカの兵士に拘束された。翌日、クスコからやってきたインカ王族ジョン・シエラがチュキチャカ橋に到着した。橋の通行は許可されたが、メルキオール修道士とジョン・ベタンソスはいまだ拘束されたままだった。

（スペイン側から派遣されたインカ王族）ジョン・シエラは、インカ皇帝と貴族たちに歓迎された。そして、インカ亡命政権の皇帝サイリ・トゥパクがスペイン総督の申し出を受け入れるように全力で働きかけたという。そのうち、メルキオール修道士とジョン・ベタンソスも、インカ亡命政権のもとに送られてきて、スペイン総督が送った贈りものとともに、インカ皇帝の前に姿を現した。サイリ・トゥパクは、これまで通り、自由で、独立した生活を送ることを第一に考え、スペイン側からの使者たちに金メッキされた銀杯をもってすぐに出発するように命じた。

彼らはアプリマック川を渡る西側のルートのひとつを通って、送り返されることになった。それから数日後、ジョン・シエラからクスコでの興味深い生活について聞かされたインカ側は、この問題（インカ王族がスペインの占領するペルーで生活すること）について再び、考えることにした。インカ宮廷では、長い議論を重ねて、鳥の飛びかたや天候の変化も観察したが、歴史家ガルシラーソによれば「悪魔には何も尋ねなかった」という。最終的にインカ宮廷は、「インカ皇帝がスペイン総督の招待を受けること」を決断した。「世界を見てみたい」と思っていたインカ皇帝サイリ・トゥパクは、彼にしたがう三〇〇人のインディヘナが交代しながら担（かつ）ぐ豪華な駕籠（かご）に乗って、直接、スペイン人の待つリマへ向かった。皇帝はスペイン総督の行き届いた歓待（かんたい）を受けたあと、クスコに向かった。そして、クスコの叔母ベアトリクス・コーヤの家に泊まり、インカ王族たちが彼を迎えた。ガルシラーソは次のように記している。

▲左　インカ皇帝サイリ・トゥパクが過ごした最後の家、ユカイにて［『INCA LAND』掲載写真／1922年発刊］　▲右　グロブナー氷河とサルカンタイ山［『INCA LAND』掲載写真／1922年発刊］

「私は、私自身は、父の名において随行した。私はそのとき、インディヘナのあいだで行なわれているゲームを、皇帝サイリ・トゥパクがしているのを見つけた。私はサイリ・トゥパクの手に口づけして、私の言葉を伝えた。サイリ・トゥパクは私に坐るように命じ、やがて四オンスほどのチチャ酒の入った金杯をふたつもってこられた。その儀式が終わると、サイリ・トゥパクは私に『なぜビルカバンバで会えなかったのか？』と尋ねてきた。私はサイリ・トゥパクに答えた。『インカ（皇帝）、私はまだ若者です。だから政府は私のような若輩者をそのような儀式には参加させないのですよ』。サイリ・トゥパクは『いかにも…』と答えた。私が立ち去ろうとしたとき、私はサイリ・トゥパクの仲間であり、同族であるインカのやりかたにならって、うやうやしくお辞儀をした。するとサイリ・トゥパクは非常に喜び、愛情をこめて私を抱きしめてくれた」

　サイリ・トゥパクは、インカ帝国（タワンティン・スウユ）の統治者を示す神聖な赤い帯を手にし、インカ王族の血をひく王女と結婚して、キリスト教の洗礼を受けた（インカ帝国（タワンティン・スウユ）の統治権は放棄した）。そしてクスコから北東に一日の距離にあるユカイの美しい谷間に住居を構え、ビトコス（ビルカバンバ）には戻らなかったという。彼のひとり娘は、ガルシア大尉と結婚したが、これについては後述する。ともかくサイリ・トゥパクは一五六〇年に亡くなり、彼のふたりの兄弟が残された。兄のティトゥ・クシ・ユパンキは非嫡出子（ひちゃくしゅつし）で、弟のトゥパク・アマルは正当な後継者だったが、まだまだ経験の浅い若者だった。結局、ビトコス（ビルカバンバ）の王位は、ティトゥ・クシが継ぐことになった。新生インカ亡命政権は、サイリ・トゥパクの早すぎる死に疑念を抱き、スペイン人がサイリ・トゥパクを暗殺した可能性があると考えていた。そのため、当初、新皇帝ティトゥ・クシは、異母兄とともにビルカバンバで静かに過ごしていた。彼らのもとへ訪れた最初の来訪者は、私たちの知る限り、ディエゴ・ロドリゲス・デ・フィゲロアだった。彼はビトコス（ビルカバンバ）について興味深い記述を残していて、「インカ皇帝にハサミを贈った」と述べている。ディエゴ・ロドリゲス・デ・フィゲロアは、ティトゥ・クシをクスコに向かわせようとしたが、このインカ皇帝が首を縦に振ることはなかった。

やがてサイリ・トゥパクの死から六年後、聖アウグスチノ修道会の宣教師マルコス・ガルシアがやってきて、あの山奥の荒れたビルカバンバの地に入った。そこは「ありあまる富、壮大な川が流れ、雨が降り続く大地」であったが、カランチャ神父によれば「(実際のところ)森林におおわれた山々だけは壮大である」ということだった。修道士マルコス・ガルシアの旅は、困難をきわめた。橋は壊れ、道は破壊され、峠はふさがれていた。クスコからビルカバンバの道の途上にときおり現れる数少ないインディヘナは、「(修道士が)鳥にでも変身できなければ、ビトコス(ビルカバンバ)にはたどり着けない」とまで言い放ったという。しかし、修道士マルコス・ガルシアは、多くのキリスト教の宣教活動がそうであるように、勇気と粘り強さをもって、あらゆる困難を克服し、ついにビトコス(ビルカバンバ)に到達したのだった。

『宣教年代記(クロニカ)』によると、インカ皇帝ティトゥ・クシは修道士の来訪を喜ぶどころか、その到来を怒りをもって迎えたという。スペイン人が彼らの隠れ家(ビルカバンバ)への侵入に成功したことを知って、不安になったのだろう。またティトゥ・クシは、「(インカの)偶像崇拝(ぐうぞうすうはい)」に対して、異論をもつ者がいることを快く思わなかった。このようにマルコス修道士が書きとめた皇帝ティトゥ・クシの話は、カランチャ神父の話とは一致していない。いずれにしてもマルコス修道士は、当時、インカの人たちが多く暮らしていたプキウラ(泉の場所)という地に小さなキリスト教会を建てたのだった。「彼は原野や山にキリスト教の十字架を立てたが、これは(キリスト教徒にとっての)悪魔を追い払うのに最適なものだった」。マルコス修道士は、インカ皇帝やその従者(じゅうしゃ)の手で多くの侮辱(ぶじょく)を受けた。ある者は自分たちの神(インカの神)を喜ばせるため、ある者はインカ皇帝にへつらうために、いずれにしても多くの者はキリスト教修道士の説教を嫌い、彼を避けたのだった。そのためマルコス修道士は食事をとることさえも不自由になり、クスコに食料をとりに行かせるようにした。修道院は彼の窮状(きゅうじょう)を目のあたりにして、支援物資として堅パンを送ったが、それは彼にとって「もっとも贅沢な夕食であった」という。

一年ほどのあいだに、もうひとりの聖アウグスチノ修道会の宣教師ディエゴ・オルティスが、クスコを出発して単身ビルカバンバに向かった。彼の道中は多くの苦しみをともなったが、ついに「インカの隠れ家（ビルカバンバ）」にたどり着き、マルコス修道士とともにインカ皇帝の前に現れた。インカ皇帝は新しいキリスト教伝道師を見て、あまり喜ばなかった。しかし、「（ディエゴ修道士が）自分やインカ帝国を悩ませたりすることもないだろうし、わざわざ叱ったりすることはないだろう」と、彼の滞在を許可した。

キリスト教徒の宣教師たちが選んだのは、いくつかの小さな街や村が点在するなかで、比較的人口の多いワランカラという街だった。ある修道院からもうひとつの修道院まで、二～三日の距離を要した。ディエゴ修道士はマルコス修道士をプキウラに残して、新しい場所に布教に出かけた。そして、そこに教会、自分が暮らす家、病院を短期間で建てたが、それはにわかづくりの貧弱な建物だった。また、子どもたちが学ぶための学校もつくり、この癒やしと教育の場の開設は人気を博した。ディエゴ修道士は、インカ帝国の信仰の中心に近いプキウラを拠点にしていた（医師の腕が使えず、機転もきかない）マルコス修道士よりも、活き活きとした宣教活動ができた。

インカの主要な神殿について、カランチャ神父は次のように述べている。

「ビトコス近くのチュキパルパという村には、『太陽の家』がある。そして水の湧く泉のうえに白い岩が載っていて、そこには悪魔が人間の目に見えるかたちで現れる。そして偶像崇拝者たちがそれに祈っていた」

そこは森林におおわれた山中にある「モチャヤデロ（聖地）」だった。「モチャヤデロ」とはインディヘナが自分たちの礼拝所につける通称だった。つまり、彼らが神聖な儀式と（神への）口づけを行なう唯一の場所であった。インディヘナが行なうこの儀式は、（キリスト教の）ヨブがすべての罪を悔い改め、神に向かったときに忌避した行為そのものに思えた。ヨブは、言った。

「主よ。太陽がさんさんと照りつけ、月がいよいよ輝くのを見て、心のなかで喜び、太陽に向かって手を伸ばし、口づけを投げかける。そんなことをすれば、私はこれらのすべての罰を受け、大きな重荷を背負っていたでしょう。それは真の神を否定するのと同じで、恐れ多く、神への重大な不義の行為となりましょう（太陽や月などに対して、接吻をなげかけ、迷信的な崇拝に心が動くことは神への裏切りになる。つまりここではインカ帝国の太陽や月への信仰が、キリスト教徒にとっては神への裏切りとなるという意味）」

『宣教年代記』には、アラビアやパレスチナでも広く普及し、イスラム教のムハンマドや古代ヘブライの預言者が非難した、「特殊な天への信仰」がペルーで行なわれていたことが言及されている。この「深い辞世の句と、尊敬の念を込めた」儀式は、ティトゥ・クシの時代に、インカ亡命政権のあるビトコス（ビルカバンバ）に近い場所チュキパルパで行なわれていたという。続けてカランチャ神父は言う。

「ユラク・ルミ（ケチュア語で『白い岩』を意味する）と呼ばれる、前述の『太陽の家』におかれた白い岩には、一団の長である悪魔が乗りうつっている。悪魔がひきいるその一団はインディヘナの偶像崇拝者にはとても親切であるが、キリスト教のカトリック信者には大きな恐怖をあたえている。彼らはキリスト教の洗礼を受け、（自分たちに）口づけして崇拝しない者たちをおそろしいほど残酷に虐待する。そして多くの（キリスト教徒に改宗した）インディヘナが悪魔たちの呪いによって生命を落としている」

ある日、インカ皇帝ティトゥ・クシとその母、そして主だった配下が、辺境の地を視察するために都ビトコスを留守にしていた。そしてその隙をねらって、マルコス修道士とディエゴ修道士は、泉の湧くところにある『白い岩』にいる悪魔をしとめるたくらみを考えた。ふたりの修道士は、すべてのキリスト教信者をプキウラの教会や隣接する広場に集めることにした。そして、自分たち（キリスト教徒）を苦しめる、この（インカの）悪魔を焼き尽くすために、それぞれ薪（まき）を一本ずつもってくるように求めたのであった。その約束の日、数え切れないほど多くの人たちが修道士のもとに集まった。キリスト教に改宗したインディヘナは、「自分たちの友人を殺し、自分たちにも傷を負わせたこの悪魔に仕返しをしたい」とさえ思っていた。一方、インカ帝国（タワンティン・スウユ）の神官たちは自分たちの神が、キリスト教徒の神を打ち負かすところを見ようとしていた。そして、誰もが想像できるように、それ以外の人たちは、その一挙一足（いっきょいっそく）を見るために集まっていた。

プキウラを出発した彼らは、ビトコス近くのチュキパルパ村にある「太陽の家（神殿）」に向かって行進をはじめた。（インカの）聖域に到着した修道士たちは、（キリスト教の）十字架の旗を掲げた。それから、神への祈りを捧げ、泉、白い岩（ユラク・ルミ）、「太陽の家」を囲み、薪（まき）を高く積みあげた。そして、この地を浄（きよ）めたあと、わざとインカの神（悪魔）を怒らせるために、思いつく限りの下品な言葉を口にして、悪魔を呼んだ。最後に「二度とここには帰ってくるな！」と叫んだ。それからキリストと聖母マリアの名前を口にし、薪（まき）に火をくべた。すると哀れな悪魔は、猛烈な勢いで逃げ出して、山は鳴動（めいどう）したという。

ふたりの外国人修道士にとって、「そこに暮らす人々の信仰の場である祭壇（さいだん）を冒涜（ぼうとく）する」という行為には大変な勇気を要した。仲間から離れ、スペイン総督の保護からも離れた辺境（へんきょう）のこの谷あいで、彼らがインカの宗教を侮辱（ぶじょく）したということは、狂気じみたことであった。もちろん、インカ皇帝のティトゥ・クシは、その神をも恐れぬ彼らの行為を耳にすると、烈火のように怒り、そしてどう処理すべきか悩んだ。皇帝の母親も、もちろん激怒した。ふたりの修道士はすぐにプキウラに戻った。インカの重臣たちのなかには「キリスト教修道士たちを殺して、ばらばらにしてしまおう」という考えの者もいた。しかし、修道士ディエゴのほうはインカ帝国（タワンティン・スウユ）のあいだでも少しは尊敬されていたので、それをまぬがれることができた。ディエゴ修道士は病気を治す能力に長（た）けていたので、「太陽の家（神殿）」を破壊するという大罪をもってしても、インカ帝国（タワンティン・スウユ）は彼を罰しなかった。

一方、「太陽の家」を焼き討ちにするというこの計画の発案者であるマルコス修道士は、地元のインディヘナの人々の共感を得るための努力をほとんどしておらず、インカ帝国（タワンティン・スウユ）に順応できていなかった。そのため、カランチャ神父の語る話では、「マルコス修道士は、インディヘナに石で打たれて追い出され、戻ってきたら殺す、と脅（おど）された」という。ディエゴ修道士は、熱病（ねつびょう）に苦しむ谷底の樹林地帯（ジャングル）から来たインディヘナに好意をもたれていたため、この事件後もビルカバンバに留まることが許された。そして、最終的にはインカ皇帝ティトゥ・クシの信頼できる友人となり、その助言者にもなった。

ある日、黄金を求めて探検するロメロというスペイン人冒険家が、山の谷間の入り込んだ場所を発見し、そこを調査する許可をインカ皇帝から得た。そして、彼の試みは見事に成功した。丘陵を掘ったところから金銀が見つかり、ロメロは自分の幸運を心から喜んだ。しかし、インカ皇帝は「山中から金銀が採掘される」という事実が、ビルカバンバへの人々の侵入を招くことを恐れた。そして、ディエゴ修道士が再三、抗議したにもかかわらず、不幸にも探鉱者ロメロは処刑された。ビルカバンバでは外国人は、歓迎されてはいなかった。

ビトコス（ビルカバンバ）でティトゥ・クシがインカ皇帝に即位してから一〇年が過ぎた一五七〇年、新たなスペイン総督がクスコにやってきた。インカ帝国（タワンティン・スウユ）にとって不幸だったのが、新総督の行政官ドン・フランシスコ・デ・トレドが不屈（ふくつ）の軍人で、そのうえ偏屈（へんくつ）で、偏狭（へんきょう）、残酷（ざんこく）な人物だったことだろう。さらにフィリップ二世と彼の評議会（インディアス枢機会議（すうきかいぎ））は、インカ帝国（タワンティン・スウユ）をビトコス（ビルカバンバ）から追い出すために、あらゆる労力をおしまないつもりであった。スペインの征服者（コンキスタドール）たちは三五年のあいだ、クスコをはじめとするペルーの大部分を占領していたが、山岳地帯のビルカバンバを拠点とするインカ人を服従させることはできないでいた。もしもインカ皇帝ティトゥ・クシをスペインの権力者のすぐそばに住まわすことができれば、総督トレドの「帽子に大きな羽が生える（位があがる）」ことになる。

その年の季節が変わった雨季のこと、例年になくにぎやかな催しが、雨のなか行なわれた。そしてその後、ずぶ濡れになったインカ皇帝ティトゥ・クシは寒気に襲われ、体調を崩してしまった。そのあいだにスペイン総督トレドは、皇帝に好かれていたティラノ・デ・アナヤというクスコ兵を選び、彼に「ティトゥ・クシに、クスコに来るように」と説得するよう命じた。ティラノはオリャンタイタンボとチュキチャカ橋を経由するルートで、インカ皇帝をお連れするように指示されていた。しかし、ティラノには運がなかった。ティトゥ・クシの病気は深刻だった。医師でもあったディエゴ修道士は、その病気に適した治療薬を処方した。しかし、修道士の治療薬では効果がなく、彼の患者（皇帝ティトゥ・クシ）は死んでしまった。皇帝ティトゥ・クシの母親とインカの重臣たちは、「（皇帝の死は）ディエゴ修道士の『治療薬』のせいだ」と考えた。そして、「インカ皇帝を死にやった」という理由で、ディエゴ修道士は死をもって、その罪をつぐなわなければならなくなった。そして、ひとつの時代は終わった。

マンコ・インカ・ユパンキの三男であるトゥパク・アマルは、ビトコス近郊の神殿で、「太陽の処女たち」の遊び相手として育った。インカ皇帝ティトゥ・クシがなくなったとき、トゥパク・アマルは結婚してしあわせな生活を送っていたが、期せずしてこの小さな王国（ビルカバンバのインカ帝国）の新たな統治者に選ばれた。トゥパク・アマルの眉間には（インカの）統治者であることを表す赤色の帯がつけられた。しかし、トゥパク・アマルは、軍人としての訓練は受けておらず、腹違い（非嫡出子）で威勢のよい兄弟の嫉妬に怯えていた。そして、トゥパク・アマルは束の間の、不幸な人生を送ることになった。

「スペイン総督トレドからの使者（ティラノ）が来る」と聞いた、若いインカ皇帝トゥパク・アマルの相談役たちは、七人の兵士をその道中まで迎えに行かせた。（インカ皇帝をクスコに迎えるよう命じられていた）ティラノは、チュキチャカ橋で一夜を明かす準備をしていたが、そこで襲われて殺された。スペイン総督はディエゴ修道士の殉教を知ると同時に、大使ティラノが殺害されたことも知った。それはスペイン支配の根幹へ、加えられた痛烈な一撃となった。「天下のスペイン総督やフィリップ二世の使者の安全がたもたれないとしたら、ここでは誰が安全に生活できるのだろう？」。キリスト教徒にとって意味のある「棕櫚の主日（イエス・キリストのエルサレム入城の日）」、勇猛なトレドは評議員たちに囲まれて、（運に見放された）若いインカ皇帝トゥパク・アマルとの戦争を決意した。そして、このインカ皇帝を捕らえた兵士には、「報酬を出す」という告知を出した。評議会（インディアス枢機会議）は「この若いインカの後継者（トゥパク・アマル）は、帝国内で多くの反乱を引き起こすかもしれない」という意見に傾いた。一方、歴史家ガルシラーソは、「インカ皇帝が投獄されれば、かつての皇帝たちが所有していたすべての財宝が発見される可能性がある。また、聖なる祭りの日に身につけるため、第一一代皇帝ワイナ・カパックがつくらせた黄金の鎖が発見されるかもしれない」とした。そして「黄金の鎖とそのほかの宝物は、征服者が手にする権利がある。すなわちスペイン国王のものだ」と（インカを征服するための）自説を強固にしていった。こうして、「スペインはインカ帝国を完全に滅亡させなければならない」という考えがまとまった。

ビルカバンバへの遠征隊は二手に分かれて進んだ。一隊はリマタンボ経由でクラワジに向かう中隊で、それはかつてインカ皇帝の父マンコ・インカ・ユパンキがたびたび略奪を行なったときに使った道へ続くルートだった。仮にインカ皇帝トゥパク・アマルがアプリマック川を渡り、この道を使って逃げようとした場合に、それを阻止するための部隊だった。もうひとつの部隊は、マルティン・ウルタド将軍とガルシア大尉のひきいていて、クスコからユカイ、そしてオリャンタイタンボを経由しながら進軍した。

彼らは三五年前にパンティカラの峠で、インカ軍に出くわし、攻撃されたビジャディエゴ隊長よりはるかに幸運だった。それはインカ帝国のマンコ・インカ・ユパンキが活躍していた時代の話なのだから。今は、この要衝の峠を守るインカ部隊はいない。彼らはルクマヨ川を、ウルバンバ川との合流点まで下って、チュキチャカ橋までたどり着いた。天然のつる草でつくられた細い吊り橋（チュキチャカ橋）は、中央部が深く垂れさがっていた。ウルバンバ渓谷の空中部で、それは威嚇するように揺れ、一度にひとりしか通れないほどだった。そして、急流のウルバンバ川は深すぎて渡ることはできない。川を渡るためのカヌーもなかった。あたりに生えている木はほとんどが堅木で、浮くことができないからだ。ウルバンバ川の対岸には、若いインカ皇帝トゥパク・アマルがいて、彼のとりまき（重臣）、インカの貴族、兵士たちに囲まれていた。

一五三二年にペルーを征服したピサロの時代、最初期のスペイン勢力がビルカバンバへの侵入を試みたが、インカ皇帝マンコ・インカ・ユパンキはそれ（入域）を許さなかった。しかし、マンコ・インカ・ユパンキの末子であるトゥパク・アマルは、このような局面を経験したことがなかった。インカの貴族、兵士たちは峠を守ることができず、そしてチュキチャカ橋を壊すこともできなかった。スペイン兵をひとりずつ倒して、揺れている狭い吊り橋を渡らせないようにする戦略以外は思いつかなかったのだった。そのような好機を逃す（スペインの）ウルタド将軍ではなかった。彼は、未熟なインカ軍がほとんど知らない、小さめの山砲（野戦砲）をひとつ、ふたつもってきていた。この地の谷の側面は、川底から急峻に立ちあがっていて、それまで「銃撃の残響音」を聞いたことのないインカ人たちに、とてつもない恐怖感をあたえた。鉄砲や弓矢が数発放たれると、インカ軍は四方八方に逃げ出し、チュキチャカ橋は無防備になってしまった。

もうひとりのスペインの将であるガルシア大尉は、サイリ・トゥパク（インカ皇帝トゥパク・アマルの兄）の娘と結婚していて、その経歴もあってインカ追撃軍として派遣されていた。そしてガルシア大尉の兵たちは、「せまくなった上り坂で、右には森が広がり、左には深い谷の位置する道」を見つけた。その道は、大人ふたりがやっと通れるほどの幅しかなかった。ガルシア大尉はスペイン人特有の勇敢さで、先頭に立って進んでいった。すると、深い森のなかから突然、皇帝トゥパク・アマルの逃走を助けようとしたインカ貴族ワルパがガルシア大尉

▲　捕らえたインカ皇帝トゥパク・アマルを連行するガルシア大尉（ワマン・ポマ『新しい記録と良き統治』より）

に襲いかかった。そして、彼の剣を使えないように押さえつけて、崖からこのスペイン人を突き落とそうとした。ガルシア大尉の生命を救ったのは、大尉のすぐ後ろにいた忠実なインディヘナの家臣が剣をもっていたことだった。このインディヘナは、「とても器用に、活き活きと」剣を鞘から抜きとり、インカ貴族ワルパを殺して主人(ガルシア大尉)の危機一髪を助けた。

そのあと、ガルシア大尉はいくつかの戦いを行ない、いくつかの砦を奪って、多くのインカ兵の捕虜を捕らえることに成功した。そして、その捕虜たちから、「インカ皇帝はシマポンテの谷に向かって内陸を進み、親類関係にあるマチゲンガ族(マナリー族の子孫)の国に向かっている」「バルサ(筏)やカヌーが、その逃亡のために手配されている」という情報を得た。熱帯雨林の密林や急流な川にも心を折られることなく、ガルシア大尉は五つの筏をつくり、何人かの兵士を乗せることに成功した。ガルシア大尉も兵士に同行して急流を下り、何度も自らの力で泳ぐなど生命拾いを続けながら、ついにモモリという場所に到着した。しかし、スペイン軍の接近を知ったインカ皇帝たちは、さらに森の奥へと逃れていた。ガルシア大尉は食糧不足に悩まされ、裸足になるほどだったが、そんな状態でもインカ皇帝を追い続けた。そして、ついに皇帝トゥパク・アマルを捕まえた。

歴史家ガルシラーソによると、「インカ皇帝トゥパク・アマルは、ここに抵抗する者はいないこと、インカがスペインに行なった一連の問題や騒動は自分では意識していなかったこと、それらを踏まえて自分の身をスペインに差し出すことを決めた。山中で飢え死ぬよりも、大河で溺れ死ぬよりも、スペイン人の手に自らの運命をゆだねることを選んだ」のだった。こうしてスペイン人は、インカ皇帝と、彼と行動をともにしていたすべてのインディヘナの男女を捕らえ、そのなかには皇帝の妻、ふたりの息子、ひとりの娘もいた。そして彼らを引き連れ、クスコに凱旋した。

スペイン総督トレドは、哀れにもインカ王子が投獄されたことを知ると、すぐそこに足を運んだ。そして、か

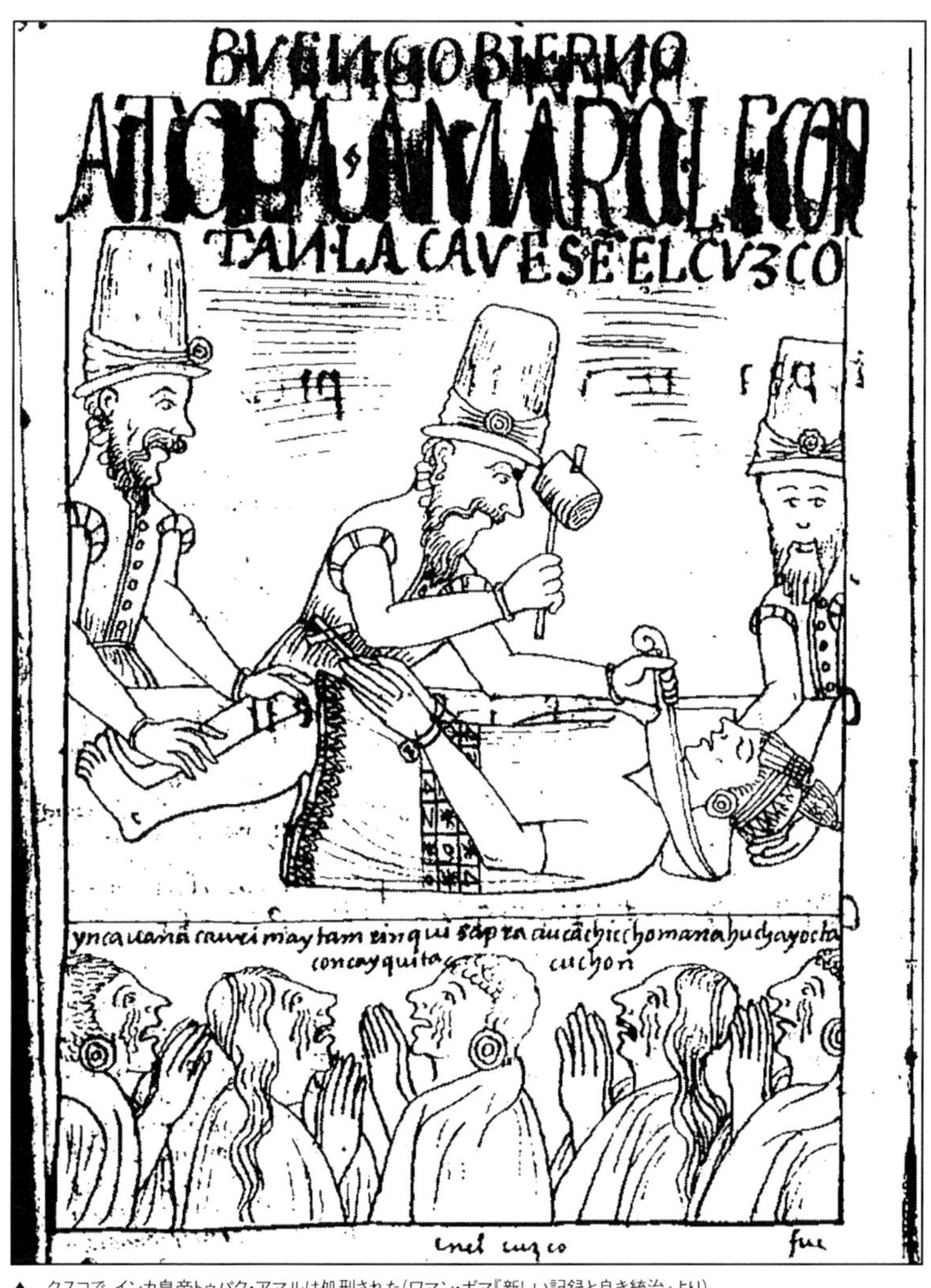

▲　クスコで、インカ皇帝トゥパク・アマルは処刑された（ワマン・ポマ『新しい記録と良き統治』より）

たちばかりの裁判が行なわれた。捕らえられたインカ貴族たちは、残虐に拷問されて生命を落とした。トゥパク・アマルの妻は、皇帝の目の前で切り刻まれた。そしてインカ皇帝トゥパク・アマルの首は切り落とされ、クスコの広場の柱にかかげられた。皇帝の幼い息子たちも、長くは生きられなかった。こうして、南北アメリカ大陸史上、もっとも知性あるインディヘナの統治者、その子孫である最後のインカ皇帝の血統は滅びたのだった。

Chapter X
Searching for the Last Inca Capital

第10章
インカ「最後の都」を求めて

先の章で紹介した出来事のほとんどは、プレスコットが「アンデスの奥地」と呼ぶビトコスとビルカバンバの地で起こった。そこはオリャンタイタンボ北西、クスコにあるスペイン総督の宮殿からは約一〇〇マイルほど離れている。

「ビトコス（Uiticos）」という文言は、現代のペルー地図を探しても無駄な徒労に終わる（掲載されていない）が、いくつかの古い地図には記載されている。一六二五年のデ・ラエによるペルー地図には、リマの北東、ビルカバンバの北西三五〇マイルに山岳地帯に「ビトコス（Viticos）」と記されている。そして、（地図に記されたビトコスの）その場所は誤りだった。この間違いは、一七四〇年ごろまでメルカトルをはじめとする後世の地図製作者によって引き継がれた。ペルーのすべての地図で、本来、そこに街があるはずの場所から「ビトコス（Viticos）」が消えてしまったのだ。地図の製作者は、インカゆかりのその一帯に、本来、あるべき場所（ビトコス）が掲載されていないことを知っていた。そして、その本当の場所は、約三〇〇年前に失われていた。

一五九九年にニュルンベルクで出版された地図では、「ピンコス（Pincos）」がクスコ西のアンデス山中の小さな文脈にあると掲載されている。これは他の地図製作者には採用されなかったようだが、一七三九年のパールスの地図では、そこ（ピンコス）とほぼ同じ場所に「ピコス（Picos）」が記されている。そして「ビトコス（Viticos）」と表記した一八世紀の地図製作者のほとんどは、「ロス・ビトコス（Los Viticos）」や「レ・ビトコス（Les Viticos）」と表記しているから、それは部族名だと考えていたのだろう（LosやLesはいずれもTheのことで、地名ではないという意味）。

一五九九年のニュルンベルクの地図の一部に、「ピンコス（Pincos）」とアンデス山脈が描かれている。ペルーで一番の公的な性格をもつ地図は、ペルーを縦横に旅することに生涯を捧げた著名な探検家ライモンディによる作品だが、この地図には「Uiticos（ビトコス）」という単語も、これに似た「Viticos」「Vitcos」「Pitcos」「Biticos」といったつづりの単語も含まれていない。もっとも「Uiticos（ビトコス）」が「Biticos（ビトコス）」になるのは不思議なことだ。ケチュア語には、「V」の音はないが、初期のスペイン人作家は大文字の「U」を大文字の「V」のように記した。この地名（ビトコス）の発音を聞いたことのない一般の人たちは、自然に「U」の音ではなく、「V」の音をあてて使った。「V」も「P」もかんたんに「B」の音になるので、「Uiticos」は「Biticos（ビトコス）」に、「Uilcapampa」は「Vilcabamba（ビルカバンバ）」になった。

　探検家ライモンディは驚異的な行動力を見せた。それまで誰もやったことがなく、また今後も誰もやらないであろう、ペルー辺境の村々を踏査した。彼は自然の障壁をもろともしなかった。一八六五年、ライモンディはビルカバンバ地方の中心部まで足を伸ばしたが、ビトコス（ビルカバンバ）を見つけることはできなかった。彼はチョケキラオ遺跡がインカ帝国「最後の都」であると信じていた。この見解は、一八三四年のフランス人探検家サルティゲス伯爵のものであったが、「インカ皇帝マンコ・インカ・ユパンキの長男サイリ・トゥパクがユカイに住むようになって、チョケキラオは放棄された」と考えていた。一八七七年のパズ・ソルダン、また私がチョケキラオを訪れた一九〇九年当時のヌニェス県知事らをふくむペルーを代表する地理学者も、ライモンディと同じような見解をもっていた。サルティゲス伯爵は、「ビルカバンバ川とウルバンバ川という川の谷間で、ビトコス（ビルカバンバ）を探すことこそ重要だ」と説いた。そして、一九一一年の私たちイェール・ペルー遠征隊の目的は、『年代記』に書かれた内容の地理的証拠を集め、長いあいだ失われていたインカ帝国「最後の都」の所在地を明らかにすることであった。

　ウルバンバ渓谷にこれまでの記録になく、確認されていない遺跡が残っていることは、一部のクスコ人にも知られていた。そして、そのクスコ人の多くはコンベンシオン県に広大な土地をもつ裕福な農場経営者たちであった。そのなかのある人から「自分は毎年、サンタ・アナを訪れていて、そこで知り合ったラバ追いから、サン・ミゲル橋の近くに興味深い遺跡があると聞いた」と教えてもらった。彼は、誇張するラバ追いの性格を知っているので、この話をあまり信用せず、「その橋を何度も渡ったが、遺跡については調べもしなかった」と肩をすぼめて続けた。またビルカバンバ渓谷に農園をもつもうひとりパンコルボ氏は、「自分の農園の上部にある渓谷、プキウラ近くに遺跡が残っている」という漠然とした噂を耳にしたことがあるという。もしパンコルボ氏の話が正しければ、マルコス修道士がビルカバンバで、最初の教会を創建したプキウラ（泉の場所）は、まさにこの場所のことではないか？　と思われた。しかし、それはビトコスの近くであり、チュキパルパ村の近くであり、そこには「太陽の神殿」の遺跡があり、その遺跡には「泉のうえに載る白い岩」があるはずだ。ただ、この話をした農民たちも、彼らの友人たちも、「ビトコスやチュキパルパという場所、泉のうえの岩については聴いたことがなく、そんな遺跡は見たことがない」という。

ロメリーニ氏のある友人のなかに、クスコ地域で、鉱山の採掘に人生の大半を費やしてきた老人がいる。そして「ワイナピチュという場所で、チョケキラオよりも立派な遺跡を見たことがある」と饒舌に話していたが、このご老人はチョケキラオに行ったことがなかった。彼をよく知る人たちは、肩をすくめ、このご老人の言葉をあまり信用していないようだった。彼は鉱山に熱中しすぎるきらいがあって、「パン・アウト（金を発掘するときに使う成功という言葉）」しないことが多かったのだ。

しかし、ご老人の話は、一八七五年にフランス人探検家シャルル・ヴィエネルがアンデス山脈を放浪するなかで訪れたオリャンタイタンボの話に似ていた。シャルル・ヴィエネルは、ウルバンバ渓谷を下ったところ、「ワイナピチュ（Huaina-Picchu）」もしくは「マチョピチュ（Matcho-Picchu）」という場所に、「見事な遺跡がある」と耳にした。そして、谷を下って、その遺跡を探すことにしたという。シャルル・ヴィエネルの著作によれば、パンティカラ峠を越え、ルクマヨ川をチュキチャカ橋まで下り、ウルバンバ下流部を訪れ、同じルートで帰ってきた。そしてシャルル・ヴィエネルは、ウルバンバ渓谷の詳細な地図を出版した。その地図に示されている山のひとつに「ワイナピチュ（1,815m）」とあり、別の山に「マチョピチュ（1,720m）」とつけられている。ヴィエネルのインカ遺跡に対する興味や関心は、非常に高かったと言える。そして、オリャンタイタンボの記述に多くのページを割いている。しかし、マチュピチュには到達できず、ウルバンバ渓谷やビルカバンバ渓谷で、重要な遺跡を見つけることはできなかった。

私たちは、これ以上の成功を望めるだろうか？　シャルル・ヴィエネルが熱心に耳を傾けていたワイナピチュとマチョピチュの噂。同じく、私たちのもとに届いた噂は、「パン・アウト（黄金を掘りあてる、成功する）」するのだろうか？　そして、偶然かどうか、この噂話以降、ペルー政府はマチュピチュ付近を通る道路の整備を終えていた。それからウィリアム・C・ファラビー博士ひきいるハーバード大学の人類学探検隊が、最近、この新たな道を通った。しかし、「重要な遺跡は見つからなかった」と報告している。彼らが探していたのは、遺跡ではなく、原住民だったのだろう。

それにしても、マチュピチュという遺跡がチョケキラオよりもすごいのなら、なぜ誰もそのことを指摘しなかったのだろう？　クスコにいる私たちの友人のほとんどは、「チョケキラオよりも優れた遺跡が存在するわけがない」と信じていた。彼らは、その「黄金のゆりかご（インカを育んだ場所、すなわちチョケキラオ）」を「最近のもっとも注目すべき考古学的発見だ」と考えていた。そして「チョケキラオこそ、最高のものだ」と断言していた。彼らは「（私たちが）ひそかにチョケキラオに戻って、埋蔵金を掘ろうと計画しているに違いない」とさえ思っていたようだ。それ（そんな計画）を否定しても、信じてもらえなかった。自分の祖先が「幸運なストライク（偶然の結果）」で財をなし、その強運の発掘者が手にした莫大な富、その環境のなかで育ってきた人にとって、「宝物」「財産」「富裕」は常に話題の種となる。クスコの知事でさえ、私の探検への愛を理解できないでいたようだ。クスコ知事は、「私がチョケキラオで大金持ちになる」と確信しており、「私がすでに（発掘のための）多額の報酬を受けとっている」と考えていた。彼は、「探検家のメンバーが、（自分の）経費以外の金品を受けとっていない」ということを信じようとはしなかった。そして、クスコ知事は私に内緒で「フート教授は、集めた昆虫のコレクションを少なくとも一万ドルで売るつもりだろう」とさえ話した。インディヘナは、政府から報酬を得たり、鉄道や鉱山の会社に雇われたりすることなく、「科学的な仕事（調査）をする人がいる」ということを知らなかった。クスコ歴史協会の人たちからでさえも、私たちの仕事（探検）が誤解されたり、疑念の目で見られることがあったほどだ。

かつてウィルカマユと呼ばれていたウルバンバの渓谷には、クスコからいくつかの方法で行くことができる。ユカイを目指す場合の通常ルートは、クスコから北西に向かってセンカ山の斜面を通過し、アンデスの主要街道を進むことになる。ティカティカ山（12,000フィート）で、街道はクスコ盆地の西端のもっとも低い峠を越えていく。このクスコの谷から出るときも、入るときも、真のインディヘナは一旦、立ちどまる。そして、クスコの街が見える最初で最後のこの地点で、東に向かってクスコの街を見て、帽子を脱いで祈りの言葉をつぶやくのであった。現在、彼らインディヘナが口にするのは、「アヴェ・マリア」など、カトリック教会でおなじみの祈りの言葉であると思われる。とはいえ、この習慣は、スペイン人宣教師が最初にやってきた一六世紀よりも、はるか古くから行なわれていたに違いない。これは古代の日の出を拝む、習慣の名残りであろう。スペインに征服される以前の数世紀のあいだ、クスコの街は、「宗教（教団）」と「政治（国家）」の指導者として君臨する、神格化されたインカ皇帝の住まいであった。インカ皇帝の住居を目のあたりにした人々が、皇帝を敬い、尊ぶことはごく自然なことだろう。その結果、街を離れる人たちは、街道の同じ場所で、同じ習慣を行なうことになったの

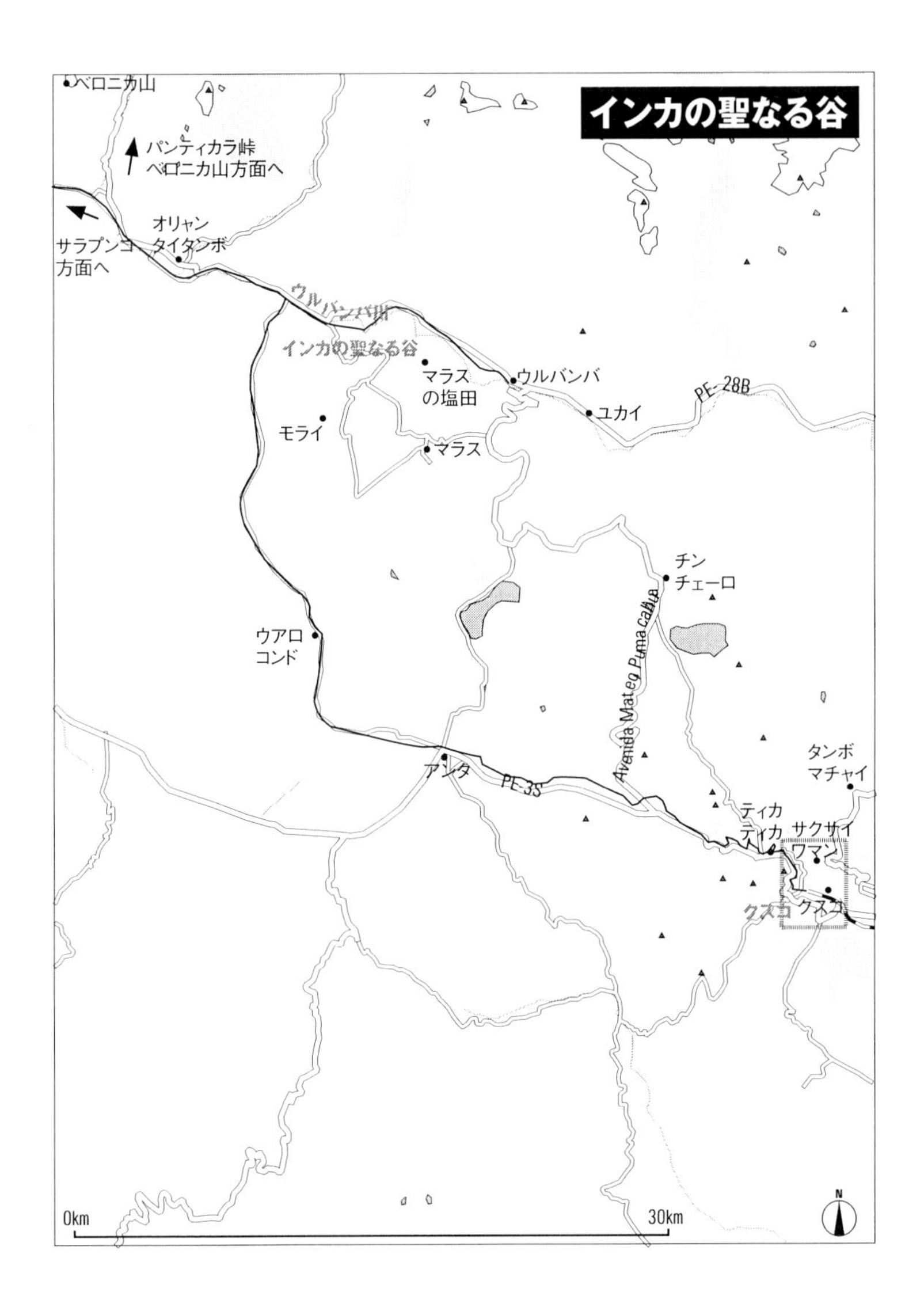
インカの聖なる谷
ベロニカ山
パンティカラ峠
ベロニカ山方面へ
オリャン
タイタンボ
サラプンコ
方面へ
ウルバンバ川
インカの聖なる谷
マラス
の塩田
ウルバンバ
PE-28B
ユカイ
モライ
マラス
チン
チェーロ
Avenida Mateo Pumacahua
ウアロ
コンド
アンタ
PE-3S
タンボ
マチャイ
ティカ
ティカ
サクサイ
ワマン
クスコ
クスコ
0km
30km
N

かもしれない。

私は何百人もの旅人が、この峠を通過するのを見てきた。ヨーロッパの衣装を身に着けた白人、メスティーソ（混血）の子孫を名乗る人たちは、誰ひとりとして立ちどまったり、祈りを捧げたり、敬意を表したりしていなかった。一方、民族衣装を着たインディヘナは例外なく、しばらく立ちどまって古都クスコを眺め、帽子をとって短い祈りを捧げていた。

私たちはティカ・ティカを出発して、数リーグ北上し、インカの古い城壁をもつチンチェーロを過ぎて、ついに美しいユカイの谷の入口にたどり着いた。この谷の底（谷底平野）には、古代インディヘナのたゆまぬ努力によって、ウルバンバ川の浸食をまぬがれた広大なアンデネス（段丘）が広がっている。渓谷の両側の斜面には、限られた土地でつくった段々畑の跡がたくさん残っていて、そのうちのいくつかは今でも使われている。そして、耕作できるとは思えないほど、急な斜面に「テンポラリ（仮の畑）」と呼ばれる穀物畑がパッチワーク（つぎはぎ細工）のように続いている。このアンデネスの上部には、雲の上に顔を出し、雪をいただいた山の頂が見える。鮮やかなコントラストと、美しいプロポーション（山容）をもつその姿は、見事な絵画のようであった。

インカ皇帝マンコ・インカ・ユパンキの長男サイリ・トゥパクは、スペイン総督に招待されてスペインの保護下に入ったあと、ここユカイに住んでいた。彼は三年間、この地で暮らし、一五六〇年、若くしてここユカイで死んだ。そんなことから、サイリ・トゥパクの弟たちティトゥ・クシとトゥパク・アマルは、「クスコから離れた山中のビトコス（ビルカバンバ）にいるほうが安全だ」と考えた。

私たちは、豊かな水、快適な気候、産出される豊富な果物ゆえに、現代のペルー人がこよなく愛するこの州の主都ウルバンバで一晩を過ごした。標高11,000フィートのクスコは、環境や自然で快適さを求めるには標高が高すぎるが、2,000フィートほどくだったウルバンバ渓谷のそれは目を楽しませ、緑や自然を愛する者を喜ばせ

▲左　ビルカバンバへの玄関口にあたるベロニカ山とサラプンコ［『INCA LAND』掲載写真／1922年発刊］　▲右　ウルバンバ渓谷の様子［『INCA LAND』掲載写真／1922年発刊］

るすべてのものがある。自然を愛する者といえば、またその敵になるものも思い出す。「ウル（Uru）」はケチュア語で毛虫や幼虫を意味し、「パンパ（Pampa）」は平原を意味する。したがって、ウルバンバとは「毛虫や幼虫のいる平らな土地」という意味の地名だった。虫が多く生息する温暖な地域からやってきた人たちが名づけたのであれば、このような名前にはならなかっただろう。毛虫や幼虫をあまり見たことのない人たちが、その状況に衝撃を受け、こう名づけたのだろう。したがって、ウルバンバというこの谷の名前をつけたのは、寒冷な高地から蝶や蛾が多く生息する温暖な谷に降りてきた高原の住人に違いない。今日のウルバンバの庭園では、そんな有名な毛虫ではなく、バラやユリなどの鮮やかな花々が咲き乱れている。桃や梨、りんごの果樹園、クスコの市場に出荷するために栽培された甘美なイチゴの畑も見られる。どうやら、ウル（虫）たちがそれらすべてを食べ尽くしているわけではないようだった。

　次の日、ウルバンバ渓谷を下っていくと、今から何年も前にカステルナウ、マルクー、ヴィエネル、スクワイアたちが絶賛した物語のように美しいオリャンタイタンボに到着した。マルクーの絵は想像上のもので、スクワイアの絵は誇張されているが、目の前に広がるオリャンタイタンボの光景の魅力はまったく失われていない。ウルバンバと同様に、ここでもアンデネス（段々畑）が見事で、花園があり、耕作された緑地が広がっていた。小川では、柳の木やポプラの木が木陰をつくっている。そのうえには雪をいただく峰々、その壮大な断崖絶壁が視界に入る。

　オリャンタイタンボは、かつて謎に包まれた古代王国の都であった。村の上部、人を寄せつけないような岩山のうえに、切妻屋根をもつ一風変わった建物や倉庫、監獄や修道院の跡があちらこちらに点在している。その下には信じられないほどの大きなアンデネス（段々畑）が広がっていて、今でも豊かな作物が収穫されている。このアンデネスは、かつてのペルー民族の力と技術の高さを示す記念碑として、将来も残っていくであろう。

オリャンタイタンボの「要塞」は小高い丘の上にあり、急な崖や高い壁、空中庭園に囲まれていて、そこに立ち入ることはできない。何世紀も前、この豊かな谷を耕していた民族が、野蛮な隣人に怯(おび)えながら生活していたとき、この丘は彼らが身をひそめられる隠れ家、避難場所(ひなんばしょ)であった。あるいは当時、要塞化されていたのかもしれない。数世紀をへて、この地がインカ帝国(タワンティン・スウユ)の支配下となり、インカは平和を愛し、農業を奨励(しょうれい)したことから、オリャンタイタンボの要塞は「王家の庭園」となっていたのであろう。

丘の頂上にならんでいる赤みを帯びた花崗岩(かこうがん)の積み石は一個で一五～二〇トンもある。その巨大な岩は数マイル離れた採石場(さいせきじょう)から膨大(ぼうだい)な労力と手間をかけて運ばれてきたものだった。おそらく、この遺跡を築いた、有力な支配者の壮麗(そうれい)な姿を後世に残すためのものだったのだろう。採石場(さいせきじょう)から岩を切り出して、谷底から丘の頂上まで傾斜面を使って運ぶには、充分な労働力を必要とする。もちろん食料やもろもろの手当も必要だっただろう。このような記念碑を建てるためには、日々、行なっている農作業の手をとめて、五〇〇人のインディヘナがそこから離れなければならない。オリャンタイタンボの王は、とても優れた管理能力をもちあわせていたと考えられる。そして、インカの民にとって、オリャンタイタンボの壮大な巨石群は彼らの誇りであったに違いない。一方、彼らの敵にとっては、それは王の力と強さの象徴であった。

オリャンタイタンボから一リーグ下ったところ、ちょうどビルカバンバへの入口で、ベロニカ山方面とサラプンコ方面に道が分かれている。右側の道は急な谷を登っていくことになり、雪をかぶったベロニカ山の近くにあるパンティカラ峠を越える。峠の近くにはふたつの遺跡が残っている。そのうちのひとつはヴィエネルが「花崗岩(かこうがん)の宮殿。その外観はオリャンタイタンボの美しい部分を思わせる」と絶賛していたが、これは単なる倉庫だった。もうひとつは、おそらく公的な任務をもった旅行者のための宿場(しゅくば)だったのだろう。

インカ帝国(タワンティン・スウユ)時代の旅人は、たとえ重たい荷物を運ぶ飛脚(チャスキ)であっても、すべて王命にもとづいて行動していた。商業でお金儲け（かねもう）をするという考えかたはなかったし、個人の財産権もなかった。インカ人は誰も、もともと人に売るものをもっていなかったし、それを買うためのお金もなかった。一方、インカ帝国（タワンティン・スウユ）は、たくみな徴税（ちょうぜい）システムをもっていた。民の調達した生産物の三分の二は、都市に住む人や神官によって徴収されていた。ベロニカ山の近くにあるパンティカラ峠のような人を寄せつけない地域に、適切な休息所や貯蔵庫（ちょぞうこ）をもうけるのは、インカ皇帝による慈悲（じひ）深くも、専制政治のなせる結果であった。一五六〇年、クスコにいた有能な政治家ポロ・デ・オンデガルドは、「『インカの飛脚チャスキ（郵便配達員）』の食事は、公的な倉庫から提供されていた」と述べている。そして、インカ皇帝マンコ・インカ・ユパンキの時代、ハバスパンパにあるこれらの建物はスペイン人ビジャディエゴ隊長を倒した前線部隊の拠点になっていたと思われる。

川沿いの道路が完成する前の一八九五年ごろ、クスコからウルバンバ下流部への旅行者は、一五七一年のキャプテン・ガルシア、一八三五年のミラー将軍、一八四二年のカステルナウ、一八七五年のヴィエネルといった探検家のたどったパンティカラ峠を通るルートと、一八三四年のサルティゲス伯爵、一八六五年のライモンディが踏破した、サルカンタイ山とソライ山のあいだの峠を越え、サルカンタイ川にそってワドキニャへ向かうもうひとつのルートがある。このふたつのルートはいずれもサルカンタイ山とベロニカ山のあいだの高原と、ピリ村とワドキニャ村のあいだの低地をさけて通っている。この地域は私たちが訪れた一九一一年当時、ペルー南部の地理文献には掲載（けいさい）されていなかった。結局、私たちはどちらの峠も使うことなく、ウルバンバ川沿いの道を進むことにした。そして、その道のりは私たちを魅力的な国（ビルカバンバ）に導いてくれた。

ピリ村から二リーグ先のサラプンコでは、道は断崖絶壁（だんがいぜっぺき）の裾野（すその）を走っている。あたりは美しい花崗岩（かこうがん）製の山塊（さんかい）が見られる場所で、結晶片岩（けっしょうへんがん）、礫岩（れきがん）、石灰岩（せっかいがん）でできた周囲の高地よりも、さらに人を遠ざける山深い地（ビルカバンバ）となっている。サラプンコは、この古代インカの地への入口であるが、自然と人のなせる業があいまっ

▲ 帝国に張りめぐらされたインカ道を往来した飛脚チャスキ（ワマン・ポマ『新しい記録と良き統治』より）

て、何世紀ものあいだ閉鎖されたままになっていた。花崗岩地帯を流れるウルバンバ川には、渡るにはあまりにも危険な急流や、登るには大変な苦しみと危険をともなう断崖が位置する。かつてはウルバンバ川の近くに歩道があったのだろう。インディへナは崖の表面を這ったり、ときには垂れさがったつる草につかまったりしながら、谷底の沖積段丘に、なんとかたどり着いていた。そして、もう一本、要塞のうえの崖を越えて進む道があるようだった。

私たちは、自らの足では到達できないようなさまざまな場所、せまいアンデネス（段々畑）のうえに築かれた城壁の跡を見つけた。アンデネスに棚田部分はせまいうえに、ふぞろいのため、農業用につくられたとは思えない。崖をより険しくするためにつくられたのかもしれない。これはおそらく古い時代の小道の基礎部分となっているのだろう。これらの古道を守るために、先史時代の人間が断崖絶壁のふもとで、かつ川の近くに、小さいながらも強靭な要塞を築いていたということが理解できた。クスコ北郊のサクサイワマンにならってつくられたこの要塞は、大きな積み石の不規則な形状、うまく乗り越えられないようにするために城壁につけた凹凸の角度が似ているなど、いくつかの興味深い点を私たちに問いかけてくる。

トロントイの渓谷の入口に位置するサラプンコ砦は、通行する人たちからの貢物を徴収するために、この地の古代の首長が建てたのかもしれない。第一印象として、温帯の端に位置するこの地にサラプンコ砦が築かれたのは、アマゾンの熱帯雨林地帯から上ってくる野蛮な敵から、ウルバンバやオリャンタイタンボの谷を守るためだったのではないか？　と思われた。一方で、ビルカバンバの山間部を占領していた部族が、オリャンタイタンボ方面から谷を下りてくる敵に対して、その防衛のための前哨基地としてサラプンコ砦を建設した可能性もある。サラプンコ砦で見られる技術水準は高く、構造も強力なので、兵士たちはこの砦で、かなりの兵力に囲まれても、ある程度はもちこたえることができただろう。川の下流にあるトロントイの農園から集荷される物資は、現在の国道のすぐそばの道を通って運ばれていたのかもしれない。

　この砦は、インカ帝国（タワンティン・スウユ）のマンコ・インカ・ユパンキがビトコス（ビルカバンバ）を根拠地とし、ビルカバンバを統治していたころ、マンコ・インカ軍が占領していた可能性もある。しかし、彼自身がこのような巨石建造物を建てることは不可能だろう。征服者（コンキスタドール）ピサロの兵士を食いとめるには、砦にこもるよりも、狭い道を破壊して、敵の進路を断つ戦法をとったほうが効果がある。さらにサラプンコ砦の様式や特徴は、クスコやオリャンタイタンボの巨石建造物のそれに酷似している。このことから、かつてクスコを支配していた人たちが、のちにこの渓谷を隠れ家としていたことが推測できる。そしてオリャンタイタンボ防衛のために砦を建設したのであろう。はじめてこの砦を訪れて、これほどまでに谷の奥深くに巨石を使った遺跡が残っているとは想像していなかった。皇帝マンコ・インカ・ユパンキが時間と労力をかけてつくった、比較的新しいインカ建造物を探しているうちに、遠い昔の遺跡を見つけることになるとは思いもよらなかった。しかし、サラプンコの要塞が、オリャンタイタンボやクスコなどの勢力から、ビルカバンバを守るために建設されたのではなく、これらのインカの代表的な都市を、アマゾンの熱帯雨林（ジャングル）の野蛮人から守るために建設されたのではないか？　と説明できるほどの遺跡がすぐに現れることになった。

　サラプンコを過ぎると、花崗岩（かこうがん）の崖や絶壁が続き、それらを迂回（うかい）しながら、「聖なる地」へと入っていった。私たちは、アンデネス（段々畑）の広さ、長さ、高さ、インカの遺跡の存在、深くて、狭い谷の美しさ、そしてそのうえにそびえる雪をかぶった山々の壮大さ、それらすべてに驚き、魅了された。

　対岸のクエンテ近くの段丘（アンデネス）上に、インカ帝国（タワンティン・スウユ）の重要な街であったパタラクタ遺跡が残っていた。「パタ＝高さ、段丘」、「ラクタ＝街、都市」を意味するという。（先に旅をした）ライモンディもパス・ソルダンにも知られず、ヴィエネルの地図には掲載（けいさい）されているが、足をそこに運んではいないようだった。『年代記（クロニカ）』を調べても、この遺跡パタラクタについての記述は見つからない。はじめて訪れたときから数年後の一九一五年、私たちはこの地で、数か月間、パタラクタ遺跡の発掘と調査を行なった。この地域の古代については、別の機会にくわしく紹介したいと思う。ただ今回（の探検）のパタラクタ付近の調査からは「水の湧くところにある白い岩(ユラク・ルミ)」は発見されなかったということは記しておきたい。このあたりの地名は、ビトコスについて記されたものとは一致しない。建物の対称性、壁龕(へきがん)（ニッチ）、（藁葺(わらぶ)き屋根を固定する）石の屋根杭(やねくい)、扉の鍵（バーホールド）、目張りなどの建築上の特徴から、インカ時代のものと考えられている。しかし、その本当の正体は謎のままだ。これらの街や村がいつごろ栄えていたのか？　誰がつくったのか？　そしてなぜ廃墟(はいきょ)になったのか？　私たちはまだ知らない。

温暖な谷を利用した耕作地の端(はし)に位置するトロントイでは、インカの貴族が住んでいたと思われる興味深い遺跡群を見つけた。そして近くの洞窟からは、数体のミイラが発掘された。ミイラの包装は、原住民が、洞窟に住む吸血コウモリを燻(いぶ)り出す燃料に使ったらしく、なくなっている。川の対岸には広大なアンデネスが広がっていて、その段丘のうえにはタッカー氏とヘンドリクセン氏が一九一一年に発見した遺跡がもうひとつあった。そして不幸にも、彼らに同行したインディヘナの担(かつ)ぎ手のひとりは、大きな測量機器をもってこの急流を渡ろうとして、足をとられてしまい、急流に飲み込まれて助けが来る前に溺(おぼ)れ死んでしまったという。

トロントイの近くにはカフアパンパと呼ばれる鬱蒼(うっそう)とした森の谷がある。のちの一九一五年の旅のとき、ここでアンデスグマ（メガネグマ）が目撃され、農作物に被害が出ているという話を聞き、私たちは調査に向かったものだ。アンデスグマはいなかったが、標高12,000フィートの地点で、これまで生物学的に知られていなかった、花ゴケにおおわれた非常に古い木が立っていた。そして幸運なことに私は野生のジャガイモを見つけることができた。それは私たちが「アイリッシュ・ポテト（サツマイモと区別してジャガイモをこう呼ぶ）」と呼ぶものの原

▲　輿に載せてミイラを運ぶ（ワマン・ポマ『新しい記録と良き統治』より）

種だった。もとをたどれば黎明期のペルー人が、はじめて多くの品種のジャガイモを育てていたはずだ。そのイモ（養分をたくわえて食べられる部分、すなわち塊茎）の大きさはエンドウ豆ぐらいであった。

ヘラー氏がここでケノレステスというカンガルーの近縁種である奇妙な小型カンガルー（有袋目でネズミに似ている）を見つけた。それは生物学的にも新しい扉を開くものであることがのちにわかった。トロントイは「ウルバンバのグランド・キャニオン」のはじまりに位置しているが、それはまさに「キャニオン（大峡谷）」と呼ぶのにふさわしかった。川沿いに続く自然の「道」は、階段状の岩を無謀に上ったり下ったりして、切り立った断崖の下もおかまいなしに走る。花崗岩の崖に、簡素な支柱で支えられた危なっかしい橋で峡谷を渡ることになる。鬱蒼とした森のなか、せまりくる崖と、川のあいだの土地のできる限りがアンデネス（段々畑）となり、耕作されていた。

そして、私たちは気づいた。自分たちがとびきりのワンダーランドにいることを。感情がどんどん高ぶってきた。私たちは、荒れ狂う急流を前にして、悪環境のなかインカ人がアンデネス（せまい耕作地）をつくりあげた労苦に思いをはせた。そして彼らの偉大な仕事に驚嘆の念を抱いた。死を意識せずに渡ることもままならない危険な川のそばに、どのようにして「支え壁（擁壁）」の重たい石を積みあげることができたのだろうか？　近くに滝が流れ落ちる、湾曲部の見晴らしのよい場所に、インカの貴族が神殿を建てていて、その壁が旅人の心に訴えかける。その興味深い遺跡はピストルの届く射程圏内にあったが、目の前を流れる急流を渡って進むことはできなかった。この神殿から5,000フィートほど離れた峡谷の中腹に、コリワイラシナの遺跡が残っている。コリとは「金」、ワイラとは「風」、ワイラシナとは「脱穀が行なわれる脱穀場」を意味する。ここは、インカ帝国の古い金鉱だった可能性もある。半マイルほど上にある別の急斜面では、近代になって何人かの開拓者が、インカ時代の段丘（アンデネス）の連なりをおおっていた茂みを一掃していた。

▲左　マチュピチュ近くを走る、ラ・マキナとマンドル・パンパのあいだの道［『INCA LAND』掲載写真／1922年発刊］　▲右　ペルー高原地帯をラバとともに進む

七月二三日の午後、私たちはこのあたりを旅する旅行者がよく泊まる小屋ラ・マキナに到着した。「ラ・マキナ」という名前は、大きな鉄の車輪がいくつかこの地に残っていることに由来する。この車輪は、下の谷にある砂糖農場まで運ばれることなく役割を終えた「機械」の部品であった。それらは何年も前に、ここで放置されて密林のなかで錆びてしまっていたのだ。ここには、飼料がほとんどなく、キャンプを張る場所もないので、私たちは花崗岩の断崖絶壁のうえにつくられた歩くのも難しい、険しい道を進んでいった。崖を構成した一部の岩は、川に滑落していたが、こうしてできた道路の裂け目は、丸太や木の枝、葦などを組み合わせた格子状の弱々しく粗末な橋をかけることで修復されていた。そのうえには数インチ分の土と小石が敷かれていて、慎重に道を選びながら進む貨物用のラバにとってはそれほど危険でないように思えた。「機械（ラ・マキナ＝車輪）」がここで立ち往生して、その場所に部品の名前がついたのも不思議ではない。

この深い峡谷の夕暮れは早く、両側の高さが一マイル以上もある。急峻な山々が連なるなか、パンパと呼ばれる広さ二〜三エーカーほどの小さな砂の平原を過ぎたころ、ほとんど日は暮れていた。地球の曲率を考えずに、直線で二五〇マイルも走れるようなアルゼンチンの広大なパンパに住む人たちが、「マンドル・パンパ」と呼ばれるペルーのこの小さな氾濫原を目にしたら、どう思うだろう？　おそらく彼らにとっては丘ひとつない無限の平原を意味する「パンパ」という言葉を、「誰かが冗談で言ったのか」、あるいは「間違ってその言葉を使った」と思うだろう。しかし、平地（パンパ）の少ないこの谷に暮らす古代人たちにとっては、草も生えていなかった場所に石を積んでアンデネス（段々畑）をつくり、トウモロコシを二列にならべて育てることは価値があった。そして、渓谷の底にある少しでも自然の息吹の感じられる場所を「パンパ」と呼ぶのであった。

（マチュピチュにも近い）ラ・マキナとマンドル・パンパのあいだの道、手入れの行き届いていない草葺きの小屋を通り過ぎ、小さな空き地を通って道からはずれた。そしてウルバンバ川ほとりの砂岸でキャンプをすることにした。川の流れをさえぎる花崗岩の巨石の向こうには、鬱蒼とした密林におおわれた急峻な山が見える。そこは道路に近く、しかも人目につかない理想的なキャンプ場であった。しかし、キャンプ地を探した私たちの行動は、マンドル・パンパにある小屋の持ち主メルチョール・アルテアガ氏の不興を買った。彼は「（なぜ私たちが）ほかの旅人のように自分の小屋に泊まらないのか？」と知りたがっていた。その状況を、（国家に帰属する）カラスコ軍曹が説明したことで、メルチョール・アルテアガ氏は納得したようで、彼らはかなり長い会話をかわしていた。

アルテアガ氏は、私たちがインカの建築物に興味をもっていることを知ると、「この近くにとてもよいインカ帝国時代の遺跡がある」と教えてくれた。実際、今、私たちがいる場所から、反対側に見えるワイナピチュと呼ばれる山の上や、マチュピチュと呼ばれる尾根の上にすばらしい遺跡があるという。それは一八七五年にシャルル・ヴィエネルがオリャタイタンボで耳にして、たどり着けなかった場所をさすのだろう。

その翌日、私たちが目のあたりにするこのインカの遺跡については、のちの章で紹介する。実際、『ナショナル・ジオグラフィック』誌でおなじみのマチュピチュ遺跡は、アンデスで発見されたなかでもっとも興奮を呼ぶものであろう。ウルバンバ川から2,000フィートの高さの細い尾根上に展開する、マチュピチュの驚くべき城塞をはじめて目のあたりにしたとき、私は感じた。（スペインの）ガルシア隊長の遠征隊員であった老兵バルタサル・デ・オカンポの話した内容（言葉）は、この場所を指しているのではないだろうか？　と。

「インカ皇帝トゥパク・アマルは、かなり高い山のうえにあるビトコス（ビルカバンバ）の要塞にいた。そこからはビルカバンバ地方の大部分を見渡すことができる。ここには広い空間が広がっていて、豪華で、荘厳な建築が、優れた技術と芸術性をもって建てられている。主要な建物も、そうでない建物も、扉のまぐさ（開口部上の横材）はすべて大理石製で、精巧な彫刻がほどこされていた」

「Picchu（ピチュ）」とは今の言葉で「Pitcos（ピトゥコ）」、すなわちビトコスを指すのではないか？　たしかにマチュピチュの神殿や宮殿で使われている白色の花崗岩は、大理石と見まがうほどの美しさと質感をもっている。しかし、オカンポの描写をマチュピチュにあてはめると、ひとつの問題が出てくる。それは「インカの建築様式では、扉のまぐさと壁そのものに違いはない」ということだ。さらに、カランチャ神父が記述している「インカの都ビトコスの近くにあった」という「水の湧く上にある白い岩」も見られない。マチュピチュ界隈には、プキウラという地名も残っていない。実際、ウルバンバの渓谷は、ビトコス（ビルカバンバ）の地理的条件を満たしてはいない。マチュピチュは、とても興味深い遺跡ではあったが、私たちが探しているインカ帝国「最後の都」ではなかった。皇帝マンコ・インカ・ユパンキの宮殿は、いまだ見つかっていなかった。

Chapter XI
The Search Continued

第11章
探検は、続く

マチュピチュは、温帯と熱帯を分ける気候の境界線上に位置する。遺跡の下にあるサン・ミゲル橋の近くでキャンプをしたヘラー氏とクック氏は、動植物のなかに、その事実を示す興味深い証拠を見つけ出した。歴史的地理学の観点から見ると、クック氏のもっとも重大な発見は、この谷には寒冷地では育たないはずの樹木ウィルカが自生しているということであった。ケチュア語の辞書によると、ウィルカは「通じを良くする薬」だという。そして、この木の種を煎じたものが下剤として使われている。

私はクック氏に、サフォード氏のふたつの論文に書かれていた内容について説明した。この論文では、ウィルカの種子からコホバと呼ばれる粉末がつくられることに言及されている。サフォード氏によれば、この粉末（コホバ）は「二股の管を使って、鼻孔から吸い込む」麻薬性のある嗅ぎタバコだという。どの作家も、「この粉は一種の酩酊状態や催眠状態を引き起こし、インディヘナが超自然的なものと見なした幻覚をともなう」と断言している。その影響を受けているあいだ、「占い師や神官は目に見えない霊的な力と交信している」と考えられた。そして、彼らの支離滅裂なつぶやきは、予言や隠されたものの啓示と見なされた。病人を治療する際、医師はこの現象を、病気の原因をつきとめたり、魔法をかけられた人や霊を発見するために利用した。（スペインの中南米支配について記した）ラス・カサス司教の言葉を、サフォード氏が引用した内容には次のように記されている。

「（麻薬性粉末による効果を）彼らがどのように受けとめ、何を話すかを目のあたりにするのは、とても興味深い光景であった。祭祀長が儀式をはじめると、その儀式のあいだ、全員が口をつぐんでいた。そして祭祀長が鼻孔から粉末（コホバ）を吸いこむと、頭を傾け、腕を膝のうえにおいて、しばらく黙っていた」

「それから祭祀長は、天をあおぎ、真の神、あるいは彼が神と信仰する者への祈りの言葉を口にした。その後、私たちが『アーメン』と唱えるように、その場のすべての人が大きな声や音で祭祀長に応えた。そして感謝の言葉を述べ、彼をたたえ、その慈悲を請い、祭祀長に自身が見たもの（インカの神との交信）を皆に話すようにお願いした」

そして祭祀長は、自分が見たことを人々に語ったという。つまり、これから起こるよいことや悪いこと、子どもが生まれることや死ぬこと、隣人とのあいだに争いが起こることなど、精霊がいろいろと自分に話しかけてきて予言したのだという。そして、祭祀長のその言葉は、まるで酔っぱらいのように、ろれつがまわっていなかった。神官や占い師にとって、「樹木ウィルカが最初に発見され、彼らの呪儀が行なわれた場所」が重要であることは間違いない。そのため、インカではこの地を流れる川を「ウィルカ・マユ」と呼んでいたことも不思議ではないだろう。この川のほとりに木の生い茂る「パンパ（平地）」は、「ウィルカ・パンパ（ビルカバンバ）」と呼ばれていたようだった（ウィルカには、このウィルカ木のほか、「聖なる」、「祖先」といった意味がある）。

そして、「ウィルカ・パンパ」が重要な都市へと成長したのであれば、その周辺地域はそれにちなんで「ウィルカ・パンパ（ビルカバンバ）」と名づけられたかもしれない。これがビルカバンバという地名の、もっとも有力な由来であると思われる。いずれにしても、クスコやオリャンタイタンボの住民が、この重要な麻薬を求めて川を下り、「マチュピチュ近くではじめてこの木を見つけた」という推論は注目に値する。

マチュピチュ遺跡については、ひとまずあとまわしにしよう。私たちは、その後、ビルカバンバ渓谷を下り、サン・ミゲル橋を渡った。そして、現代ペルー人ではじめてマチュピチュの花崗岩の壁に名前を刻んだセニョール・リサラガの家を通り過ぎて、ワドキニャのサトウキビ畑に出た。私たちは今、温帯気候を離れ、熱帯気候に入ったのであった。ワドキニャでは、幸運にもサトウキビ農園の女主人セニョーラ・カルメン・バルガスとその子どもたちが夏のあいだ、ここで過ごしているということがわかった。雨の多い冬、彼女たちはクスコで暮らしているが、夏になって気候がよくなると、ワドキニャに来て、田舎の自由で気ままな生活を楽しんでいるという。彼女たちは私たちの来訪を歓迎してくれた。世界中の砂糖農場でよく見られる、通りすがりの旅行者をいたわる程度のもてなしではなく、私たちの探検に対する敬意と真の支援を約束してくれるようだった。

カルメン女史の土地の広さは、二〇〇平方マイル以上にもおよんでいた。そして、ワドキニャでは、古代の家父長制の名残りのようなものが残っていた。ペルーの他の地域からこの農園で働くためにやってきたインディヘナは、他の地域では見られない待遇や賃金を受けている。この農園にいる者は皆、女主人セニョーラ・カルメンに愛情と敬意を抱いていた。誰でも彼女に自分の悩みを打ち明けることができるという。この仕組み(制度)は、インディヘナの精神、道徳、物質的な福祉にいたるまで、レパルティミエント(「分配」を意味し、強制労働の徴発を行なった)の領主が、エンコミエンダ(「委託」を意味し、植民地住民支配制度)していたスペイン征服時代までさかのぼる。ワドキニャは、かつてイエズス会に属していた。最初にこの地にやってきたとき、彼らは最初にサトウキビを植え、工場を建てた。一八世紀末に彼らが当時のスペイン植民地から追放されると、ワドキニャはペルー人に買われることになった。この地は、一八三四年にチョケキラオに向かう途中、ワドキニャに数週間滞在したサルティゲス伯爵によって、はじめて地理文献に記載された。彼は、「ワドキニャの領主は、世界四大大陸の産物をすべて自分の土地にもつ、世界で唯一の土地所有者である」とし、「その領地には、羊毛、皮革、馬毛、ジャガイモ、小麦、トウモロコシ、砂糖、コーヒー、チョコレート、コカ、銀や鉛を産出するの鉱山、金の鉱床まである。まさに王家の統治する公国のようだ」と述べている。

偶然かもしれないが、サルティゲスはインカ帝国の未知の遺跡を訪れることに熱心な探検家であったにもかかわらず、マチュピチュについては一切触れていない。ワドキニャからマチュピチュまではウルバンバ川

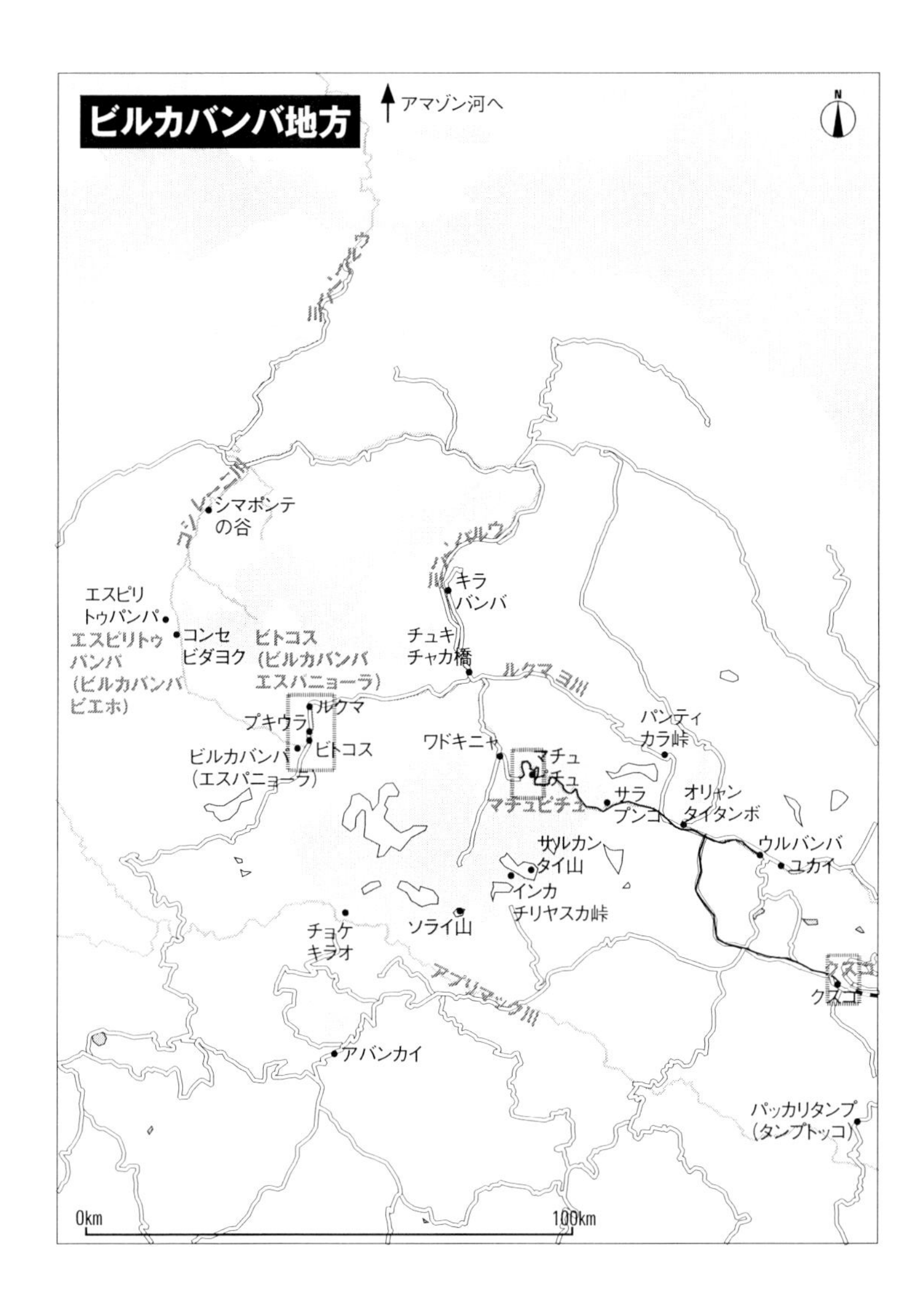

ビルカバンバ地方
アマゾン河へ
N
コシレーニ川
シマポンテの谷
エスピリトゥパンパ
コンセビダヨク
エスピリトゥパンパ（ビルカバンバビエホ）
ビトコス（ビルカバンバエスパニョーラ）
キラバンバ
チュキチャカ橋
ルクマヨ川
ルクマ
プキウラ
ビトコス
ビルカバンバ（エスパニョーラ）
ワドキニャ
マチュピチュ
マチュピチュ
パンティカラ峠
サラプンコ
オリャンタイタンボ
ウルバンバ
ユカイ
サルカンタイ山
インカ
チリヤスカ峠
ソライ山
チョケキラオ
アプリマック川
アバンカイ
クスコ
クスコ
パッカリタンプ（タンプトッコ）
0km
100km

を渡ることなく、歩いて半日で行ける。つまり、一八三四年の時点では、マチュピチュ遺跡はサルティゲスやその支援者たちには知られていなかったのだろう。そして、私たちが旅をした一九一一年、私たちの支援者たちにも同様に、マチュピチュは知られていなかった。私が撮影したマチュピチュの写真が現像され、石づくりの見事な神殿を目のあたりにしたとき、セニョーラ・カルメンとその家族は驚きと感動の念をもらさずにはいられなかった。彼女たちは川沿いの道が開通して以来、毎年のようにマチュピチュのそばを通っていながら、何も知らなかったことに驚いた様子だった。彼女たちは、尾根(おね)の頂部にひとつの小さな建物を目視できることを知っていたが、それは大して興味をひかず、「(それほど重要ではない)単なる塔だ」と思っていたという。セニョーラ・カルメンの隣人で、サン・ミゲル橋の近くに暮らすリサラガは、一九〇四年にはじめてマチュピチュを訪れ、その遺跡の存在を報告していた。しかし、私たちのクスコの友人と同じように、誰も彼の話に注意を払わなかったのだろう。私たちは、まもなくなぜこのような懐疑的(かいぎてき)な視点が起こるのか、その原因を解明することにした。

　私たちの新たな友人カルメンたちは、私が複写したインカ帝国(タワンティン・スウユ)「最後の都」の場所について記したカランチャ神父の『年代記(クロニカ)』のテキストを、興味深く読んでくれた。私たちがまだ目にしたことのない「失われた都ビトコス(ビルカバンバ)を発見したい」と思っていることを知り、彼女たちは、この地でもっとももの知りな知識人たちに来てもらって、私の相談に乗るように話をつけてくれた。そのうちの知識人のひとりによると、「ウルバンバ川を数時間下ったところにあるクルマユという小さな谷に、(セニョーラ・カルメンのもとにいる)インディヘナたちが見たという『無視できないほどの遺跡』が残っている」という。さらに「サルカンタイ渓谷の尾根(おね)にユラク・ルミ(ケチュア語でユラク＝「白」、ルミ＝「岩」)と呼ばれる場所がある」という。それは彼ら労働者たちが、薪(まき)をくべるための木を伐採(ばっさい)しているときに、「偶然、発見した遺跡だ」ということだった。

私がカランチャ神父の『年代記(クロニカ)』から複写した段落のなかにある、「ユラク・ルミと呼ばれる、(前述の)『太陽の家』にある白い岩(ユラク・ルミ)が、ビトコスの近くにある」と記述された場所が実際に残っていたのだ。私は興奮を禁じえず、身震いした。「ユラク・ルミという名が、この場所以外のどこかにあるということは、誰も聞いたことがない。だからそれ(『太陽の家』と『白い岩(ユラク・ルミ)』)はその場所のことに違いない」とカルメン女史は確信したようだった。よく聞いてみると、彼女はこの遺跡を一度か二度見たことがあり、ウルバンバ渓谷を訪れたときにオリャンタイタンボ遺跡も訪れたことがあるという。そして、ユラク・ルミで見たものは、「オリャンタイタンボの遺跡に負けず劣らず、すばらしいものだ」と言っていた。この証言は、確かなものだった。どうやら私たちは、最後のインカ人が祈りを捧げたあの「白い岩(ユラク・ルミ)」を目撃しようとしていた。しかし、そこにいたる道は工事中であり、現場監督の話によると、インディヘナの小さな一団(ギャング)が一週間以内に開通させる予定だが、現時点ではその道を通ることはできないという。カルメン女史は、私たちの撮ったマチュピチュの写真を見たこともあって、「自分たちの土地にもっとすばらしい遺跡があるかもしれない」と興奮し、ユラク・ルミへの道を私たちのために、すぐに開通させるよう、彼女の配下たちに命じてくれた。

そのあいだにカルメン女史(農園の経営者)の息子が、「他にも『重要な遺跡』が見つかっていて、そこへの道を使えば、新たな道を切り開くことなく、数時間で到達できる」と言って、彼自身がクルマユの谷まで同行してくれることになった。「テントも、簡易ベッドもいらない」という彼の言葉に甘え、私たちはキャンプ道具をもたずに、彼にしたがってウルバンバ川南側の小さな谷へと向かった。クルマユに着くと、そこには狭い土地に二軒の小屋が立っていた。そして、その四方には鬱蒼(うっそう)とした森の斜面が広がっている。カルメン女史の息子、女史の弟は、インディヘナふたりを案内人につけてくれていた。彼とともに密林(ジャングル)にわけ入り、一日がかりで遺跡を探したものの、結局、見つからなかった。その日の夜、彼はワドキニャに戻ったが、私とフート教授はクルマユに残って、翌日、再び念入りに調査を行なうことにした。

私たちは、茅葺(かやぶ)きの小さな小屋を家主のインディヘナと共有した。そこでは太った数匹の食用モルモット(テンジクネズミ)を飼っていた。小屋は粗(あら)い枝編みでつくられていて、新鮮な空気が入り、快適な換気ができていた。同じく枝編みでつくられた原始的な小さなベッドは、背が低くてがっしりしたインディヘナの体型にあわせてつくられているようだった。ワドキニャにおいてきた折りたたみ式簡易ベッドでは、好奇心旺盛なテンジクネズミに襲われることはなかっただろう。つまり、このベッドはそれより快適ではなかった。翌日、私たちの案内人が森のなかで、山積みされた石の構造物をいくつか見つけてきた。これはおそらく先史時代のペルー人が建てたと思われる楕円形(だえんけい)もしくは円形の小屋の基礎であった。私たちは結局、クルマユに三日間滞在したが、それ以上の重要な遺跡を見つけることはできなかった。これが、私たちの経験した最初の幻滅(げんめつ)であった。

ワドキニャに戻ると、ユラク・ルミへの道が、今日、明日中に開通することがわかった。それまでのあいだ、私たちのホスト(セニョーラ・カルメン)たちはフート教授の昆虫コレクションに夢中になっていた。彼女たちは、名前のないサソリをもってきて、私たちに見せてくれたり、家の裏手の高い壁に囲まれたオレンジの果樹園が、「クモの絶好の生息地だ」と教えてくれたりもした。私たちは、彼女たちの言葉が誇張(こちょう)でないことを知り、早速、クモ収集に熱中した。のちにハーバード大学の比較動物学博物館で、これらワドキニャのクモについて調べてもらった。すると、チェンバレン博士はそのなかのクモのうち、それまで生物学的に知られていなかった四の新属(分類上、種の上位にくるもの)と一九の新種を発見した。そして、その功績に報いるため、これらのサソリにはフート教授の名前がつけられた。

そうこうしているあいだに、「ユラク・ルミへの道路工事が完成した」という報が届いた。工事監督は「その遺跡を見てきたばかりだ」と言って、「(その遺跡は)オリャンタイタンボの遺跡よりもすばらしい」と断言した。もちろん「自分（工事監督）が発見した」という自負心から、その言葉は誇張ではないか？ という心配もあった。

しかし私たちは、彼とともに、期待に胸をふくらませながら、ユラク・ルミの遺跡を見にいくことにした。そのとき、私の頭のなかでは、実際に何が見られるのか？ 想像もつかなかった。私たちは数時間かけて、ユラク・ルミ遺跡の壁の周囲に生い茂った木々や植物をとりのぞいていった。そして、その結果、ユラク・ルミはインカ帝国時代の小さな長方形の貯蔵庫跡であることがわかった。建築的に構造の美しさは、追求されていない。壁は粗い石を土で固めただけのものだった。この建物には出入口はなかったが、いくつかの小さな窓があって、貯蔵庫の低い部分には換気のための通気口がついていた。窓のまぐさ（横材）と地下に通じる通気口のまぐさは石でできていた。日当たりのよい北側や端のほうには窓はなかったが、南側には窓が四つあった。ここから、保管されていたトウモロコシやジャガイモなどの食料をとり出すことができたのだろう。この貯蔵庫の存在から、インカの人々が居住区の中心（街）だけでなく、主要な街道の要所にも公共の倉庫をもうけていたことが推測できた。

ユラク・ルミはサルカンタイ渓谷とワドキニャ渓谷のあいだの尾根上にあり、おそらくビルカバンバ地方を横切る古代の街道上に位置する。ユラク・ルミはたしかに興味深い史跡だが、現場監督が指摘したようにオリャンタイタンボと比較するのは、「小屋を宮殿に、ネズミを象に」、たとえるようなものだろう。実際に、ユラク・ルミとオリャンタイタンボの両方を見た人が、「その一方が、もう一方と同じくらいすばらしい」と思うことは決してないだろう。（ユラク・ルミを見た）工事の監督は専門性をもった遺跡の観察者ではなく、インカの建造物への関心も少しあるぐらいかもしれない。しかし、オリャンタイタンボの遺跡は、普通の旅行者であっても目を見張るほどの遺跡で、ここに暮らすインディヘナ自身もオリャンタイタンボに誇りをもっている。監督の目がいい加減であるとまでは言わないが、ユラク・ルミとオリャンタイタンボをくらべた本当の理由は、「人を喜ばせたい」という気持ちからきたのだろう。相手を慮る言葉を口にすることは、ペルーに限らず世界の多くの地域で共通するものなのだから。

いずれにしても、この数日間で起こったことの教訓は生きている。リサラガの発見に対する、人々の懐疑的な見方も理解できた（ビンガムよりも先にマチュピチュにたどり着いていたというペルー人アグスティン・リサラガのこと。ここでは真の発見者ではないという意味）。ときおり、クスコに伝わってくるマチュピチュの話が、「インカ文明の遺跡を訪れたい」と思うクスコ大学の教授や学生たちのあいだで熱狂的な支持を得られず、調査のきっかけにもならなかったのは不思議ではない。誇張を好むペルーの国民性からして、事実が正確に報道されないことはよく知られていた。

あきらかに私たちはインカ帝国「最後の都」ビトコス（ビルカバンバ）を見つけてはいなかった。カルメン女史に別れを告げ、コルパニ橋でウルバンバ川を渡り、ルクマヨ川の河口とパンティカラ方面からの道を通って、私たちは谷を下っていった。すると、ウルバンバ川がビルカバンバ川と合流するチャウイヤイの集落にたどり着いた。どちらの川もここでは川幅が狭まっていて、急流となって、轟音とともに谷を流れ落ちていく。そして、チャウイヤイから少しの距離のところに、立派な橋がかかっていた。現地のインディヘナはこれを「チュキチャカ」と呼んでいる。そこでは枝編み製のせまい道、つまりつる草で編んだ巨大な綱でできた古い吊り橋に代わって、鉄や鋼のロープが使われていた。この場所こそ、一五七二年、フランシスコ・デ・トレド総督によって派遣された、マルティン・ウルタド将軍とガルシア大尉の指揮するスペイン軍が、ビトコス（ビルカバンバ）を守るために集結した若いインカ軍と対峙した橋であった。このとき、インカ皇帝トゥパク・アマルの軍勢は、束の間の前哨戦を戦ったあと、この橋を破壊することなく敗走し、ガルシア大尉がゴンサロ・ピサロ（征服者ピサロの従兄弟）でもできなかったことを成し遂げた話は記憶に新しい。ガルシア大尉の盟友バルタサル・デ・オカンポが、

▲　戦争に向かうインカ帝国の兵士（ワマン・ポマ『新しい記録と良き統治』より）

「チュキチャカの橋の占領は、スペイン王家の軍隊にとって、重要な意味をもった」と述べている。そして、周囲の状況を見ると、その言葉はたしかに正しいことがよく理解できた。スペイン人がこの橋を再建しようとすれば、「大きな問題」となったことだろう。

私たちにはガルシア大尉の足跡を追ってビルカバンバ川をさかのぼるという選択肢もあったが、サンタ・アナの農園所有者で、この地方でもっとも知識が豊富で、有能であるというドン・ペドロ・ドゥケに会ってみたかった。そうすれば私たちの探検に、重要な助言が得られるかもしれないと期待したのであった。

チュキチャカ橋をあとにして、私たちはウルバンバ川を下っていった。肥沃な谷間、熱帯の緑の生い茂る大規模農園（プランテーション）の敷地を蛇行しながら、ウルバンバ川は流れている。バナナやオレンジの木々、青々としたサトウキビ畑、裕福な農園主の住居。私たちは、それら熱帯の「エデンの園（楽園）」で暮らすしあわせなインディヘナの住居を通り過ぎていった。その日は暑くて喉がかわいたので、熟した果実が鈴なりに実っている大きなオレンジの木のそばに立ち寄り、インディヘナの女主人にそれを一〇セント分売ってくれるよう頼んだ。すると一〇セント分の小さな銀貨と引き換えに、女主人は五〇個以上のオレンジの入った袋を目の前に出してくれた。私は「ポケットに入るだけでいい」と断ったが、彼女はとても驚いて、（「何か不満なの？」と）苦々しい顔つきをしていた。そのため、鞍袋（サドルバッグ）にいっぱいのオレンジを買うはめになった。その日のうちに、立派な鉄橋を通ってウルバンバ川を渡り、こぶりだが活気ある州都キラバンバに到着した。

キラバンバの目抜き通りには、繁盛している店がならんでいて、ここがペルーのゴム地帯への主要な玄関口であることを物語っていた。私たちが旅をした一九一一年当時、ゴムの価格が高騰していたこともあり、この街は熱狂的なにぎわいを見せていた。キラバンバを通過し、その先の小高い丘を登ると、イエズス会が設立した有名な砂糖農場サンタ・アナの長い柱廊が見えてきた。この農園は、シャルル・ヴィエネルの時代以降、この道を通ったすべての探検家がもてなしを受けたところだという。シャルル・ヴィエネルは、ここで「千の友情の印」をもって迎えられたという。そして私たちもヴィエネルと同じように迎えてもらった。これまで政府関係者から援助を受けたり、個人から手厚いもてなしを受けたりしてきたが、そのなかでもサンタ・アナでの歓迎ぶりは際立っていた。

農園主ドン・ペドロ・ドゥケは、私たちが足を踏み入れようとしている（あまり知られていない）地域について、可能な限りの情報を得ようと熱心に取り組んでくれた。彼はコロンビアで生まれ、その後、ペルーで長いあいだ暮らしていた。古いタイプの紳士で、自分の農園の管理や経済発展だけでなく、外の世界にも知的好奇心を向けていた。たとえばドン・ペドロ・ドゥケは、私たちの歴史地理学の研究に、強い興味を示した。インカ帝国（タワンティン・スウユ）「最後の都」ビトコス（ビルカバンバ）の名前は、彼にとって初耳だったようだが、彼はスペインの『年代記（クロニカ）』からの抜粋を私たちとともに読んでくれた。そして、私たちのビトコス（ビルカバンバ）発見を手助けできると確信していたようだった。実際、彼にはよく助けられた。サンタ・アナは赤道から一三度足らず南に下ったところにあり、標高はわずか2000フィート、常夏（とこなつ）であっても「冬」の夜は涼（すず）しいが、昼間の暑さは厳しい。しかし、ドン・ペドロ・ドゥケはとても精力的で、彼の努力の結果、もっとも豊富な知識をもつ住民の多くに、プランテーション・ハウスでの私たちの会議に参加してもらえることになった。

彼らは、最後の四人のインカ皇帝が逃がれていった街や谷について、知る限りのことを話してくれた。だが、情報はそれだけではなかった。彼らは皆、「ロペス・トーレス氏が生きていれば、探検の役にたてたのに…」と口をそろえて言った。「ロペス・トーレス氏は誰よりも熱心にあの地域で鉱山やゴムを探していたし、森のなかでインカの遺跡を見たことがあるらしいから…」と。ビトコス（ビルカバンバ）やチュキパルパといった、スペインの『年代記（クロニカ）』に記されているほとんどの場所について、ドン・ペドロ・ドゥケの友人たちは知らないようだった。

しかし、幸運にもある日、ドン・ペドロ・ドゥケのもうひとりの友人で、ビルカバンバの谷あいにあるルクマ村の副村長エバリスト・モグロベホが、幸運にもサンタ・アナにやって来た。彼の兄弟ピオ・モグロベホは、一八八四年にチョケキラオの埋蔵金探索で名声を博した精力的なペルー人グループのメンバーだった。エバリスト・モグロベホとピオ・モグロベホは、埋蔵金を探すことには理解を示したが、「カランチャ神父やガルシア大尉など、その時代の人々が書き残した遺跡を見つけたい」という私たちの知的欲求を理解してはくれなかった。

私たちがもし、ルクマでモグロベホに会っていたとしたなら、彼は間違いなく私たちを疑ってかかっただろう。そして、私たちの要望を受けいれてはくれなかっただろう。幸いなことに、副村長エバリスト・モグロベホの上司にあたるコンベンシオン県の副知事が、サンタ・アナの近くのキラバンバに住み、ドン・ペドロ（テハダ兄弟の兄）の友人でもあった。副村長モグロベホは、上司のクスコ県知事から、「インカ帝国の古代遺跡を見つけ、歴史上の重要な『発見（場所の特定）』を試みる私たちの事業に気を配ること」との特別な命令を受けていた。モグロベホは、コンセビダヨクの荒野に行って、彼の身を危険にさらすことについては断ったものの、県知事の命令を忠実に実行し、結果的には私たちの大きな助けになってくれた。

サンタ・アナでの会議は、とても満足いく結果になった。この親切なホスト（農園主ドン・ペドロ・ドゥケ）、その楽しいもてなし、魅力的な会話を思うと、彼らとの別れはおしかったが、私たちはすぐにルクマへ出発することにした。ウルバンバ南西側の道を通り、サンタ・アナからオリャンタイタンボやクスコまで、続くルートを使った。それは貴重な嗜好品であるコカやアグアルディエンテ（アルコール飲料）の積み荷を運ぶための家畜の通るルートだった。ドン・ペドロの援助もあって、私たちはすばらしいスタートを切ることができた。それはアンデス山脈で一般的な早朝の出発ではなく、朝も大分時間が過ぎてからの出発だった。

私たちが通過したのは、もともと森林の多い地域だったが、長いときをへて伐採されてしまい、今では灌木や二次林でおおわれている。道端の張り出した岩の下に、カタツムリなどの陸生貝(りくせいがい)がかなりの数、集まっているのが視界に入った。少年時代、ハワイ諸島にいた私は、高地の谷間の木を好む、美しく魅力的な陸生貝(りくせいがい)を土曜日を利用して採集していた。（そうした経験をもつ）私としては、ここでかんたんに手に入れられるであろう「陸生貝(りくせいがい)をたくさん集めたい」という誘惑に勝てなかった。のぞいてみると、どの陸生貝(りくせいがい)も動いていなかった。乾季は彼らにとっての休息期間のようだった。そして、フート教授と私は、マラスを通過した。そのとき、小さな茂みの上に、ほとんどが白色の何千もの陸生貝(りくせいがい)が静かに眠っているように見えたのが印象的だった。彼らは休息場所にピッタリと「張りついて」、場合によっては茂みの茎(くき)が幽霊(ゆうれい)のように見えるほど密集していた。

今回の探検目的地は、ビルカバンバ渓谷にあった。そしてこの山奥の奥地を、私たちより前に探検したことがあるのは、科学者ライモンディただひとりだけだった。彼のビルカバンバの地図はかなり正確なものだった。ライモンディはビルカバンバ渓谷に鉱山や鉱物があることを報告しているが、マラクニョック（「道標(みちしるべ)がある場所」）の「捨てられたタンプ遺跡」以外、遺跡については言及していない。バルタサル・デ・オカンポやガルシア大尉らの話に照らしあわせると、私たちは今、確かにビトコスの谷に入っていると思われたが、かなりの不安を抱えながら探索(たんさく)を進めることになった。私たちが迷うことがなかったのは、不思議だと思われるかもしれない。しかし依然として、私たちがこの地を訪れる前、ドン・カルロス・ロメロをのぞく、ほとんどすべてのペルーの歴史家や地理学者は、インカ皇帝マンコ・インカ・ユパンキが征服者(コンキスタドール)ピサロから逃れたとき、アプリマック渓谷のチョケキラオがインカ帝国(タワンティン・スウユ)「最後の都」であったと信じていた。

チョケキラオとは「黄金の揺りかご」という意味で、「皇帝マンコ・インカ・ユパンキがクスコから大量の金器や財宝をもち出し、それをインカ帝国(タワンティン・スウユ)の新たな都にたくわえていた」という伝説を裏づけるものだった。ライモンディは、「マンコ・インカ・ユパンキが、ビルカバンバに引きこもった」ことを知り、現在のビルカバンバ村とプキウラ村の双方を訪れたが、そこにインカ帝国の痕跡は何も残っていなかった。ライモンディは、皇帝マンコ・インカ・ユパンキがカランチャ神父の問いに、「ビルカバンバからプキウラまで二、三日の旅」と答えていることから、「チョケキラオこそインカ皇帝の避難所（インカ帝国最後の都）である」と確信していた。

そこでは、パルタイバンバにある砂糖農園のオーナーが、「（ラバの）荷馬車がより早く移動できるように」と川岸に新しい道をつくっていた。その道は、断崖絶壁を切り開いたもので、ところどころに小さなトンネルが設けられていた。しかし、私たちを警護する兵はこの「新しい道」を見逃し、崖のうえを通る険しい「古い道」を通ることになった。ガルシア大尉の遠征記のなかで、オカンポが述べているように、道は上り坂で、せまく、森との戦いのようだった。そして左には、深い渓谷が広がっていた。

私たちがパルタイバンバに到着したのは、夕暮れどきだった。そこの農園主ホセ・S・パンコルボ氏は、サン・ミゲル川の密林にあるゴム農園の仕事で不在だった。パルタイバンバの農園は、ビルカバンバ渓谷下部にある最高の土地を占めている。しかし、幹線道路から離れているため、訪問者はまれだった。そのため私たちの来訪にホセ・S・パンコルボ氏はとても驚き、興奮してくれた。しかし、それも私たちにしてみれば、想定の範囲内であった。クスコで「プキウラの近くにインカ帝国の遺跡が残っているはずだ」と断言したのはパンコルボ氏で、そして彼は使用人たちに私たちの行動を注視するように言っていた。その日の夜、私たちは農園主ホセ・S・パンコルボ氏と、その友人たちと長いあいだ話しあい、いくつかの見解を交わした。彼らは、「この近くに遺跡がある」という話はほとんど聞いたことがないようだった。しかし、サンタ・アナ（の会議）ですでに聞いた話を繰り返し、口にしていた。「誰もが、そこ（インカ帝国「最後の都」）に到達するのは、とても難しい」という共通認識をもっていた。すなわちそれは、「誰も行ったことのない場所である」という証明でもあった。

翌朝、農園主ホセ・S・パンコルボはその雇人に、「（私たちを）谷の上にある隣家へ案内するように」と言った。

そして、その隣家から、さらに隣家へと次々に案内するように命じた。彼らは皆、ホセ・S・パンコルボの経営する農園の小作人であり、それは彼らにとって、多大な迷惑だったが、その命令を忠実に実行していた。

パルタイバンバの上方に位置するビルカバンバ渓谷は、とても絵になる。谷の両側には高い山がそびえていて、密生した樹林と濃い緑の葉、そしてサトウキビ畑の揺れる明るい緑とのコントラストが美しい。渓谷は険しく、道は曲がりくねり、七月でもビルカバンバ川の激流は大きな音をたてながら流れている。雨季の二月には、どのような状況になるのか、想像することしかできなかった。パルタイバンバの約二リーグ上方、ライモンディが「マラクニョック(道標がある場所)」と呼んだ「放棄されたタンバ」の近くで、私たちはいくつかの古い石垣を目にした。オカンポは、インカ皇帝トゥパク・アマル軍の逃亡者が、「ホヤラの谷に連れ戻され、大きな村に定住して、そこでスペイン人の街が築かれた」と言及している。そして、その場所こそ、ビルカバンバ地方で最初にスペイン人が定住した場所だと私は考えている。このスペイン人の街は、川の近くの広大な平野に建設され、快適ですばらしい気候をもっていた。川から街まで水がひかれ、その水はとても良質で、クスコ盆地の水よりも優れていた。川の近くの平原にはパルタイバンバの農園で、最後のサトウキビ畑がある。スペイン人たちの築いた街「ホヤラ」は、そこから数リーグ先で金鉱が発見されたのちに放棄されたという。そして、スペイン人たちの拠点は、現在、ビルカバンバと呼ばれる村に遷されたということだった。

私たちは次に、副村長エバリスト・モグロベホの本拠地ルクマを訪れた。ルクマ村は、茅葺き屋根の小屋が三〇軒ほど集まったふぞろいな村だった。内陸部への入口のひとつであるサン・ミゲル渓谷のゴム園への峠に近いこともあって、そこそこのにぎわいを見せていた。ここには「安息の家」と、この地域で唯一の商店が二軒立っている。そして、綿布、砂糖、缶詰、ロウソクなどを買うことができる。そのほかには、絵のように美しい鐘楼をもつ小さな教会が見られる。村の裏手にある小高い丘陵のうえには、修理の行き届いていない古びた建物が立っていた。平地はほとんどないものの、ゆるやかな斜面が続き、かなりの規模の農業が可能に思えた。大規模なアンデネス（段々畑）の跡は見られない。そして、ルクマではトウモロコシとムラサキウマゴヤシがおもに収穫される農作物のようだった。

ルクマ村の副村長エヴァリスト・モグロベホの邸宅は、要人の家が集まっている小さな広場にあった。エヴァリスト・モグロベホはサンタ・アナからイドマ経由で帰ってきたばかりで、私たちの来た道よりも、ずっと悪い道を通っていたようだった。しかし、そのおかげで彼と仲の悪い事業主のいるパルタイバンバを通らずにすんだのであった。彼はパルタイバンバの門前で旅人に起こったある災難について話をしてくれた。それは地方の貴族が、彼の領地を通行するすべての者に、貢ぎもの（通行税）を求めるヨーロッパの封建時代を彷彿とさせるような内容だった。

私たちは、モグロベホに連れていってもらう遺跡の数に応じて、一ソル（ペルーの銀貨）を謝礼として支払うことにした。そして、とくにそこが価値ある遺跡であったならば、その倍の銀貨を払うことを提案した。この提案は、モグロベホのビジネス本能を刺激したようだった。彼はこの地方の有力者や事情通のインディヘナを呼んで、私たちの聞き取りの応じるように言った。そして、「この地には、たくさんの遺跡がある」と言いながらも、現実主義者のモグロベホは、遺跡そのものにはまったく興味を示していないようだった。モグロベホは「遺跡を通じて稼いでやろう」と考えただけでなく、「上司のキラバンバ副県知事の命令を忠実に実行することで、官僚に気に入られるチャンスだ」と考えていたのだ。ともかく、ルクマ村の副村長モグロベホは、私たちのために最大限の努力をしてくれた。

翌日は渓谷を上り、ルクマの裏手にある尾根の上に案内された。この尾根はビルカバンバの上層域と下層域を分けている。四方には数千フィートの峰がそびえ立っていた。通常、これら峰々の多くは、雲より上に頂を出し、日々の湿気がそれら峰々の植物を育てている。最近開拓された緩やかな斜面の森からは、この谷の住人の一部が事業を行なっている形跡が確認できた。そこから一時間ほど登ると、パルタイバンバとチュキチャカの橋、そしてその反対側を見下ろす壮大な景色の広がる人工的なテラスに、「インカ帝国の建築だ」と見まがうばかりの遺跡が現れた。スペイン征服時代、ガルシア大尉とそれにしたがった者たちは、「インカ皇帝トゥパク・アマルを捕虜にするために、いくつかの砦を襲撃し、それを陥落させなくてはならなかった」と語っている。ここはそのような「要塞」のひとつであったのだろう。戦略的に優れた位置にあり、防衛が容易であったことから、そう解釈されている。

しかし、この遺跡は「ビトコス（ビルカバンバ）の要塞」にも、「泉の上の白い岩」の近くにある「太陽の家」にもあてはまらない。ここは「インカが投石具を放つ場所」を意味する「インカフアラカナ」と呼ばれていた。インカフアラカナは、インカの典型的な二棟の殿堂で構成され、その一棟は約七〇×二〇フィート、もう一棟は一五〇×一一フィートの非常に細長い部屋である。壁は粗石を粘土で固めただけの、とくにつくりこまれたものではなかった。そして、多くの点でチョケキラオの遺跡に似ている。母屋の部屋には窓がないが、各部屋には三つの玄関があり、一辺の壁に四～五個の壁龕（ニッチ）がならんでいる。一方、細長い建物は三つの部屋からなっていて、内部と外部を結ぶ門もいくつか見られた。二〇〇人のインディヘナの兵士がここで寝泊まりしても、それほど混雑しなかっただろう。

翌日、私たちはルクマを出発し、ビルカバンバ川を渡ると、谷間に切り立った高い丘が見えてきた。丘の上は、木や灌木で一部がおおわれていて、側面は急峻で岩だらけだった。この丘の名前は「ローサス・パタ（バラの丘）」といい、ケチュア語で「丘」を意味する「パタ」とスペイン語で「バラ」を意味する「ローサス」からなっている。つまり、「ふたつの言葉が混血している」と聞いた。モグロベホは「『ローサス・パタ』にはもっと多くの遺跡が残っている」とインディヘナが話しているのを聞いたことがあるという。

丘のふもと、川の対岸にたたずむのがプキウラ村だった。ライモンディが一八六五年にこの地を訪れたとき、この村は「粗末（そまつ）な礼拝堂のあるさびれた集落」に過ぎなかった。今日では、その当時よりはにぎわっているように思う。プキウラ村には大きな公立学校があって、何マイルも離れた村から子どもたちが通学してくる。晴れた日には、子どもたちが校舎の外のベンチにはみ出すほど混雑する。男の子は、みんな裸足でいる。一方、女の子たちはかかとの高いブーツを履（は）いている。そして、子どもたちが地理の授業で、教師の言葉に続いて暗唱しているのを見た。「ここが、ビルカバンバ地方で最初に設立された学校であるかもしれない」ことを、教師も、彼らも、知らなかったかもしれない。というのは、一五六六年にマルコス修道士がやってきたのは、ここ（インカ帝国（タワンティン・スウユ）の統治するビルカバンバの）プキウラだったからだ。おそらくマルコス修道士は、ライモンディが軽蔑した「粗末（そまつ）な礼拝堂」をつくったのだろう。ここ（プキウラ村）がマルコス修道士のプキウラであるならば、ビトコスは近くにあるはずだ。マルコス修道士とディエゴ修道士は、インディヘナの改宗者の行列とともにビトコス近くの「太陽の家」と「白い岩（ユラク・ルミ）」まで歩いたのだから。

その日の午後、ビルカバンバ川の歩道橋を渡ると、すぐにインカ帝国（タワンティン・スウユ）のものではない古い遺跡が現れた。調べてみると、これはスペイン製の非常に原始的な粉砕（ふんさい）プラントの遺跡で、金をふくむ石英（せきえい）を、かなりの規模で粉砕（ふんさい）するためのものであることがわかった。オカンポが「インカ皇帝ティトゥ・クシが、友人のディエゴ修道士のミサに参加した」と述べたなかで、そのミサが行われた礼拝堂の場所を、「プキウラの鉱山地区内。私の家の近くの、私有地内にあって、ドン・クリストバル・デ・アルボルノス（クスコ大聖堂の前院長）の金属工場の近く」としていた。それは、この場所を指しているのかもしれない。

そこに残っていた石臼（いしうす）のひとつは、直径五フィート、厚さ一フィート以上もあった。それは白い花崗岩（かこうがん）の、巨大な平らな岩のそばにおかれていた。その花崗岩には窪みが残っていて、ここで石臼を使って穀物をひくこともできるようになっていた。またインディヘナが使ったであろう、とても大きな乳鉢と乳棒があって、それは四人がかりで作業しなくてはならないほど大きくて重たいものだった。臼は、地表から数十インチの高さにある大きな岩の上面をくり抜いただけのものであった。杵は直径四フィートで、昔から高地のインディヘナがトウモロコシやジャガイモを砕くのに使っていたもののようで、特徴的な形をしていた。この付近では、スペイン製の石英粉砕機の遺構が他に発見されていないことから、これは前述のクリストバル・デ・アルボルノスの所有していたものだということも推測できた。

製粉所の近くで、ティンコチャカ川が南東からビルカバンバ川に合流している。この川を歩道橋で渡り、モグロベホについて進んでいくと、「ローサス・パタ（バラの丘）」南側の丘の鞍部に、ひどく荒廃した古い構造物が残っていた。この場所は「ウンカパンパ」と呼ばれていた。おそらく一六七一年に、（インカ皇帝トゥパク・アマルを追撃する過程で）ガルシア大尉とその部下が、襲撃したインカの砦のひとつであろう。この遺跡ウンカパンパは、長さ一六六フィート、幅三三フィートからなるひとつの家屋状の建造物だった。間の仕切りがあったかもしれないが、すでに消滅している。正面には六つの出入り口があり、側壁や後壁にはそれらは見られなかった。この遺跡はルクマ近郊のインカフアラカナの遺跡に似ている。壁はもともと粗石を土で固めたもので、全体的にとても粗っぽい仕上げとなっていた。建物の端にある数か所の壁龕（ニッチ）はまとまりがなく、幅は約二フィート、高さはそれより少し高い程度だった。現存する建物の一角の高さは約一〇フィートほどであった。インカ帝国の兵士二〇〇人ほどがここで寝泊まりできたと思われる。

ウンカパンパをあとにして、ガイドにしたがって尾根に登り、その西側の道を通って「ローサス・パタ（バラの丘）」の頂上を目指した。生い茂る雑草に埋もれたいくつかの遺跡を過ぎると、まもなく山頂近くのパンパ（平地）に出た。そして、ここからは「ビルカバンバ地方の大部分」を見渡すことができた。南北には雪をいただいた山々がそびえ、東西には深い緑におおわれた谷が走り、周囲は驚くほど広大だった。さらにパンパ（平地）の北側には、わりと大きな平地が広がっていて、そこには豪華で、荘厳《そうごん》な建物が残っていた。そして、「ここには広い空間があり、豪華で、荘厳《そうごん》な建築が、優れた技術と芸術性をもって建てられている。主要な建物も、そうでない建物も、扉のまぐさ（開口部上の横材）はすべて大理石製で、精巧《せいこう》な彫刻がほどこされていた」と、オカンポの描いた「ビトコスの要塞」の条件をほとんど満たしている場所。それを、私たちはついに見つけた。この要塞のまぐさはたしかに「大理石」ではない花崗岩《かこうがん》であるし、そこにほどこされた彫刻も、私たちの思い浮かべる「彫刻」ではない。しかし、図版を見ればわかるように、美しく仕上げられていて、白い花崗岩《かこうがん》は大理石と見まがうほどだった。カランチャ神父が「ビトコスの近くにある」と記しているあの「太陽の家（神殿）」をこの近くで見つけることができれば、すべての謎は解けるだろう。

　その夜、私たちはティンコチャカで、モグロベホの友人のインディヘナの小屋に泊まらせてもらった。そして、いつものように私たちは聞き取り調査を行なった。私たちがそれまで何度も繰り返してきた質問に、「隣の谷だが、水の湧く場所に大きな白い岩《ユラク・ルミ》がある」と彼（モグロベホの友人のインディヘナ）が答えたときの、私たちの心中がどれほどのものだったか。想像してみてほしい。彼の話が本当であれば、私たちのビトコス（ビルカバンバ）探しは終わりを迎える。当然のことながら、私たちはこのインカ帝国《タワンティン・スウユ》「最後の都」を慎重に調査することになるだろう。

Chapter XII
The Fortress of Uitkos and the House of the Sun

トレド総督は三五年にわたってスペインの権力に抗(あらが)ってきたインカ帝国(タワンティン・スウユ)最後の砦を征服することを決意した。そして、ビルカバンバの山中にひそむインカ皇帝トゥパク・アマルを捕らえた兵士に、年間1,000ドルもの年金を約束した。インカ皇帝を捕らえたガルシア大尉はその権利を獲得したが、年金が支払われることはなかった。フィリップ二世の時代には「マニャーナの習慣（物事を先送りにする悪癖(あくへき)）」がすでに深まっていたように見える。そこでガルシア大尉は勇敢にも、フィリップ二世のインディアス枢機会議(すうきかいぎ)に、総督の約束と自身がインカ皇帝を捕らえたことの証言集を提出した。そこには、インカ皇帝トゥパク・アマルとの戦いで起こった彼自身による記録が記されている。そして、ガルシア大尉は次のように述べている。

「私たちが要塞化されたインカ帝国(タワンティン・スウユ)の主要な砦『ワイナ・プカラ（若い要塞）』に到着すると、皇帝ティトゥ・クシの息子である王子フィリペ・キスペトゥティオが隊長と兵士をしたがえて、砦を防衛しているのがわかりました。この要塞は、険しい岩山と密林(ジャングル)に囲まれた高台に位置し、登るのも非常に危険で、ほとんど難攻不落(なんこうふらく)のように思えたものです。しかし兵士たちとともに、岩山をよじのぼり、要塞を陥落(かんらく)させました。それは最大限の労力、死と隣り合わせる危険をともなうものでありました。こうして私たちはビルカバンバを占領したのです」

トレド総督自身、この貴重な勝利は、「『一五七二年の洗礼者聖ヨハネの日』に、ガルシア大尉がワイナ・プカラの高台を襲撃(しゅうげき)した際に見せた能力と勇気によるものだ」と述べている。「ローサス・パタ(ビトコス)（バラの丘）」はたしかに「険しい岩山に囲まれた高台」であった。登るのがもっともかんたんなところは、慎重につくられた頑丈(がんじょう)な長い城壁で守られていて、包囲軍（城を攻める者）にはつま先ひとつの足がかりも残されていなかった。ウンカパンパの兵舎には混成部隊が配置され、その攻撃力はすさまじく危険でおそろしいものだった。丘は四方が急峻(きゅうしゅん)な斜面なので、小さな軍隊で守るのでもそれほど難しくはなかっただろう。「ほぼ難攻不落」であることは想像できる。これがガルシア大尉の一番の強調点であった。

「ローサス・パタ（バラの丘）」の丘の頂上には、正方形をつくるように配置された一三〜一四軒の家からなる住宅跡が残っていた。そこには、ひとつの大きな中庭といくつかの小さな中庭の跡が見られた。遺跡は、約一六〇フィート×一四五フィートほどの規模だった。住宅の構成は、建築主であるインカ帝国の伝統的な対称性の感覚を偲ばせる。原住民の盗掘者たちによって多くの建物が破壊されていて、壁も紛失している。そのため、建物の正確なかたちを知ることができない。そのなかで唯一、壁龕（ニッチ）の存在が確認できた。この遺跡で注意すべきことは、オカンポの目に留まり、彼の記憶に残ったあるひとつの建築だった。それはクスコを追放されたインカ王族が住むのにちょうどよい建物で、かつての壮麗さを想像させるには充分だった。二四五フィート×四三フィートほどの大きさで、窓はなく、正面に一五、背面に同じ数、あわせて三〇の出入口（門）から光が差し込んでいた。内部には大きな一〇の部屋と、三本の廊下が前後に走っている。壁は急ごしらえのようで、特筆すべきことはないが、各ホールに通じる主要な入口はよくできている。もちろんこの地方では大理石は産出されないので、それはオカンポが記した「大理石」ではなく、白花崗岩の積み石を細かくカットしたものだった。主要な入口のまぐさ（横材）にも、通常の入口のまぐさにも、白い花崗岩の塊がおかれ、大きいものでは長さが八フィートにもなる。

オカンポはこの近くに住んで、ウンカパンパ遺跡のことを熟知していた。そしてビルカバンバでは、「ウンカパンパの出入口のつくりはマチュピチュをのぞく、他のどの遺跡のものよりも優れている」と述べている。残念ながら、その建物はごく一部しか残っていなかった。後方側の出入口の多くは、柵をつなげるため切り石で埋められていた。また廃墟を利用した壁もつくられていたが、これは耕作地のパンパ（平原）に牛が侵入するのを防ぐためのものだった。ローサス・パタ州は、根菜類やアオゲイトウが見られる寒冷な放牧地と、トウモロコシの生い茂る温暖な地域の境界の高地に位置する。

丘の上の南側、（オカンポの絶賛した）ロング・パレスの向かい側には、長さ七八フィート、幅三五フィートからなる建築跡がひとつ残っている。両側に扉があるが、壁龕（ニッチ）も、精緻な細工の痕跡も見られない。おそらくここは兵士たちの宿舎だったのだろう。この遺跡のそばに広がる「パンパ（平原）」は、征服者ゴンサロ・ピサロの怒りから逃れてインカ皇帝マンコ・インカ・ユパンキのもとに身を寄せたスペイン人亡命者が行なっていたボウリングやホースシューズ（馬具を使った輪投げ）などの遊びをする場所だったのかもしれない。ここである男（スペイン人ペレス）が正気を失って、彼の主人であったインカ皇帝を殺してしまうという事件の発端となった、ゲームが行なわれたのかもしれない。

一九一五年の発掘調査では、大量の粗い陶器の破片、インカ皇帝のマスカパイチャ（皇位を示す房飾り）やショールをとめる青銅製のピンなどが出土した。また、ひどく錆びた馬蹄の釘、バックル、ハサミ、手綱や鞍の装飾品といったヨーロッパ製の鉄製品、三点の口琴も出てきた。「もしかしたら、現代ペルー人がここに住んでいたのかもしれない」とさえ、私は思った。しかし、生活のために必要な水を、この丘の上に運ばなくてはならないことを考えると、それは違うだろう。「ローサス・パタ（バラの丘）」からヨーロッパ起源の遺物が出土したからといって、その使用者たちの正体をかんたんに結論づけることはできない。まず、インカ皇帝マンコ・インカ・ユパンキはクスコとリマを往来するスペイン人旅行者をたびたび襲撃していたことがわかっている。第二に、楽器（口琴）はインカのもとへ身をよせたスペイン人難民のものだった可能性も否定できないし、彼らは哀愁のおびた音を奏でて、亡命生活を楽しんだのかもしれない。第三に、インカ皇帝の配下たちはおそらくクスコのスペイン市場を訪れ、そこではときおり、ヨーロッパ製の品々がならんでいたことも予想できる。最後に、ロド

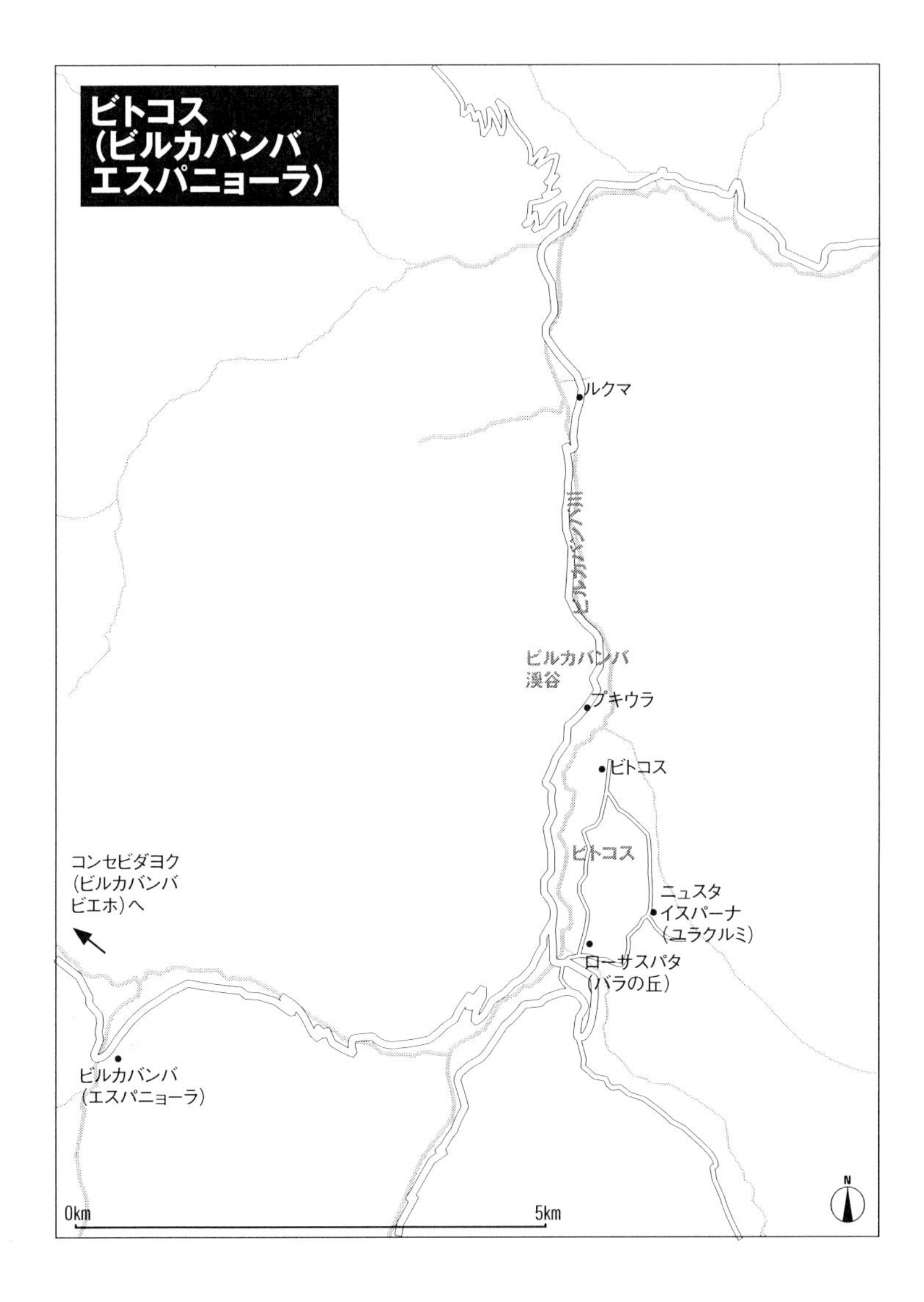

ビトコス
(ビルカバンバ
エスパニョーラ)
ルクマ
ビルカバンバ川
ビルカバンバ
渓谷
プキウラ
ビトコス
ビトコス
コンセビダヨク
(ビルカバンバ
ビエホ)へ
ニュスタ
イスパーナ
(ユラクルミ)
ローサスパタ
(バラの丘)
ビルカバンバ
(エスパニョーラ)
0km
5km
N

リゲス・デ・フィゲロアは、インカ皇帝ティトゥ・クシへの贈りものとして持参したふたつのハサミについて記録を残している。

このようなヨーロッパ製の遺物が、ビルカバンバ地方の他の重要な遺跡からは発掘されていないということは、それらの遺跡はスペイン征服以前に放棄されていたか、もしくはそのような宝物を蓄積(ちくせき)する手段をもたない原住民が居住していたことを示しているのであろう。一五七二年時点で、インカ皇帝トゥパク・アマルが占領していた要塞について、オカンポは記述を残している。だからここが「最後のインカ皇帝の宮殿」であることは間違いないだろう。ここはトゥパク・アマルの兄弟ティトゥ・クシとサイリ・トゥパク、そして彼の父であるマンコ・インカ・ユパンキの首都だったのだろうか？　しかし、インカ皇帝マンコ・インカ・ユパンキのビトコス（ビルカバンバ）を特定できる詳細(しょうさい)な情報はほとんど残っていない。彼の生きた時代がどんなものであったか、沈黙のまま、時が過ぎている。

皇帝マンコ・インカ・ユパンキがクスコを離れて、「アンデスの奥地（ビルカバンバ）」に避難(ひなん)したとき、ピサロ軍の一員であったシエサ・デ・レオンという名のスペイン人兵士がいた。彼はインカの大地で興味深いことを見聞きして、それを書き留めた天才で、できるだけ多くのインカ王族に接触しようとしていた。皇帝マンコ・インカ・ユパンキには一三人の兄弟がいたという。シエサ・デ・レオンはインカ皇帝マンコ・インカ・ユパンキとその息子たちと直接、話ができなかったことをとても残念に思っていて、「彼らは偉大なるアンデス山脈を越えたところ、もっとも奥まった地方にあるビトコス（ビルカバンバ）に退(しりぞ)いていた」と述べている。いずれにしても、私たちの知る限りにおいて、誰もインカ皇帝の居住地を特定できるような記録を残してはいない。

インカ皇帝ティトゥ・クシは「ビトコスがどこか？」という明確な手がかりをあたえていないが、彼の助言者となったマルコス修道士とディエゴ修道士の活動については、カランチャ神父が記録を残している。「ビトコ

▲左　ローサス・パタ(バラの丘)の宮殿の入口。この宮殿は横に長いつくりとなっている[『INCA LAND』掲載写真／1922年発刊]　▲右　ローサス・パタ(バラの丘)遺跡のもうひとつの入口[『INCA LAND』掲載写真／1922年発刊]

スの近くにある村チュキパルパには『太陽の家』があって、そのなかの泉のうえに白い岩がおかれている」というカランチャ神父の記述はすでに述べた。そして、私たちのガイドは、「『ローサス・パタ（バラの丘）』の丘の近くにそのような場所がある」と話していた。

「ローサス・パタ（バラの丘）」を最初に調査した翌日、（遺跡調査ではなく、遺跡を見つけて金を稼ぐことを目的としていた）せっかちなモグロベホにしたがって、私は丘の北東側に位置するロス・アンデネスの谷（通称テラス）に向かった。そして、そこには予想した通り、白花崗岩の大きな岩があり、岩のうえは平らで、その北側には彫刻のほどこされた椅子や台が残っていた。岩の西側には洞窟があって、なかには、祭祀などの宗教的行為で使われたと思われる、いくつかの壁龕（ニッチ）が見られた。そして片側は壁でおおわれていた。モグロベホとインディヘナのガイドが「近くに『マナンタル・デ・アグア（水の泉）』がある」と言ったので、私は「それこそインカ帝国の宗教施設である」と思い、興奮した。しかし、調べてみると、その「泉」は小さな灌漑用の溝の一部に過ぎないことが判明した。マナンタルとはスペイン語で「泉」をさすが、「流れる水」という意味もある。そして、カランチャ神父の記述通り、岩が「水の上」にあったわけではない。この岩は、インカ人が自らの部族の祖先を、目に見えるかたちで表すために選んだ「ワカ（聖なる岩）」のひとつであり、祖先崇拝にからんだ宗教性のあるものであったのだろうが、私たちが探していた（インカの重要な神官が祭祀を行なったという）白い岩ではなかった。

巨石と、それにつきそった神官の家だったと思われる遺跡をあとにして、私たちは小さな水の流れにそって進んでいった。そして、マチュピチュを出てからはじめて目のあたりにした、この谷（インカ帝国の聖なる谷）でもっとも重要な、立派な農業用のアンデネス（段々畑）がいくつも連なっていた。この地域にアンデネスはとても少ないが、ロス・アンデネスという谷の名前は、この段々畑アンデネスにちなんで名づけられたということは注目されるだろう。それらは、おそらくインカ帝国の皇帝マンコ・インカ・ユパンキの指示でつくられたものだろう。近くには「ワカ」と呼ばれる彫刻のほどこされた岩がいくつか見られる。岩のひとつにはインティワタナ（日時計のくびれ）が見られ、もうひとつの岩は鞍のかたちに彫られていた。深い森のなかを流れる小川にそって進んでいくと、「ニュスタ・イスパーナ（スペインの巫女）」という開けた場所に出た。

私たちの目の前には、泉があり、そのうえには大きな白い岩が載っていた。私たちのガイドは、私たちをあざむいてはいなかった。木々の下にはインカ帝国時代の神殿の跡も残っている。そして、そのそばには巨大な花崗岩の岩があり、また端のほうには水の流れる小さな泉も確認できた。そして、このあたりの名前を「チュキパルタ」と呼ぶことを知って、私たちの喜びはしあわせに変わった。

私がこの神殿をはじめて見たのは、一九一一年八月九日の午後遅くだった。四方には、深く、鬱蒼とした森林の丘陵が広がっていた。あたりに建物はひとつも見あたらず、音もほとんど聞こえない。古代インカの神秘的な儀式をとり行なうには、理想的な場所だった。この大きな岩の驚くべき様相と、その影の下にある暗い池が、ここを祈りの場にしているのだった。ここには間違いなく、森におおわれた山々のなかで、もっとも重要な聖なるモチャデロ（供物を捧げる場所）があった。そして、それは今でも地元のインディヘナに崇拝されていた。ついに私たちは、皇帝ティトゥ・クシの時代に、「インカ帝国の神官たちが東を向いて、朝日を拝み、太陽に向かって手を伸ばし、太陽に向かって口づけする」という、インカのもっとも深い服従と畏敬の儀式を行なった聖域を見つけた。

想像してみよう。華麗な衣装を身にまとった太陽の神官たちが、もっとも険しい岩の端に立ち、そして、早朝のバラ色の太陽光を受けて顔を輝かせているところを。大いなる神（太陽）は、東の山のうえに現れて、彼らインカ帝国の神官たちの礼拝を受ける瞬間を待っていたのではないだろうか？　太陽が昇ると、彼らは太陽を祝福し、こう言った。「太陽よ。平和と安寧をもたらす太陽よ。われらを照らし、われらを病から守りたまえ。

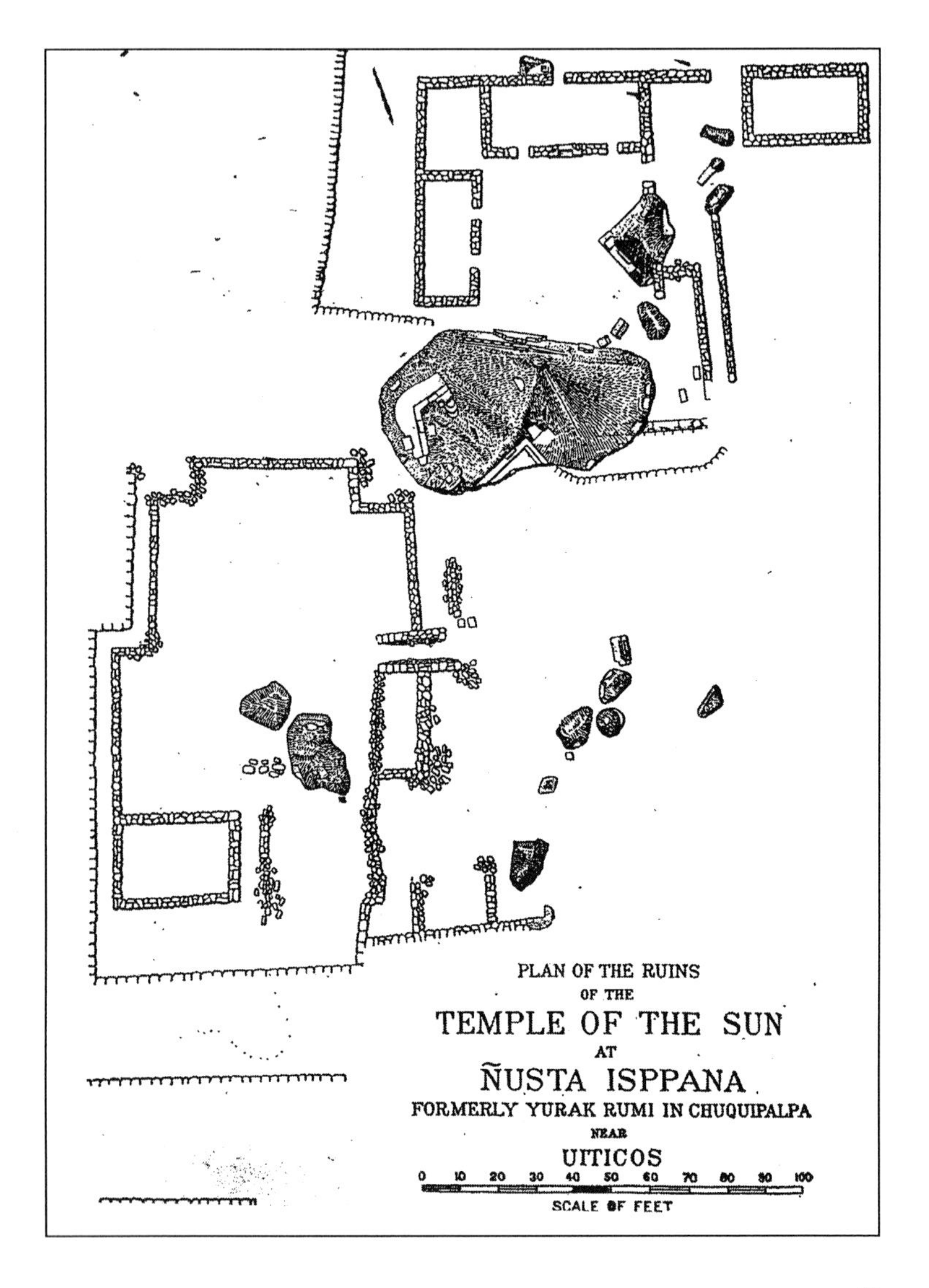
PLAN OF THE RUINS
OF THE
TEMPLE OF THE SUN
AT
ÑUSTA ISPPANA
FORMERLY YURAK RUMI IN CHUQUIPALPA
NEAR
UITICOS
0 10 20 30 40 50 60 70 80 90 100
SCALE OF FEET

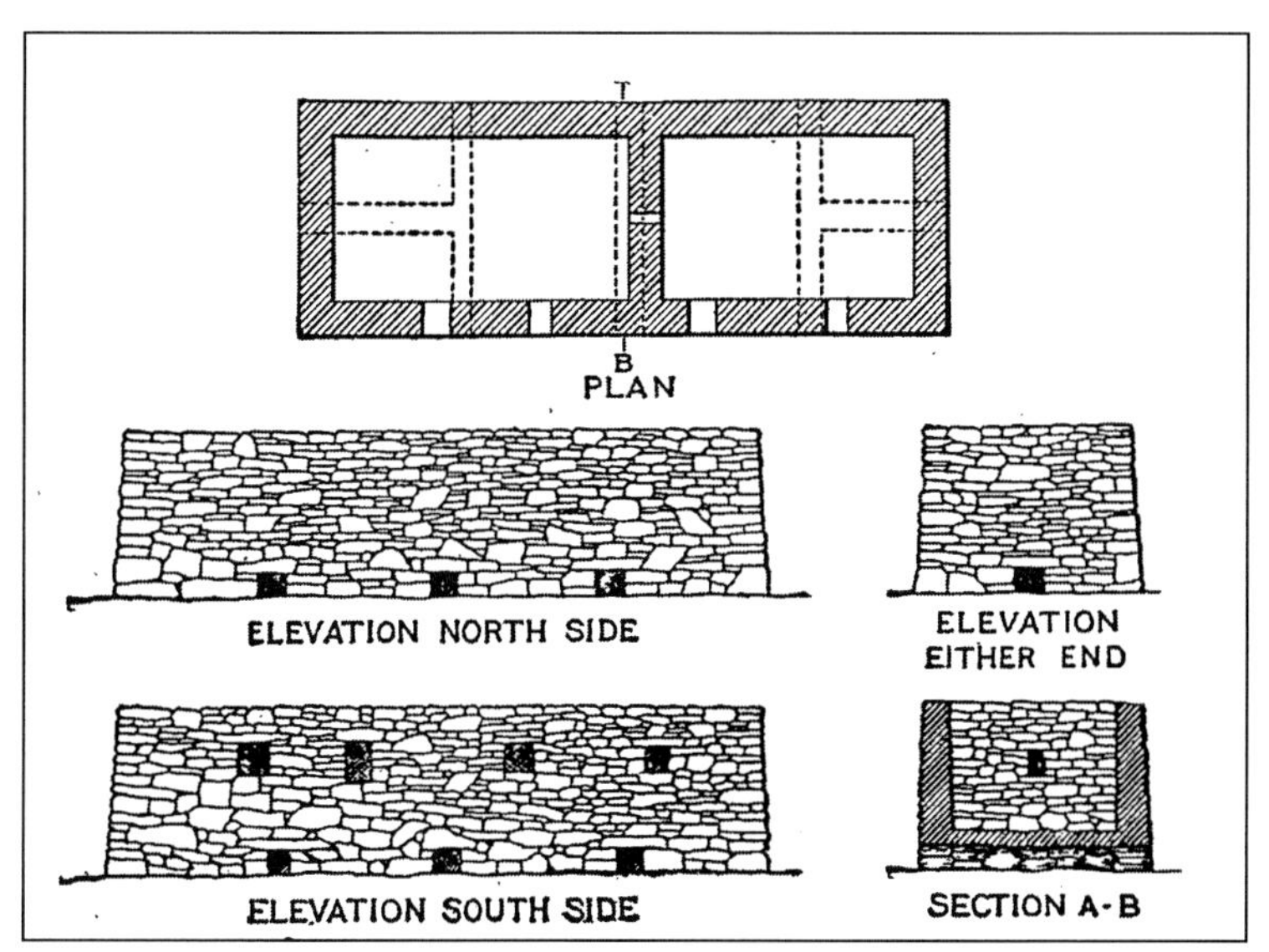

▲上　ワドキニャ近くに位置するユラク・ルミ遺跡。インカの貯蔵庫跡だとされ、風通しと水はけがよい設計になっている。ハイラム・ビンガムとH・W・フート教授の測定値と写真からA・H・バムステッド氏が描いたもの［『INCA LAND』掲載図版／1922年発刊］
▶右　ビトコス近くのチュキパルパ村に残るユラク・ルミ遺跡。その「太陽の神殿」の平面図。この遺跡は「ニュスタ・イスパーナ（スペインの巫女）」と呼ばれている［『INCA LAND』掲載図版／1922年発刊］

そしてわれらに健康と平穏をもたらしたまえ。太陽よ。永遠なるクスコとタンボを授けし太陽よ。あなたの子であるわれらに抗う者たちすべてを、われらに服せしめたまえ。あなた子であるわれらインカの民が、つねに征服者たるべくあらせたまえ」。

マルコス修道士とディエゴ修道士が、プキウラからキリスト教に改宗した者たちを連れて、薪の棒をたずさえてこの地へ行進してきたのは、皇帝ティトゥ・クシの時代だった。カランチャ神父は、インディヘナはこの地の水を神聖なものとして崇め、水のなかに悪魔が姿を現すこともあったと記している。この小さな池の水面には、空が映ることはない。苔むした黒々とした岩が張り出しているだけで、迷信に左右されないアメリカ人にとっても、水は黒く侵してはならないもののように見える。この人里離れた場所に暮らす素朴なインディヘナの信者たちは、「悪魔が水のなかに目に見えるかたちで現れた」「それを実際に見た」とかんたんに信じることができたのだろう。インディヘナは鬱蒼とした森のなかのもっとも奥深い村から、贈りものや生け贄を捧げ、礼拝するため、ここにやってくるほどだった。

それにもかかわらず、聖アウグスチノ修道会の修道士たちは、十字架の旗をかかげ、キリスト教の祈りを唱え、岩と神殿のまわりに薪を積みあげた。修道士たちは思いつくかぎりの卑劣な名前で悪魔を呼び、そして悪魔を祓い、二度と戻ってこないよう命じた。それから積みあげた薪に火をくべ、インカの神殿を燃やし、岩まで焦がしてしまった。こうしてインカの神を信仰していたインディヘナに強烈な印象をあたえ、哀れな悪魔は「怒りに満ちた咆哮」をあげて逃げていった。「残酷な悪魔は二度と、岩にもこの地にも戻ってこなかった」。その場にいた人たちが聞いた咆哮は悪魔のものだったのか、それとも燃えさかる炎によるものだったのかは、推測するしかない。炎が一時的に泉を干上がらせたのか？　あるいは水の供給がなんらかの理由で滞ったのか？　ともかく一時的に泉が消滅し、ずっと姿を現していた泉のなかに、（インカの）悪魔が現れる機会が失われたのかどうかも、推測の域を出ない。

「太陽の家（神殿）」の建築は、荒廃してしまっている。しかし、不思議な彫刻のほどこされた岩自体は、（キリスト教徒による）一五七〇年の大火にもかかわらず、よく保存されている。長さ五二フィート、幅三〇フィートほどの大きさで、水面から二五フィート（七・六二メートル）ほどのところにある。岩の西側には坐るための座と大きな階段、台が残っている。この神聖なワカでは、リャマを殺す習慣があったという。そして岩のうえには、生け贄を捧げる祭祀で使われたと思われる平らな空間があり、そこから岩に小さな亀裂（きれつ）が入っている。亀裂（きれつ）は人為的に拡張されていて、岩のうえで殺害された犠牲の血を流すためのものであったろう。この岩は今でも、この谷に暮らす迷信深いインディへナ女性たちが、静かに行なっている、起源のはっきりしない神秘的な儀式に使われている。

岩の南側には、いくつかの大きな台座があり、四～五人分の小さな座面が彫られていた。台座の切り出しには細心の注意が払われていて、角はほぼ真四角で、水平で、まっすぐに彫られている。そのうちのふたつの座席は、水面のすぐうえにくるように彫られていた。岩の北側には座席がない。水辺には階段がつくられていて、三段のものと七段のものがある。そのうえの岩は人の手で平らにされていて、とても大胆な浮き彫りがほどこされている。突き出すような四角い石が一〇個あり、これは普通、「インティワタナ（太陽をつなぎとめる場所）」と呼ばれるものと同じ性格をもつものだろう。一〇の石のうち七つの石が一列にならび、そのうちのひとつは他の六つの石から少し離れている。そして残りの三つは、七つのうえに三角形状に配置されている。これらの石が、岩の北東面にあり、日の出のとき、朝日を浴びて、印象的な影がつくられる。

「ニュスタ・イスパーナ（スペインの巫女（みこ））」を発掘した結果、出土品はほとんどなく、それが何なのか理解できないような、粗（あら）っぽくて古い土器がわずかに出てきただけだった。岩の下の流水は澄んでいて、泉のように見えた。北東側の大きな岩に隣接する沼にたまった水を排水してみると、そこは丘の少し上部にあったため、その水は暗い池に流れこんでいった。また小さな泉の縁にあった石の排水溝のようなものは、七、八個の立派な石の座席の後ろ側上部にあたることが判明した。座席のある台と座席そのものは、大きな石を三、四つうまく組みあわせたものだった。いくつかの座席は、張り出した岩の黒い影の下に位置する。このインカの泉は、恐怖と神秘の対象となっていたことから、坐るのは神官か占い師に限られていたのであろう。占いをするのにも、格好の場所だったと思われる。間違いなく、悪魔は咆哮したのであろう。

インカ帝国の故地ビルカバンバ地方での調査では、《「太陽の家」のそばの「泉のうえの『白い岩』」の存在》を明らかにすることができなかった。そして、今回の調査から得られたものとして、次のような結論が妥当だと思われる。

第一に、「ニュスタ・イスパーナ（スペインの巫女）」は、カランチャ神父の記したユラク・ルミをさす。現在のチュキパルタは、カランチャ神父がチュキパルパと呼んだ場所に比定される。

第二に、この神殿「ニュスタ・イスパーナ（スペインの巫女）」の近くにあるビトコスとは、ティンコチャカとルクマのあいだを走るビルカバンバの谷の名前であった。これはインカ皇帝マンコ・インカ・ユパンキと同時代に生きた歴史家シエサ・デ・レオンの「ビトコス」であろう。皇帝がスペインの征服者ピサロに反旗をひるがえしたときに亡命先に選んだのはビトコス（ビルカバンバ）であり、「各地から集められた大量の財宝をたずさえてビトコス（ビルカバンバ）に到着した」と記されている。皇帝マンコ・インカ・ユパンキは、女や従者とともに、可能な限り、もっとも強固な場所に宮殿を築いてそこに身をおき、そこから何度も繰り返し、各地に出撃した。そしてインカ帝国の平和を乱した残酷な敵スペイン人を攻め、できる限りの攻撃をくわえたのであった。

第三に、シエサ・デ・レオンが言うところの「難攻不落の地」、つまりガルシア大尉が陥落させたインカの主

▲上　「ニュスタ・イスパーナ（スペインの巫女）」の彫られた台座と台［『INCA LAND』掲載写真／1922年発刊］　▲下　「白い岩」の下の泉のそばにある7つの台座のうちのふたつ［『INCA LAND』掲載写真／1922年発刊］

▲上　「ニュスタ・イスパーナ（スペインの巫女）」［『INCA LAND』掲載写真／1922年発刊］　▲下　三つ窓をもつ神殿、これがタンプ・トッコだとビンガムは推測した

▲左　ユラク・ルミ遺跡の北東側の表面[『INCA LAND』掲載写真／1922年発刊]　▲右　インカ帝国の建築でしばしば見られる壁龕(ニッチ)

要な砦「ワイナ・プカラ（若い要塞）」とは、オカンポが「ピトコスの要塞」と呼んだ「ローサス・パタ（バラの丘）」をさす。そこには「平地に荘厳な建物があった」と記録されているが、その最大の特徴は二種類の扉があり、どちらの扉にも白の石製のまぐさ（横材）があることだった。

第四に、ビルカバンバ川の谷間に位置する現在のプキウラ村は、ライモンディが想定した通り、カランチャ神父の言及したプキウラをさす。ライモンディはこの「さびれた小さな村」に意味を感じず、失望した。しかし、その場所こそキリスト教布教のための最初の教会があった場所だった。

すでに述べたティンコチャカの古い金属工場跡が、インカ皇帝ティトゥ・クシがディエゴ修道士のミサに参加した場所であるということも正しいだろう。「太陽の家（神殿）」から宗教的な行事を行なうにあたって離れ過ぎていないこと、要塞ピトコスの近くにあったプキウラとの位置関係も、それを裏づけている。

第五、つまり最後の結論を記したい。カランチャ神父によると修道士ディエゴ・オルティスは皇帝ティトゥ・クシからビルカバンバに第二のキリスト教会を設立する許可を得た後、「人口が多く、周囲に多くの小さな街や村があって、立地条件のよい街ワランカラ」を選んだという。このあたりでは、ひとつの修道院から他の修道院までは、二〜三日の距離があった。マルコス修道士をプキウラに残し、ディエゴ修道士は新しい場所におもむき、そこですぐに教会を建てた。今日、ワランカラという街はなく、そのような名残りも見られない。しかし、標高約10,000フィートの快適な谷間マピヨは、インカ人の親しんだ作物が栽培されていたであろう温帯地域にあたり、リャマやアルパカが繁殖できる牧草地もある。そして、その近くに「ワランカルケ」と呼ばれる場所が残っている。

この谷の人口は多く、いくつかの小さな街や村が点在している。ワランカルケはプキウラから二〜三日の距離にあり、現在、この地域のインディヘナがアヤクチョに行くときに使う街道上に位置する。これは間違いなく、インカ皇帝マンコ・インカ・ユパンキがスペインのキャラバン隊を襲撃する際に使用したルートだと考えられる。マピヨ川は、パンパス川の河口付近でアプリマック川に流れ込む。パンパス川からそれほど遠くないところ、ボンボンとオクロスのあいだに重要な橋がかかっている。それは一九〇九年にヘイ氏と、私がクスコからリマへ向かう際に渡った橋であった。スペイン人ピサロの創建した街アヤクチョまでは、この橋から一日の旅でたどり着く。そして、スペインのキャラバン隊はこの橋でパンパス川を渡る必要があった。それをねらったインカ皇帝マンコ・インカ・ユパンキの軍隊はビトコス（ビルカバンバ）からマピヨ川を下り、「ワランカルケ」を経由するという行軍ですぐにたどり着くことができただろう。これこそ、カランチャ神父の『年代記』に登場する「ワランカラ」に違いない。

広くて深いアプリマック川を渡るには、筏やカヌーを使わなくてはならなかっただろう。ワランカルケとルクマのあいだの谷間にあって、マンコ・インカ・ユパンキとその亡命政府は、アプリマック川と二マイル以上の深さが続く壮大な峡谷によって、ペルー中央部から隔離されていた。インカ皇帝マンコ・インカ・ユパンキは、サルカンタイ山、ソレイ山、そしてそれらに隣接する山々の、人を寄せつけない雪と氷河によってクスコから隔離されていた。この地方では、すべての峠が完全に雪で閉ざされることもめずらしくはない。近年でも死亡事故が発生しているほどだ。この山岳地方は、インカ帝国（亡命政府）皇帝マンコ・インカ・ユパンキが敵のスペイン人から身を守ることができるだけでなく、あらゆる気候をもち、皇帝と従者のための豊富な食料を手に入れることを可能にした。

現在のビルカバンバ渓谷の上部にある、プキウラという街の周囲の辺鄙な地域が、かつて「ビトコス（ビルカバンバ）」と呼ばれていたことを疑う余地はないだろう。当時、「アンデス」という言葉は非常に限られた範囲をさし、クスコの北にある「アンティス」という部族の住んでいた高地にのみ使われていた。そして、アンデスという名前は南アメリカをつらぬくこの山脈全体に対してつけられるようになった。もともとの高地、アンデスの頂点に位置するのがサルカンタイ山である。

Chapter XIII Vilcabamba

第13章
ビルカバンバ

第13章／ビルカバンバ

インカ皇帝マンコ・インカ・ユパンキの亡命先の地をビトコスと記す作家も多いが、実際にはウィルカパンパ、もしくはビルカバンバという名前のほうが多く使われている。スペイン征服者を父に、インカの王女を母にもつ歴史家ガルシラーソ・デ・ラ・ベーガはビトコスという地名は使っていない。ビルカバンバが、この地方の通称であった。カランチャ神父によれば、それは「経度一四度分、幅にして七〇〇マイル」のとても広大な地域であり、そこは亡命インカ帝国の支配下にあった。そして、インカ皇帝マンコ・インカ・ユパンキとその息子たちに贈りものをする「奥地の野蛮な部族」も多く暮らし、そのなかで「マニャリー族とピルコソネス族は、一〇〇また二〇〇リーグも離れたビトコス（ビルカバンバ）のインカ皇帝のもとを訪れていた」という。

またビルカバンバという呼称は、ある特定の街に繰り返し、使われている。それだけではなく、皇帝ティトゥ・クシは若いころ、何年もそこで暮らしていたという。カランチャ神父は、「そこ（ビルカバンバ）へ行くには、プキウラから二日間の旅となる」と言っている。探検家ライモンディは、「そこ（ビルカバンバ）はチョケキラオではないか？」と考えた。しかし、スペインのガルシア大尉は「（現在はゴムの生産地となっている）モンターニャの暖かい谷間にある」と述べている。一方、ペルーの地図上で、ビルカバンバ（・エスパニョーラ）という地名がついている唯一の場所は、プキウラから三、四リーグも離れていないビルカバンバ川の源流近くにある。私たちは、この地を訪れることにした。

このビルカバンバ（・エスパニョーラ）の街は、海抜11,750フィートの荒涼とした高原の牧草地の端に位置している。そこにはインカの城壁や遺跡の代わりに、スペイン風の頑丈な家が三軒立っている。私たちが訪れたとき、これらの家はほとんど空っぽだったが、屋根は重い茅葺きで、よく手入れが行き届いていた。私たちは、この地方の知事マヌエル・コンドレの家に泊まった。夜の寒さは厳しく、テントでの宿泊ならば、快適には過ごせなかっただろう。知事によると、街が閑散としているのは、ほとんどの人が近隣の谷間に位置する小さな農場に行って、羊や牛の群れの世話をしているからだという。年に一度、この街の教会でミサを行なう神父が訪れる、特別な祭りのときには建物もうまってしまうという。

一六世紀後半、この街に隣接する山で金鉱が発見され、スペイン統治時代のビルカバンバ州の主都がホイヤラからこの街（ビルカバンバ・エスパニョーラ）に遷された。コンドレ知事によれば、今でも街の正式名称はサンフランシスコ・デ・ラ・ビクトリア・デ・ビルカバンバであり、ペルー初期の地図のほとんどにこの地名は掲載されているという。がっしりとした石づくりの家の重厚なつくりは、ここで黄金が産出され、金を掘る人たちが豊かだったことによる。現在の荒涼とした街の雰囲気も、まばらな人影も、この金の鉱脈の枯渇によるものであろう。この街（ビルカバンバ・エスパニョーラ）の教会は、壮大なたたずまいを見せていた。教会の近くには絵のように美しい石づくりの鐘楼があって、古いスペイン製の鐘が三つ吊られている。コンドレ知事の話では、この教会は少なくとも三〇〇年前に建てられたものだという。おそらくオカンポが、入念につくらせた建築なのだろう。サンフランシスコ・デ・ラ・ビクトリアの州都をホイヤラから鉱山の近くに遷すことになり、それにはスペイン総督の許可が必要だった。そのため、当時、入植者の中心人物であったオカンポが当事者の代表としてクスコへ向かい、総督とこの問題（州都を遷都させること）について交渉した。この経緯について、オカンポは次のように述べている。

「この遷都は、われらの主たる神と、スペイン国王陛下に奉仕するために行なわれる。この遷都で、王室には五倍の富を、住民には大いなる利益を必ずやもたらすだろう。その宣誓書を提出して、ドン・ルイス・デ・ベラスコ総督の許可を得た。すると総督は遷都先の都市の名前をサンフランシスコ・デ・ラ・ビクトリア・デ・ビルカバンバとするように命じた」

「この遷都により、私バルタサル・デ・オカンポは、われらの主たる神と国王陛下に多大なる奉仕を尽くした。(ビルカバンバ・エスパニョーラの)礼拝堂と大扉をそなえたすばらしいキリスト教会は、私の裁量と努力、懇願によって創建された」

「その壁は重くて荘厳、しっかりと固定された扉や巨大で、この教会はまさに勤勉と労苦によってつくられた」

キリスト教会の建てられたその場所は「オンコイ(ビルカバンバ・エスパニョーラ)」と呼ばれ、この土地を発見したスペイン人が、はじめてリャマやアルパカといった家畜の群れを見た場所であったという。現在のビルカバンバは草地の斜面に位置し、羊と牛の飼育に適している。急な斜面ではジャガイモが栽培されているものの、谷全体を見ればほとんどが放牧地となっている。インカの人々がリャマやアルパカを放牧していたであろう場所には、馬や牛、羊がたくさん生息していた。近くの岩壁には、オカンポの時代にはじまった鉱山の跡も残っている。ここがスペイン征服時代の「オンコイ」であることは間違いないが、今、この地ではオンコイという名称は使われていない。

この街の役所で、「ローサス・パタ(バラの丘)」にインカが住んでいたことを話す年老いたインディヘナに出合った。ビルカバンバ地方の聡明な農園主の好意や、政府関係者の援助で、多くの人々の聞き取りをした私たちの調査のなかで、このような証言をしたのはこのインディヘナだけであった。しかし、彼をしても『ビトコス』やそれにまつわる話は聞いたことがない」ということだった。もし私たちが今、本当にインカ皇帝マンコ・インカ・ユパンキとその息子たちの国(亡命政権、新インカ帝国)にいるのであれば、なぜ誰もそのことを知らないのだろうか?

▲上　ワドキニャの様子［『INCA LAND』掲載写真／1922年発刊］　▲下　ビルカバンバ渓谷のプキウラとローサス・パタ（バラの丘）［『INCA LAND』掲載写真／1922年発刊］

結局のところ、それは驚くべきことではないのかもしれない。高原地帯に暮らすインディヘナは何世代にもわたって支配者に無視され、非人道的な扱いを受けてきた。彼らは購入できるだけのアルコールを飲まされ、入手できる限りのコカインの葉を噛み続けさせられることで（つまり酒と嗜好品で骨抜きにされて）、民族としての自尊心はすべてとは言わないまでも、その多くを失ってしまったのだろう。ペルーの主要な現代都市に暮らす教育を受けた混血のメスティーソたちは、征服者のスペイン人兵士だけでなく、征服されたインディヘナの血もひいている。そのためインカ帝国の功績を誇りに思い、彼らの祖先が残したすばらしい文明の痕跡を、次世代に伝えようと努力していた。

つい最近まで、このビルカバンバ（・エスパニョーラ）は、クスコ市に暮らすペルー人のほとんどにとって未知の土地であった。もし、あの最後のインカ皇帝四人の都が、ヨーロッパ人にとって魅力的な気候をもち、大規模な人口を支えるだけの充分な天然資源があり、アンデス山脈の他の地域よりもさほど交通の不便でない地域にあったならばどうだろう？　ガルシア大尉の時代（スペイン征服時代）から現在にいたるまで、スペイン語を話すメスティーソたちに占領されていたであろう。そして、彼らは古代インカ帝国の首都の名前と、それにまつわる伝統を保存することに関心を示していたかもしれない。

オカンポたちを魅了した金鉱山が「枯渇」したか、もしくは一六世紀の原始的な道具では充分に産出できなくなったあと、スペイン人はその「最果ての地（ビルカバンバ・エスパニョーラ）」から興味をなくしたようだ。プキウラとクスコ、そして文明を結ぶ道は、粗々しく、とても危険で、通行に困難をともなう道でもあった。季節がめぐる一年を通じて、その大半の期間は、アンデスの「道」に慣れている人にとっても、通行がままならないほどの厳しさであった。サルカンタイ山とベロニカ山近くの峠を越えなくてはならないという困難な交通手段にもかかわらず、スペイン語を話す人たちはウルバンバ渓谷の下流部に暮らすようになった。それはワドキニャとサンタ・アナのあいだで、「サトウキビとコカの栽培ができるから」という理由だった。だが、ビルカバンバ渓谷の上流部に足を運んだり、そこを居住地としようとする者はいなかった。パンコルボ氏がルクマへの道を開くまで、プキウラまでの交通はとても大変なものだった。

インカ帝国最後の皇帝トゥパク・アマルの時代から、近代になって最初の探検家がやって来るまでのあいだに、九世代のインディヘナがビルカバンバ地方に暮らし、そして死んでいった。インカ皇帝マンコ・インカ・ユパンキとその息子たちの時代に「ローサス・パタ（バラの丘）」につくられた大きな石づくりの建物は、もう大分前に荒廃してしまっていた。屋根は朽ち、そして跡形もなく消えていた。かつて、この地に暮らしていた人々の名前を知るインディヘナも少なくなっていた。インディヘナの原住民は、インカ帝国が残したさまざまな砦や宮殿について、スペイン人地主に積極的に伝えようとは思わなかったし、地主もそのような話を積極的に聞こうとはしなかった。亡命したインカ帝国の皇帝マンコ・インカ・ユパンキの首都を探そうという試みは、一九世紀に入って、人々の歴史的、地理的関心が深まってきてからのことだった。インカ帝国の「失われた都ビルカバンバ」に関して、はじめてとり組んだ科学者ライモンディがプキウラにやって来ても、この村の誰もが村の反対側の丘のうえにインカ帝国最後の住人が住んでいたことや、その宮殿跡が木やブドウの茂みに隠れて残っていることを、教えようともしなかった。

一五九八年のスペインの文書によると、「サンフランシスコ・デ・ラ・ビクトリア・デ・ビルカバンバ」という長い名前をもつ街は、「ビトコスの谷」にあった。この街の名前はやがてビルカバンバ（・エスパニョーラ）と短縮され、ライモンディの地図にもそのように記されている。宮殿のあったビトコスの名前は、人々の記憶から消えて久しい。さらに高地の牧草地では、リャマやアルパカは見あたらず、ヨーロッパ系の家畜ばかりになっていた。何らかの理由でこの地域はインディヘナに見捨てられたのだろう。インカ帝国時代からずっとこの谷にインディヘナが居住していたのであれば、少なくとも数頭の南北アメリカ固有のラクダが生息していないわけがない。それだけでは注目に値しないが、ビトコスに関する伝承が失われていることとあわせて考えると、この付近に有力者が住んでいなかった期間はかなり長かったのではないかと思われる。

植民地時代の歴史家によると「最初のスペイン人入植者の採掘作業で、少なくとも一〇〇万人のインディヘナが致命的な被害を被った」という。歴史家は、はしか、水ぼうそう、天然痘など、ヨーロッパの伝染病が入ってきたことが、初期のスペイン人鉱夫や宝探しの人々が、非常に苛酷な生活のなかで不幸にも早死にした死因に大きくに関係しているとしている。このような結果になったのは、(伝染病と苛酷な生活の)両方の原因があったからに違いない。植民地時代の初期に、ペルーの人口が大幅に減少したことは間違いないという。そうであれば、残された人たちは当然、ビトコスやビルカバンバの谷間よりも、生活や人間関係の条件が厳しくない地域を求めたと考えるのが自然だろう。

一九世紀末から二〇世紀初頭にかけての学生や旅行者は、探検家バンデリアのような保守的な観察者もふくめて、「現代のペルーとボリビアでのアンデス山脈の人口は、スペイン征服時の人口と同程度である」と考えている。つまり、初期の植民地時代には栄えていた鉱山の衰退と、それにともなう劣悪な環境での生活、強制労働の消滅、またヨーロッパ由来の病気に対する免疫力のある程度の向上、ペルー独立後のより快適な生活環境とあいまって、(一度、減った)高原地帯のインディヘナの数は増加していると考えるのが妥当であろう。

それにともなって、特定の地域では、人口の密集化がはじまった。困難な山道ということを踏まえても、より人口の少ない地域に人々が進出するのは自然な傾向であろう。その結果、彼らはインカ帝国亡命政権のあったビルカバンバ地方のような人里離れた、交通の便の悪いところに暮らすようになった。金が採れなくなってから、新たにゴムの需要が見いだされたことで、サン・ミゲル渓谷はまた白人に占領された。そのあいだの三〇〇

▲　太陽神、インカ皇帝に仕えた「太陽の処女」たち（ワマン・ポマ『新しい記録と良き統治』より）

年近く、プキウラやルクマあたりでは、普通のインディヘナの羊飼い以上の、教育を受けたり、知性をもった人は住んでいなかったのではないだろうか？

ビルカバンバ地方にあるこれらの村のアドベ・ハウス（日干しレンガの家）は、とても近代的に見える。ひょっとしたら一九世紀に建造されたものかもしれない。（比較的新しく住居が建てられたという）このような状況は、多くの遺跡が発見された土地でありながら、ペルーではその遺跡に関する情報がとても少ない原因にもなっている。そして、ペルーの地理学者ライモンディとパズ・ソルダンは、「アプリマック川とウルバンバ川のあいだにある唯一の遺跡チョケキラオこそ、ビルカバンバ山中に避難したインカ帝国の首都であったに違いない」と結論づけたのだった。

またインカ帝国の宮殿跡「ローサス・パタ（バラの丘）」と神殿跡「ニュスタ・イスパーナ（スペインの巫女）」の存在は、ペルーの地理学者や歴史学者、そして隣接する村に暮らす政府関係者にさえ、知られていなかったということも納得できなくはない。私たちがビトコスを見つけたことはたしかだが、ビルカバンバと呼ばれる場所のすべてを発見したわけではないことも明らかだった。一六世紀に書かれた文献を調べてみると、カランチャ神父が「ビルカバンバ・ビエホ（古いビルカバンバ）」と呼んだ場所がある。そしてオカンポが「ビルカバンバ（・エスパニョーラ）」と呼んだ、スペイン人がつくった三番目の町があり、それはつまり、私たちが今いる場所のことではないか？　と考えられる。

最初のビルカバンバ（「ビルカバンバ・ビエホ」）については、マルコス修道士の試練と苦難、そしてディエゴ・オルティス修道士の殉教にいたるカランチャ神父の記述が残っている。この記録者は、「修道士たちがビルカバンバ・ビエホを訪れたこと」をかなり詳細に語っている。修道士たちがインカ帝国のこの重要な聖地の存在を知ったのは、修道士たちがプキウラにキリスト教会を建てたあとだった。彼らはインカ皇帝ティトゥ・クシに、その聖地への訪問の許可を求めた。だが、長いあいだ皇帝は、それを拒否し続けた。修道士たちは（どこにあるかわからないままだが）インカ帝国の宗教を把握するには欠かせないため、ビルカバンバ・ビエホへの訪問を請い続けたのであった。そして、ついに皇帝ティトゥ・クシは彼らのしつこさに辟易して、あるいは彼らの訪問が楽しいものになるかもしれないと考えて、修道士たちの要求を聞き入れ、彼らに旅の準備をさせたのだった。

　カランチャ神父によると、「インカ皇帝自身がふたりの修道士と、数人のインカの貴族や軍人を連れて、プキウラからのひどく荒れた険しい道を通って、ビルカバンバ・ビエホまで向かった」という。しかし、インカ皇帝は古代ローマの将軍のように、手慣れた担ぎ手（皇帝の召使い）たちの手で、ゆうゆうと駕籠で運ばれていたので、悪路に悩まされることはなかった。しかしもちろん修道士たちは、そのような待遇を受けることはできず、徒歩で行かなければならなかった。岩の多い、湿ったひどい道は、彼らの足どりを重くさせた。

「ウンガカチャ（インガカチ、インカの塩田）」と呼ばれる悪路に差しかかったとき、繰り返し水のなかを進んだ。マルコス修道士とディエゴ修道士の通ったその地の水は、とても冷たかったという。水のなかを歩く修道士たちにとって、（裾の長い）修道服は邪魔になり、その様子を見て、インカ皇帝とその貴族たちはとてもおもしろがった。しかし、修道士たちはビルカバンバ・ビエホを目指して歯を食いしばって進んだ。「そのインカ帝国最大の都市には、偶像崇拝の大学があり、そこにはその教師、そして醜悪な占い師たちが住んでいる」という思いからだった。ビルカバンバという地名から察すると、神官や占い師たちは「ウィルカ（という樹木）の種」からつくった古代の嗅ぎタバコの誘因する効果（麻薬的効果）を利用していたとも充分に推測できる。

　マルコス修道士とディエゴ修道士は、荒れた山道を三日がかりで旅をして、ついに目的地に到着できた。しかし、この場におよんでも、皇帝ティトゥ・クシは「キリスト教の修道士たちがこの街に入ること」をよく思わなかった。そしてインカ皇帝や貴族、神官たちがとり行なう儀式や儀礼が目撃されないように、修道士たちは街の外の住居で暮らすように命じられた。そのため、ビルカバンバ・ビエホの様子についての記録は何も残っていない。そして、マルコス修道士とディエゴ修道士はそのすぐ近くまで行ったにもかかわらず、ビルカバンバ・ビエホを実際に見ることが許されたかどうかはわかっていない。

ここでマルコス修道士とディエゴ修道士は三週間滞在し、彼らの伝道と教育を続けた。そのあいだ、キリスト教の修道士をビルカバンバ・ビエホに連れてくることに反対していた皇帝ティトゥ・クシは、さまざまな方法で彼らを困らせることで復讐(ふくしゅう)を試みた。カランチャ神父によると、皇帝ティトゥ・クシは、とくに修道士たちに独身の誓いを破らせることをたくらんでいたという。そして神官や占い師たちと相談して、インディヘナのもっとも美しい女性たちを(彼らを誘惑する)誘惑者に選んだ。インカ皇帝とその高位の神官の命を受けた彼女たちは、ビルカバンバ・ビエホにある偶像崇拝(ぐうぞうすうはい)の大学に住んでいた、帝国でもっとも美しい娘たちのなかから選ばれた「太陽の処女(しょじょ)」だった可能性がある(太陽の処女(しょじょ)とは、太陽神や太陽神と同一視されたインカ皇帝に仕えた女性)。またビルカバンバ・ビエホは、修道士たちが三週間もその周辺に暮らしていたにもかかわらず、彼らが街の様子を目撃したり、チュキパルタの泉のうえの白い岩(ユラク・ルミ)で行なわれていたような「忌み嫌われる行為(インカの宗教祭祀)」を記述することができない街の構造になっていたことも明らかになっている。

後述するように、カランチャ神父の『年代記(クロニカ)』のなかで、「ビルカバンバ・ビエホ」と記しているこのビルカバンバは、現在のマチュピチュと呼ばれる山の斜面にあった可能性がある。

Chapter XIV Conservidayoc

第14章
コンセビダヨク

第14章／コンセビダヨク

サンタ・アナに暮らすドン・ペドロ・ドゥケに、カランチャ神父やオカンポが記載しているインカ帝国(タワンティン・スウユ)ゆかりの地を特定する作業を手伝ってもらったことがある。そのとき、ドン・ペドロの情報提供者ふたりが、「ビルカバンバ・ビエホ（古いビルカバンバ）」は、コンセビダヨクという場所のことを指すのではないか？　と教えてくれた。ドン・ペドロによると、一九〇二年、ゴムの木を求めて熱帯雨林(ジャングル)（モンターニャ）を旅したロペス・トーレスが、「（コンセビダヨクで）インカの都市遺跡を発見した」と報告してきたという。ドン・ペドロの友人たちは皆、「コンセビダヨクは、今、生きている者で、誰も行ったことがない」「よそ者を村に入れない迷信深いインディヘナが住んでいる」といい、たどり着くのが難しい場所であると話していた。

私たちが、パルタイバンバに着くと、パンコルボ氏のマネージャーが私たちが耳にしたコンセビダヨクの話を確認してくれた。彼によると「コンセビダヨクにはサアベドラ氏という人物が住んでいて、彼は遺跡についてはよく知っているだろうが、訪問者を受け入れることを非常に嫌っているという。サアベドラ氏の家はとてもわかりにくいところにあり、「最近、そこに行って生きて帰ってきた人はいない」ということだった。コンセビダヨクまでどのくらいの距離があるのかは、意見が分かれた。

数日後、フート教授と私は「ローサス・パタ(ビトコス)（バラの丘）」付近の遺跡を調査していた。すると、サン・ミゲル渓谷のゴム農園から戻ってきたパンコルボ氏が、私たちが近くにいることをルクマで知って、わざわざ会いに来てくれた。そして、「コンセビダヨクのインカ遺跡を探すことはやめたほうがいい」と言った。彼の話では、「（コンセビダヨクに暮らす）サアベドラ氏は多くのインディヘナを配下にもち、五〇人の使用人をしたがえて豪勢(ごうせい)な生活をしている。しかし、誰かに訪問され、自分に干渉されることをまったく望んでいない」という。「このインディヘナ（サアベドラ氏）はカンパ族の出身で、非常に野生的で、きわめて野蛮。毒矢を使い、よそ者には非常に敵対的」だという。パンコルボ氏は、「サアベドラ氏の邸宅の近くに、インカの遺跡が残っていると耳にしたことがある」と認めたうえで、「危険を冒してまで、命がけで探しに行かないほうがよい」と懇願（こんがん）して、私たちを引きとめた。

パンコルボ氏の話を聞いた途端、私たちの好奇心は完全に刺激されてしまった。私たちは、「熱帯雨林（ジャングル）（モンターニャ）に暮らす未開のインディヘナの習性」や、「この地方のゴム園がゴム液の採集のために彼らの労働力を必要としている」という話を知っていた。私たちは「インディヘナたちが、パンコルボ氏のもとで働くことを嫌っている」という情報まで知っていたが、パンコルボ氏は、情熱的で、野心的、多くのことを成し遂げようとする実業家だった。そして、そのためには「かんたんに手に入る、より多くの労働力が必要だ」と考える人物であった。予想できることだが、コンセビダヨクにはサン・ミゲル（パンコルボ氏）のゴム園から逃げてきたインディヘナがいるかもしれない。またパンコルボ氏自身、彼らの毒矢で、生命を狙われていたかもしれない。何気なく訪れた探検家が、ゴム採集の必要性から部族の怒りを買い、殺されかけるということが、一九世紀のアマゾン流域のいたるところで起こっていた。

フート教授と私は、この問題をあらゆる角度から検討することを試みた。最終的には「コンセビダヨクにインカの遺跡がある」という具体的な報告を受けたからには、友好的な農園主の（パンコルボ氏の「そこに行ってはならない」という）アドバイスにしたがうわけにはいかない。つまり「コンセビダヨクに行く」という結論に達したのであった。私たちは、まずその遺跡にたどり着くための準備と努力をしなくてはならない。また強大な力をもつサアベドラ氏とその好戦的な配下たちの恨みを買わないように、あらゆる注意を払わなくてはならない。

私たちが、ビルカバンバの街に到着した翌日、コンドレ知事は彼のチーフ・アシスタント（右腕）と相談して、周辺に暮らすもっとも賢明なインディヘナたちを私たちのために呼んでくれた。そのなかにはインカ皇帝ティトゥ・クシの時代を彷彿とさせるキスピ・クシという絵になる老人の姿もあった。彼は内側のニット帽はそのままに、外側の帽子をとって、私たちの質問にできるだけていねいに答えようとした。「インカ皇帝トゥパク・アマルがローサス・パタ（バラの丘）に住んでいた」と話した人物こそ、彼だった。そして「ビルカバンバ・ビエホのことは聞いたことがないが、コンセビダヨク近くの山中になんらかの遺跡が残っている」ということを認めた。コンドレ知事は、他のインディヘナにも同様に質問した。すると、何人かはコンセビダヨクの遺跡について聞いたことがあったようだった。しかし、そこにいた彼らをふくめ、村の誰もが、実際にコンセビダヨクの遺跡を見たり、遺跡の近くを訪れたりしたことはないようだった。彼らは皆、サアベドラ氏の居住地は、「パンパコナス先の密林地帯（モンターニャ）を徒歩で四日以上かけて歩いたところにある」ということで意見が一致していた。

コンセビダヨクという名前の村は、一六世紀の文献には頻繁に登場しているものの、現在のペルーの地図には掲載されていない。一五六五年ごろ、インカ皇帝ティトゥ・クシに謁見するためにやってきた修道士ロドリゲス・デ・フィゲロアは、「バンバコナスという場所で、皇帝に会った」と記している。彼によると、インカ皇帝はモンターニャの密林のどこかからバンバコナスにやってきて、コンゴウインコ一羽とピーナッツ二袋分（温暖気候の産物）をロドリゲス・デ・フィゲロアに贈ったという。

私たちは、この地域の描かれたライモンディによる貴重な大判地図をもってきていた。また王立地理学協会から出版されたばかりの、最新情報をまとめた南ペルーと北ボリビアの新しい地図ももってきていた。インディヘナは、「コンセビダヨクはビルカバンバの西にある」と話していたが、ライモンディの地図では、街の西の山から流れる河川はすべてアプリマック川の短い支流で、南西に向かって流れている。そのため、コンセビ

▲左　インカの遺跡について証言するキスピ・クシ氏[『INCA LAND』掲載写真／1922年発刊]　▲右　担ぎ手のひとりがパンパコナス川を渡るところ[『INCA LAND』掲載写真／1922年発刊]

ダヨク遺跡の話は、ワドキニャで道路工事の現場監督から聴いた話と同じように、根拠のないものになるのではないか？　という懸念があった。情報提供者のひとりの話では、インカの都市は「エスピリトゥ・パンパ」、つまり「幽霊たちのパンパ」と呼ばれていたという。果たして遺跡は亡霊なのか？　カメラとスチール製の巻き尺をもった白人が来ると消えてしまうのだろうか？

ビルカバンバの人は、誰もその遺跡を見ていないということだった。しかし、「ここから五リーグほど離れたパンパコナス村には、実際にコンセビダヨクに行ったことのあるインディヘナがいる」という。私たちの携行する物資も、少なくなってきた。ルクマの近くには店舗がなく、原住民から食料を調達することもできない。そこで、コンドレ知事の反対（親切な助言）を振り切って、私たちはすぐにコンセビダヨクに向けて出発することにした。

ビルカバンバ渓谷での長い一日の旅程を終えると、フート教授が慣れた手つきで夕食の準備をしていた。そしてこの時間、私たちは大好物のお茶を飲むことを楽しみにしていた。数年前、ラバに乗ってボリビア南部の大高原を旅していたとき以来、アンデスの高地では甘くて熱いお茶が興奮と活力をあたえてくれることを私たちは知っていた。最初のころは、インディヘナのラバ追いたちの飲んでいるお茶の量に驚いたものだ。しかし、私たちは高山でのつらい経験から、冷水を飲むと山酔いの原因となることが多く、飲むなら熱いお茶がよいことを知っていた。ある日の夕方、熱いお茶を一口飲んで大騒ぎになった。それは想像を絶するほどの恐ろしいものだった。気がついてフードボックス（食品箱）を見てみると、その表面に小さな油の粒子が浮いていた。さらに調べてみると、その日のうちにラバ追いのひとりが灯油の缶を、荷物のうえにおいていたことがわかった。そして、灯油が缶から漏れ出し、フードボックスのなかに滴り落ちていた。グラニュー糖の入った布の袋が、油を吸い込んでいた。そのため、仕方なく、食料品（物資）の半分を捨てなくてはならなくなった。以前、述べたように、アンデスの高地で身体を動かせば、動かすほどに、身体は糖分を求め、砂糖がほしくなってくる。しかし、ここでは砂糖を手に入れることができなかった。

そして、よくあることだが、歴史的な調査に熱中するあまり、ラバが山の牧草地をはるかに越えて行ってしまっていた。そのラバを捕まえるのに手間どったこともあり、予定より遅れてしまったものの、ついに「コンセビダヨク」に向かって出発した。そこはすでに知っている地理との境界を越えた未知の地であった。「コンセビダヨクには、インカの都市遺跡がある」と言われているものの、謎に包まれた判然としない場所で、敵対的インディヘナが暮らす土地だった。

初日は、パンパコナスまで旅することにした。パンパコナスの周辺では、「ガイドと（ラバで進めない密林の道で必要となる）荷物の担ぎ手六人の調達ができる」と知事が話してくれた。このあたりのインディヘナは、コンセビダヨクの荒野に入り込むことを嫌がり、また制服を着た男性を見ると警戒することが多かった。そのため、私たちに同行しているふたりの兵士は、私たちのラバ隊列から離れて出発を数時間遅らせ、夕暮れまでパンパコナスに到着しないようにしてもらった。知事は「パンパコナスのインディヘナは、丘を越えてやってくる金ボタン（軍人の制服）の姿を見たら逃げ出してしまい、担ぎ手がいなくなる」と言った。これは国家権力による強制労働から逃れるため、住みよい街を捨てて、この辺境の地でひっそりと暮らす彼らインディヘナの自由への希求から出た行動原理であった。そのため公的権力を象徴する軍人のような存在が到着する前に、知事とその友人モグロベホは、六人の頑強なインディヘナの力を借りて、一日を乗り切ってしまおうと考えたのであった。その方法については、これから説明してみたい。

まず私たちは、（インカ帝国とは別の）今そう呼ばれているビルカバンバを出て、古い氷河の谷間にある平らな湿地帯を横断した。湿地帯には水分をふくむ（サボテンのような）多肉植物が群生していて、ラバの一頭が多肉植物の水分を求めているうちに、完全な泥沼にはまったりもした。ここでは小さな小川に過ぎないビルカバンバ川にそって、谷から西に向かって登っていった。頭上に見える山には、廃坑の痕跡がいくつか残っていた。一五七二年ごろ、ここで鉱山が発見されたことから、オカンポをはじめとする最初のスペイン人入植者たちはこの谷にやってきた。ライモンディによれば、ここでコバルト、ニッケル、銀をふくむ銅鉱石、硫化鉛が発掘されたという。金をふくむ石英については言及されていない。ライモンディの時代よりもずっと昔に枯渇してしまっていたのかもしれない。他の鉱物については、輸送がとても困難なので、これから先何年もこの地で採掘が再開されることはないだろう。

峠の頂上に立って後ろを振り返ると、ビルカバンバの街のうえにも、背後にも、雪をかぶった山々がそびえ、連なっているのが見えた。この山々の姿は、地図を探しても、確認することはできない。ライモンディや王立地理学会の地図には、アプリマック川とウルバンバ川のあいだに、そのような山脈が存在するだけの余白が残されていない。ヘンドリクセン氏は、(私たちがいる)現在地の経度を西経七三度、緯度を南緯一三度八分と測定した。これはおかしい。前年に出版されたこの地域の最新の地図にしたがえば、ここはパンパス川との合流点付近を流れるアプリマック川そのものの位置となる。だとすれば私たちは、あの大瀑布「グレート・スピーカー」を泳いでいるはずだ。しかし、実際の私たちは、高山と氷河に囲まれた高い峠のうえにいる。

一九一二年、バムステッド氏がアプリマック川とウルバンバ川のあいだは、それまで考えられていたよりも三〇マイル離れていることを突きとめ、この謎をついに解決した。バムステッド氏の調査で、一九一一年以前には存在自体が確認されていなかった、一五〇〇平方マイルほどの広さの未踏地域の存在が明らかになった。そして、ここは南米における未知の氷河地帯として最大級の規模をもつこともわかった。ペルー・アンデス山脈の主要都市であり、三世紀以上にわたって大学がおかれているクスコから一〇〇マイルも離れていない。

インカ帝国「最後の都」ビルカバンバがこれほど長いあいだ、調査や探検の手を拒み、遠ざけてきたことは、皇帝マンコ・インカ・ユパンキが「隠れ家の場所をいかにうまく選んだか」を何よりも物語っている。ビルカバンバは、雪におおわれた峰々、未知の氷河、人類未踏の峡谷など、まさに迷宮と呼ぶにふさわしい場所にあった。

　ここから西に目を向けると、目の前に深い緑の谷と、森におおわれた斜面の原野が広がっていた。地図で確認する限り、私たちは今、アプリマックの盆地を視界に入れているのだと思っていた。しかし、実際のところ、ウルバンバ川の支流のひとつコジレニ川のさらに支流である、これまで知られていなかったパンパコナスの谷の縁にいたようだった。私たちが目のあたりにしたのは、アプリマック盆地ではなく、ウルバンバ川に流れ込むもうひとつの別の未踏の地であったのだ。

　コンドレ知事からの情報によると、眼下に広がるモンターニャ（熱帯雨林の密林）のなかにコンセビダヨクが位置し、サアベドラ氏と彼にしたがう好戦的なインディヘナの暮らす人里離れた地であることが判明した。インカ人の慣れ親しんだ気候や食べものから、遠く離れたこの場所に街をつくった可能性は、これまで以上に低いと思われた。山道はここに来てさらに悪くなり、確かな足をもつラバを歩かせることさえ、至難の業となっていた。岩の階段に続く長くて急な道になったので、私たちはいったんリャマから降りなければならなかった。丘をまわりこんだところで、山の肩に立つ寂し気でこぶりな小屋が見えてきた。その小屋の前では、陽射しのなか、ふたりの女性がむしろを敷いてトウモロコシを脱穀していた。彼女たちはコンドレ知事の姿を確認すると、すぐに作業を中断して昼食の準備をはじめ出した。

　一時をまわっていたが、コンドレ知事とその一行は、前夜からコーヒー以外何も口にしていなかった。急な来客に対して、彼女たちは四、五匹のクイ（食用モルモット＝テンジクネズミ）を屠殺して、料理を準備してくれた。クイは通常、山間部にあるインディヘナの小屋の土間をうろついていて、このときもクイの鳴き声が聞こえた。やがて串に刺され、よく焼かれたクイのローストの香ばしい香りが私たちの食欲をそそった。アメリカ東部では、テンジクネズミ（Guinea Pigs）はペットか実験室の犠牲者としてしか見なされておらず、食用にされることはまずない。「ブタはブタ（Pigs is Pigs）」（ブタはブタ以上でもブタ以下でもない）という有名な教理にもかかわらず、この種の「豚肉（guinea pigs、つまりテンジクネズミのこと）」は私たちのキッチンでお目見えすることはない。

ちなみに「テンジクネズミ（Guinea Pigs）はギニアから来たものではなく、ブタとも何の関係もない…」と、エリス・パーカー・バトラー（作家）は言っている。それは、ウサギやベルギー野ウサギの仲間であって、ペルーのアンデス地方で古くから重宝されていた食材であった。野生種は灰褐色だが、自然のなかでは滅多に見られなくなっている。インディヘナの小屋で見かける家畜種は、さまざまな色をしていて、まだら、黒色、白色、黄褐色などのものが見られる。それは数千年前に同じ民族（インディヘナ）によって家畜化されたリャマと同じであった。サムナー教授が言うように、アングロサクソンの「風習」では、耳の長いウサギは食し、耳の短いウサギはそうはしない。そしてインディヘナのクイは、食用に飼育されていたのであった。ボリビアの首都では、（食用のクイが多く食べられるため）ホテルの食材が減っていると思ったが、その繊細な肉の味を口にしたのははじめてのことだった。空腹でなかったのなら、テンジクネズミのローストの美味を知ることはできなかったかもしれない。その肉質は、ひな鳥の肉によく似ていた。

ペルー高原地帯のインディヘナの住む環境では、動物性食品の供給量がとても少ない。彼らは鳥にもっぱら卵を産ませ、痩せた羊は羊肉ではなく羊毛のために使われる。バトラー氏が発見した「ほ乳類のなかでももっとも多産な動物」であり、食べても美味な味をもつテンジクネズミは、この地では特別な日にしか食べられない貴重な食料品であった。北アメリカの主婦は、非常時にそなえて、イワシの缶詰や保存食をある程度常備しているものだろう。そしてアンデスにいる彼女らの妹（インディヘナの主婦）も同様に、小さいが太ったクイに同様の役割を期待していた。

昼食後、コンドレ知事とモグロベホはふたりで分担して、起伏のある広大な土地、人気のない農場をしらみつぶしに、担ぎ手となる人手を探しまわった。運よく、その家に男性がいたり、小さな牧場で仕事をしているのを見つけると、彼らは愛想よく挨拶した。そして相手がインディヘナ流のやりかたで握手をしようとしたとき、すかさず右手の手のひらにこっそり銀貨を握らせ、「これからやる仕事の駄賃だよ、受けとったよね！」とやって見せた。コンドレ知事とモグロベホは、人集めに苦労したようだったが、担ぎ手を集めるにはこの方法しかなかった。

インカ帝国の時代、インディヘナは労働の対価を受けとることはなかった。インカ帝国は家長父制的に成員に接し、彼らに適切な衣食住と、自給自足の機会をあたえ、さもなければ公的な備蓄をとりくずして、彼らの生活を守った。植民地時代になると、より貪欲で、インカの家長父制的なものとは無縁の政府（スペイン）が、インカ帝国のその制度を悪用して施行した。スペイン征服時代には、労働の対価をあたえないばかりか、民の苦しみの原因をとりのぞくような配慮は何もなされなかった。その後、何世代にもわたって、軽率な土地所有者が地方権力を背景にして、働いても適切な報酬をあたえず、約束を守らず、賃金も支払わずに、インディヘナに労働を強要したのであった。

そして、インディヘナの農民たちは、賃金の大部分を受けとってからでないと、どんな労働もしてはならないことを学んだ。しかし、いったん賃金を受けとると、彼らの習慣と国の法律によって、その義務を果たさなくてはならない。義務を果たさないと法的に罰せられる。そのため、パンパコナスのインディヘナは、不幸にも自らの手のなかにあるのが銀貨一枚であることに気づいたとき、自分の運命を嘆いた。そして、奉仕（労働）は避けられないことを悟った。インディヘナは「忙しい」「作物の手入れが必要」「家族が許してくれない」「旅に出るための食料がない」と言って訴えたが、それは無駄だった。コンドレ知事とモグロベホは、彼らのどんな言い訳にも慣れていた。そして、ついに六人の担ぎ手を「（私たちの探検に）巻き込む」ことに成功した。私たちは、日が暮れる前に、パンパコナス村に到着することができた。そこは標高10,000フィートの草原地帯で、小さな小屋がいくつか点在していた。

フランシスコ・デ・トレド総督の軍事顧問のひとりが記したメモでは、「（パンパコナスを）高くて寒い場所」と表現されている。この文言は、的を得ている。しかし、現在のパンパコナス村がスペイン征服者ガルシア時代の文書に「インカの重要な街」と記されたパンパコナスであるかどうかは疑問が残る。この村には遺跡は見られない。パンパコナスの住居群は、石と泥でつくられた比較的新しいもので、屋根は草葺きだった。鬱蒼とした森への入口にあり、羊を飼い、ジャガイモを栽培するには絶好の場所で、役人や他人の干渉を受けずに暮らすことができる。前日の夜、森のなかからジャガー、もしくはピューマが出てきて、村のポニー（馬）を襲って殺してしまい、引きずっていったという。この事件で村は騒然としていた。

私たちは、村でもっとも信頼されているグスマンというがっしりとした体格のインディヘナの家に案内された。グスマンは、私たちのコンセビダヨク行きに同行する担ぎ手たちのリーダーに選ばれていた。グスマンは自ら自慢していたわけではないが、スペイン人の血（メソティーソ）が流れているらしかった。彼は妻と六人の子どもと一緒に、最高級の住宅に住んでいた。グスマン邸の部屋の隅には火が焚かれていて、煙がこもってうっとうしさを感じた。そして部屋はとてもせまく、窓さえなかった。部屋の片側はロフト状になっていて、あたりが水浸しになっても家族の財産が濡れずに保管できるようだった。羊の皮が山のように積まれていて、訪問者がそこに坐れるようになっている。壁に設けられた三、四の粗雑なつくりの壁龕（ニッチ）が、棚やテーブルの代わりとなった。踏み固められた土製の床は、やや湿っていた。

三匹の雑種犬とみすぼらしい猫が、私たち訪問者と家族とともにせまい空間を共有することを歓迎してくれた。十数匹のブタもこっそりと入ってきて、思わず出てしまうなり声を押し殺して、(自分たちの侵入を目立たないように)注意を避けようとしていた。ブタたちは何度も、何度も、戻ってきたけれども、そのたびに大声で追い出された。しかし、そのくわだては見つかり、侵入に失敗して、鞭をもった少年に追い出されてしまった。

そんななかでも、私たちはグスマンと興味深い話をすることができた。グスマンはコンセビダヨクに行ったことがあり、「エスピリトゥ・パンパ(インカの魂が宿る平原)」の遺跡を実際に見たことがあるという。私はワドキニャの近くで、「オリャンタイタンボよりも立派な遺跡を見たことがある」といった信頼できる人物がいたことを思い出した(実際は、立派ではなかった)。ただ、神話のような「亡霊のパンパ」の存在がようやく現実味を帯びてきたのだった。グスマンは他のインディヘナほど、コンセビダヨク行きを恐れていないようだったが、そこに行ったことのあるインディヘナはたったひとりしかいなかった。彼らを励まそうと、私たちは五〇セントを支払って、よく肥えた羊を購入した。グスマンは早速、これから出る旅の準備のために羊をさばき、その肉を切った。

八月の乾季の最中だったにもかかわらず、午後早くから雨が降ってきた。暗くなってからカラスコ軍曹が荷馬を連れて到着した。そしてグスマンのところに近づくと、カラスコ軍曹は道を踏みはずし、ラバの一頭が沼に足を踏みいれてしまった。そのため、やや苦労してラバを救出した。私たちは、グスマンの小さな住居からほど近い、水はけのよい芝のうえに、小さなピラミッド型のテントを張ることにした。夕方になって、インディヘナと長いあいだ話をした後、雨のなか、小さな(それでも快適な)テントに戻ってくると、そこからはさまざまな種類のうなり声が聞こえてきた。私たちが留守のあいだ、大きな雌豚と六匹の太った若い豚が、グスマン家の暖炉では快適に過ごせず外に出てしまっていた。そして、もっとも乾燥した場所であった私たちのテント、そのなかの私の毛布こそもっとも魅力的なベッドになると嗅ぎつけたのだった。豚たちは、小さな出入口から思うように出ることができず、苦労していた。しかし、外に出たあとも、豚たちは降りしきる雨と快適な毛布の記憶を頼りに、何度もここに戻ってきた。

私たちが昼寝を楽しみはじめたころ、グスマンはもてなしの心で、湯気の立つスープをふたつのボウルに入れてもってきてくれた。一見すると、そのスープのなかにはいろいろな大きさの白いマカロニが入っているように見えた。グスマンの妻が、私たちのために用意してくれたこの夜食は、実は、羊の内蔵からなるものだとわかったのであった。

とても寒くて、退屈な夜を迎え、夜のあいだ、雨は途切れることなく降り続けた。今まで一度も濡れたことのない私たちのテントでさえ、雨漏りがひどかった。完全に水の影響を受けていないように見えたのは床だけだった。夜が明けると、私たちは水たまりのなかに横たわっていた。何もかも、すべてがびしょ濡れだった。しかも、雨はまだ降り続いている。さて、どうするべきか？　私たちがそのときの状況を話しあい、朝食に何をつくろうか、と考えていると、その声を耳にした忠実なグスマンが、すぐに温かいスープを二杯届けてくれた。豊富なトウモロコシ、豆、ジャガイモのなかに羊の歯や顎の破片が入っていたが、それでもそのときは歓迎された。パンパコナスでは、無駄なものは何ひとつないのだった。

私たちは、インカ帝国の遺跡が残るコンセビダヨクに向けて早く出発したかった。しかし、その前に（担ぎ手の）インディヘナたちが一〇日間の旅で、必要な食料を準備しなくてはならなかった。グスマンの妻、そして他の担ぎ手の妻たちは午前中、そのための調理に追われていた。石臼を揺らしながらチューニョ（冷凍ジャガイモ）をすり潰したり、素焼きの土鍋で大量のトウモロコシを焙ったり、焼いたりしていた。インディヘナは、「干しポテト『チューニョ』と焼きポテト『トスタード』、羊肉、そして少量のコカの葉があれば、食料は十分だ」と話し

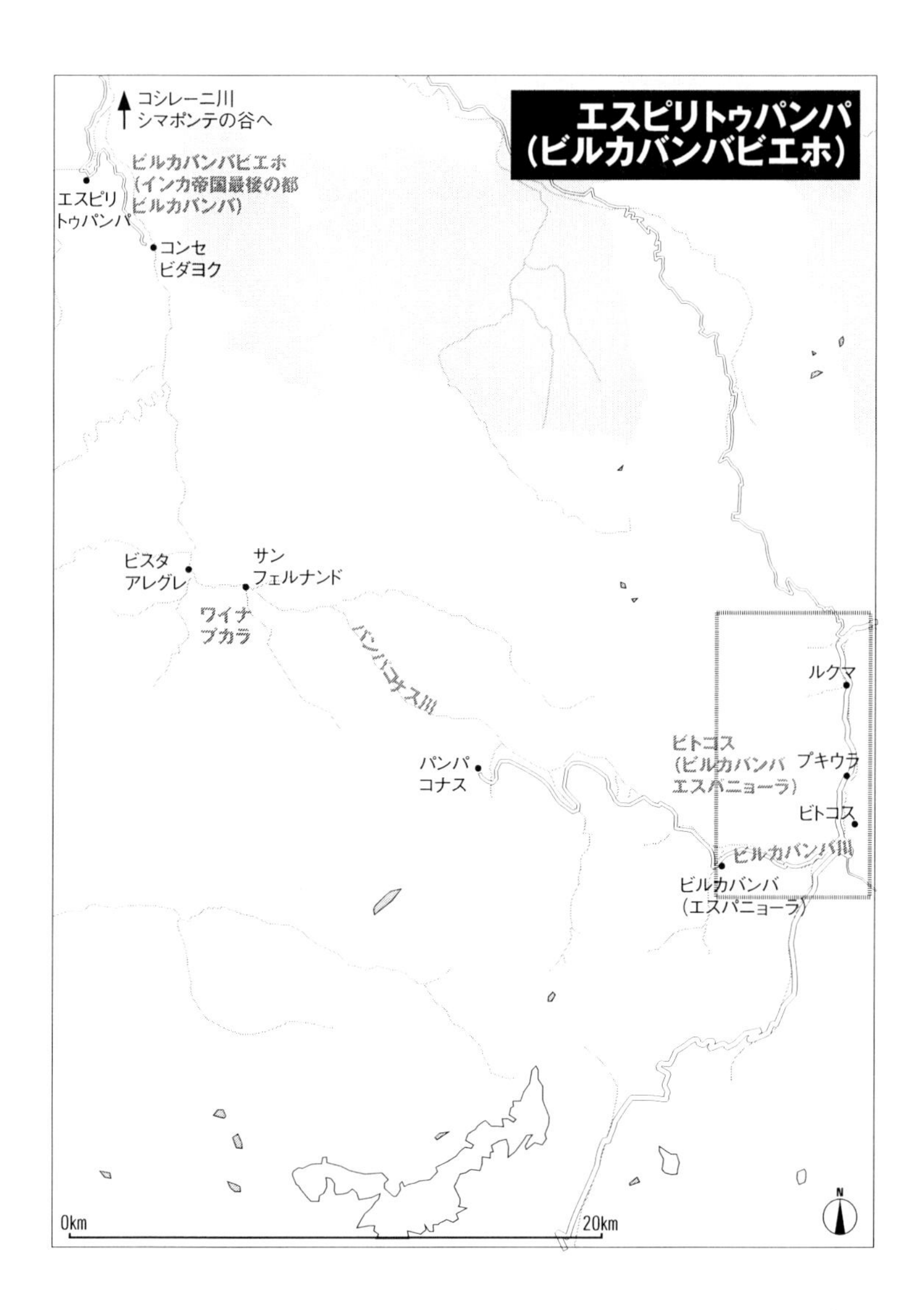
エスピリトゥパンパ
(ビルカバンバビエホ)
コシレーニ川
シマポンテの谷へ
ビルカバンバビエホ
(インカ帝国最後の都
ビルカバンバ)
エスピリ
トゥパンパ
コンセ
ビダヨク
ビスタ
アレグレ
サン
フェルナンド
ワイナ
プカラ
パンパコナス川
パンパ
コナス
ルクマ
ビトコス
(ビルカバンバ
エスパニョーラ)
プキウラ
ビトコス
ビルカバンバ川
ビルカバンバ
(エスパニョーラ)
0km
20km
N

ていた。私たちの食料はとても限られていたので、何も彼らに分けてあげられなかった。しかし、仮に私たちの食料をインディヘナたちに渡していても、彼らが長年、慣れ親しんだ食べものほど気に入ったかどうかは疑問が残る。

正午ごろ、ひとりをのぞいて、すべてのインディヘナの担ぎ手が到着した。そして、雨も少しおさまったので、私たちはコンセビダヨクに向けて出発した。この日の旅では、「(輿ではなく)ラバに乗って行くことができる」と聞いていた。最初の目的地であるサン・フェルナンドは、ここから「七リーグ」離れた、鬱蒼とした森の広がるパンパコナス渓谷の奥にあった。村を出た私たちは、グスマンの住居の裏山を登り、尾根にそってかすかに痕跡の残る危険な道を進んでいった。雨が降っても、道ははっきりしてこなかった。私たちの騎乗用ラバはほとんど役に立たず、ほぼすべての道を徒歩で進まなくてはならなかった。冷たい雨と霧のため、眼下に広がる深い峡谷はほとんど見えず、そこから雲をかき分けながら、4,000フィートの急勾配のジグザグ道を熱帯の谷に向かって降りていった。

空に広がる雲のもと、私たちは放棄された小さな開拓地のそばにしばらくたたずんでいた。そこを通り過ぎ、小さな渓流を渡って、トウモロコシが植えられた急な斜面にある狭い道を歩いていった。そして最後には、別の小さな開拓地にたどり着き、住居と呼ぶにはあまりにも粗末な小さな小屋がふたつ立っていた。ここがサン・フェルナンドで、ラバ道の終着点だった。そこに六人の担ぎ手が、同時に滞在できるほどのスペースはなかった。苦労してテントの場所を見つけたが、その床面積は七フィート四方しかなかった。平らな土地はまったく見あたらなかった。

一九一一年八月一三日午後八時三〇分、テントのなかで横になっていた私は、地震に気がついた。近くにいたインディヘナたちも(地震の)揺れを感じたようで、反射的に小屋から飛び出してきて、「地震だ」と叫んで、大騒ぎをはじめた。ただ、藁葺きの屋根が落ちてきたとしても、(その後の嵐の夜に、藁の屋根が落ちてきても問題なかったように)彼らに危険はなかったように思える。しかし、山村の石垣や赤瓦の屋根に慣れていた彼らは、地震の被害がどれだけ甚大であるかを知っていたので、大慌てしていたのであった。今回の地震の揺れは、西から東に向かってわずかに感じられるほどのものだったが、それは三~四秒続き、その前後には八~一〇回の小さな揺れをともなう穏やかな揺れがあった。数週間後、ワドキニャ近郊で、コルパニ電信局に立ち寄った時のことだ。電信局のオペレーターの話では、八月一三日に二度の地震を感知したという。一回目は五時に起こったもので、机のうえの本が揺れ、南北の壁にそって立っていた絶縁ボックスが倒されたという。私たちが感じた地震は、二度あった地震のうちの軽いほうのはずだと告げられた。

夜になって激しい雨が降ってきたが、テントが「乾季」に適応してきたので、快適に過ごすことができた(ひどい目にあったというジョークか?)。さらに、海抜10,000フィートでのキャンプは、海抜6,000フィートでのキャンプとはまったく勝手が違う。この標高は、マチュピチュの下にあるサン・ミゲル橋のものと同じで、温帯の下限であり、熱帯のはじまりでもある。サトウキビ、ピーマン、バナナ、グレナディラ、トウモロコシ、カボチャ、サツマイモなどが栽培されていた。パンパコナスではこれらのものは育たない。寒い地域で、羊やジャガイモを育てているインディヘナは、サン・フェルナンドまで来ると、農場、あるいは小さな開拓地をつくる。

私たちがこの地で勧誘したインディヘナの担ぎ手四~五人が、同行の金ボタン(軍人)を見て、警戒心をつのらせ、朝になって銀貨を手にする前の夜のうちに姿をくらませてしまった。そうしたこともあり、サン・フェルナンドからは兵士ひとりをラバと一緒にパンパコナスに送り返すことにした。私たちの担ぎ手への報酬は、ひとりあたり約五〇ポンドであった。三〇分ほど歩くと、「ビスタ・アレグレ(スペイン語で「よい眺め」を意味する)」に到着した。そこは川の湾曲部に位置する、沖積扇状地の小さな開拓地だった。この地の土壌はとても肥沃なようだった。農地では高さ一八フィートもあるトウモロコシの茎(くき)や、マトパロと呼ばれる(寄生するイチジクの木にすっぽりと包まれた)巨大な樹木も見かけた。ここはビスタ・アレグレ(「よい眺め」)という名前にふさわしく、緑のパンパコナス渓谷を「魅力的に」見渡せる場所だった。私たちの反対側には森林におおわれた山がそびえ立ち、その頂上は上空に広がる雲で隠れていた。この山を迂回(うかい)するように、川は西向きに流れていたが、今は徐々に北向きに流れるようになっている。ライモンディの地図によれば、川は南に流れるはずなのに、私たちはまたしても不思議な事態に直面した。

鬱蒼(うっそう)とした密林(ジャングル)のなかに入り、狭い道を進んでいくと、歩くのがだんだんと困難になってきた。ぐらつく岩、垂れ下がる木の枝、滑りやすい崖、土や岩をけずってつくられた階段、犬でも独力でいくのは難しそうな道を這(は)うように進んだ。そして、私たちはゆっくりと谷を下っていった。暑さと湿気、そして頻繁(ひんぱん)に降る雨から、パカイパタと呼ばれる別の小さな開拓地(空き地)に到着したのは、午後もなかばのことだった。ここは渓谷の底を流れる川から1,000フィート近く離れた丘のうえにあり、長さ六フィート、幅五フィートほどの凌(しの)ぎ場で夜を明かすことにした。フート教授と私はテントを張るため、急な斜面をけずって棚状(たなじょう)のキャンプ地をつくらなくてはならなかった。

翌朝、ラバの隊列に邪魔されることなく、私たちは早朝に出発した。パンパコナス川の支流の谷間を横切る、小道をたどっていくと、はげしい下り坂や上り坂がいくつも連続した。担(かつ)ぎ手は暑さに苦しめられ、荷物を運ぶのがますます困難になっていった。すべりやすい岩のうえにかかる小さな丸太を束(たば)ねただけの原始的な橋で、川の急流を渡ることも一度ならずあった。午後一時ごろには、標高4,500フィートに位置する小さな平原に出た。周囲はシダやつる植物が繁茂(はんも)する雑木林(ぞうきばやし)で、数フィート先も見通せないほどの密林(ジャングル)だった。

グスマンは「ここでしばらく休憩したほうがよい」と言った。なぜなら、「今、ロス・サルバへの領域に足を踏み入れたからだ」と続けた。サルバへはサアベドラ氏の支配権のみを認め、あらゆる部外者の侵入を嫌う野蛮なインディヘナだった。グスマンにとくに恐れた様子はなかったが、担ぎ手のひとりをロス・サルバへのもと送ることを提案してきた。そして、「私たちの目的はゴム採集ではなく、友好的な仕事（インカ帝国遺跡の発掘）で来ているということを説明すること」を勧めた。そうしないと、山奥のインディヘナは私たちを攻撃したり、逃げ出して密林のなかに消えてしまう可能性があるという。そして、「彼らの協力がなければ、インカの遺跡を見つけることはできないだろう」と続けた。先に行くことになった担ぎ手のひとりは、その仕事（使者）を喜んではいなかった。荷物をおいたまま、静かに慎重に先に進んでいき、すぐに見えなくなってしまった。

この地方のインディヘナが私たちに対して、どのような態度をとるのか？　また「幽霊たちのパンパ」にあるインカ帝国の都市遺跡を訪れようとする私たちの望みを阻止するよう、手下たちに指示しているサアベドラ氏はどのように応じるのだろうか？　五〇人の使用人に囲まれて贅沢な生活を過ごす強大な権力者サアベドラ氏の姿を、自分たちなりに想像をめぐらせて待っていると、三〇分のときが過ぎた。

すると突然、小枝の折れる音と人の走る音が耳に入り、私たちを驚かせた。私たちは、本能的にライフル銃を握りしめ、何が起こってもいいように準備した。すると、森のなかから、民族衣装姿の顔立ちのよい若いペルー人が飛び出してきた。彼は急遽、父親のサアベドラ氏から派遣されてきたようで、私たちを心から歓迎してくれた。信じられないような話だが、彼の表情を見れば、待ち伏せなどしていたのではないことはすぐにわかった。

荷物をまとめて密林を進んでいくと、徐々に木は高く、森は深く、そして暗くなっていった。やがて前方に日の光が差し込んでいるのが視界に入ると、そこに鮮やかな緑のサトウキビが揺れているのが見えてきた。サトウキビ畑のなかをしばらく歩くと、大きな快適そうな住居があって、飾らない様子で慎ましやかなサアベドラ氏本人が、私たちを迎えてくれた。サアベドラ氏は小さな体格だったが、幸運にも、これほど穏やかで愉快な男には、今までお目にかかったことはない。私たちは「五〇人いる」というインディヘナの使用人を探して見まわしたが、そこには気のいいサアベドラ氏の妻と三、四人の小さな子ども、そしてその場にいた唯一の野蛮人のような鋭い目をした女中の姿だけがあった。サアベドラ氏によると、この場所に来た者が驚いて、(聖母マリアに感謝して)「イエス・マリア」と呼ぶことがあるという。

サアベドラ氏の招きに応じて、家のなかにお邪魔し、茹でた鶏肉、米、甘いキャッサバ(マニオック)などの豊富な料理でもてなされた。そのときの心地は、言葉に言い表せないほどのものだった。サアベドラ氏は私たちを歓迎してくれただけではなく、「自分にできることなら何でも、さらに(私たちが)遺跡を見るためのあらゆる協力を惜しまない」と言ってくれた。インカ帝国の遺跡は、谷を少し下ったところのエスピリトゥ・パンパにあるようだったが、そこには、裸足の原住民しか通れないようなきわめて険しい道が続いているらしい。私たちなら、その道のかなりの部分を這って進むなければならないという。翌日、担ぎ手たちがこの悪路を切り開いているあいだに、フート教授は八種類の新種の蛾や蝶をふくむ多くの昆虫を採集してきた。

私たちは、サアベドラ氏の農園を視察させてもらった。何世紀も休耕していたことから、土壌は腐植質に富んで栄養があり、臼で挽きされないほどの量のサトウキビを栽培していた。それ以外にも、バナナ、コーヒーの木、サツマイモ、タバコ、ピーナッツなどが栽培されていた。彼は、多くのインディヘナを支配下におく強力な首長すなわち「プー・バー(多数の役をかねる尊大な大官)」のような存在ではなく、単なる開拓者のひとりに過ぎなかった。サアベドラ氏は人里離れた遠くの荒れた地、鬱蒼とした森のなかで、自分の家を建て、数人の未開のインディヘナに囲まれて過ごしていた。彼はインディヘナの権力者ではなく、ただの開拓者であった。物腰がやわらかく、控えめで、また情熱的でもあり、そのうえ独創的な大工、メカニックであり、このうえなく好ましいペ

▲上　サアベドラ氏とインカ帝国時代の陶器［『INCA LAND』掲載写真／1922年発刊］　▲下　インカ帝国遺跡の壁、エスピリトゥ・パンパにて［『INCA LAND』掲載写真／1922年発刊］

ルー人であった。

この地では耕作地が少なく、彼は家近くの沖積地や、川の近くの自然の段丘などのパンパ（平原）を耕さざるを得なかった。家の裏には茅葺きの小屋があり、その下に小さな製糖工場を建てていた。その工場には硬材でつくられた一対のローラーがおかれていた。それは荒削りの木材を木の楔で固定して、紐で縛っただけの素朴で大きな機材だった。そして、サトウキビをしぼるために、ギシギシと音を立てながら車輪をまわすのであった。サアベドラ氏はコンセビダヨクへの道（自分の家）に家畜を連れてくることはできず、自身の身体と元気な息子の体力を頼りにするしかなかった。インディヘナは、ときにギシギシと音を立てる（製糖のための）大きな踏み車に上ることを、ゲームのように楽しんでいた。彼らはまた、突然、森のなかに消えていくこともあった。

そして工場のすぐそばには、サアベドラ氏がサトウキビの絞り汁を煮つめて黒砂糖をつくるのに使っていた大きな興味深い壺があった。この壺はここから遠くない密林のなかで見つけてきたものだという。そして、「それはインカの人たちがつくったものだ」と聞かされた。そのうちの四つは細い首をもつ球形のアリュバロス型、もうひとつはそれに近い種類だが、口が広く、底が尖っていて、土器の表面には線状の切れ込みが見られ、肩には動物の頭のような突起物がついていて、中央より下部に取っ手がついていた。この巨大な壺は一〇ガロン以上の容量があるにもかかわらず、取っ手の部分に紐を通して、くびれた部分にその紐をかけることで、背中や肩に担いで運べるようになっていた。サアベドラ氏によると、彼の家の近くには石を敷きつめた瓶状の棺がいくつかあり、そのうえには平らな石がおかれていたという。それはおそらく古代の墓であろう。骨は完全に消失していたようだった。墓のひとつの蓋には穴が空いていて、その穴はたたいて加工した銀の薄い板でおおわれていた。またそこからは数個の石器と、小さな銅製のインカの斧も二〜三個見つかった。

パンパ（平野）には、サアベドラ氏ができうる限りの労働力を投じて建てた別の砂糖工場も立っていた。彼が砂糖工場をふたつもつくるとは、やや不思議に感じる。しかし、サアベドラ氏は家畜を飼っておらず、収穫したサトウキビを自らの背中と、息子の背中に背負って工場まで運ばなければならないことを思うと、それは理解できなくはない。重くて、熟したサトウキビの束を丘のうえの工場まで運ぶよりも、サトウキビが成長しているそのすぐそば（サトウキビ畑の近く）に新しい工場を建設したほうが理にかなっているのだろう。

サアベドラ氏がもっとも苦労したのは、子どもたちをクスコの学校に通わせたり、税金を支払ったりするための現金を得ることだったという。彼が現金を手に入れるための唯一の方法は、チャンカカ（未精製の砂糖）をつくって、それを換金することだった。一度で五〇ポンド分のチャンカカを背負い、徒歩で三日間かけて、小さな彼の農園よりも6〜7,000フィート高く登ったところに位置するパンパコナスや、ビルカバンバまで行くという。彼の話では、この荷物（チャンカ）は大体五ソル（二ドル半）で売れるのだそうだ。「密林の植生はすぐに成長し、洪水で川にかかった小さな橋もすぐに流されてしまうので、交通手段の道を確保するのがとても大変だ」と笑っていたが、それでも愚痴は言わなかった。ただ、彼に無関係な改革で、政府がすべての銃器を没収（返却）するような法律が施行されたことから、サアベドラ氏が森で新鮮な肉を手に入れるための「重要な術（銃器）」を失ったことを残念に思っていたようだった。

サアベドラ氏の家の近くの空き地で、七面鳥のように大きな鳥クロアシシャクケイを見て興味がわいた。光沢のある黒の翼と身体をもち、高くてサンゴのような赤い鶏冠がもっとも目をひいた。完全に自由に放し飼いにされているように見えて、完璧に飼いならされているようだった。私たちのアメリカ南部諸州にもちこめば、魅力的な鳥になるだろう。サアベドラ氏は彼自身で仕上げた（熟成させた）真っ黒のタバコの葉を、私たちに差し出してくれた。根っからの愛煙家たちが、それをパイプに入れて吸ってみると、「間違いなく今まで吸ったなかで、もっとも強いタバコだ」と口々に言った。

サアベドラ氏と話をしたり、彼の農園を見学したり、彼が税金の心配や銃器の規制といった政府の方針にしたがわなければならないことに驚いていると、サアベドラ氏が未開の地に暮らすインディヘナであるということを忘れてしまいそうになっていた。すると、担ぎ手のひとりが、突然、「近くの茂みに無骨なインディヘナがいる」と叫びながら、こちらに向かって走ってきた。その「無骨なインディヘナ」はとても臆病で、好奇心が恐怖心に勝ったのであろうか、サアベドラ氏の「出ておいで、話をしよう」というしきりの誘いに応じてくれた。しかし、姿を現した彼はひどい風邪をひいていて、惨めなたたずまいであった。私はこれまでアメリカや太平洋地域のさまざまな場所で、未開の原住民に出会ってきたが、この男はそれまで見たなかでもっとも不衛生で、もっとも惨めな姿だった。このインディヘナは、くるぶし近くまである、長くて不衛生なポンチョ（丈の長い上着）を着ていた。それは、大きな正方形の粗い布製のもので、真ん中には頭を通すための穴があり、両脇は腕を通す部分を残して縫いあわせている。髪は長く、手入れもされずに、もじゃもじゃ頭だった。小さくて、窪んだ目、痩せこけた頬、ぶ厚い唇と大きな口。足の指はとても長くて、ものをつかめそうなほどだった。片方の肩には、粗い目の繊維の網でできた小さなナップザックをかけている。首からは丈夫そうな紐十数本を、しっかり結びあわせたネックレス状のものをぶら下げていた。実際、見たわけではないが、彼らが木に登るときには、「この太い紐の輪っかで足首を固定し、そして木を足でにぎるようにして登る」と聞いたことがある。

夕方になると、彼の他にもふたりの「無骨なインディヘナ」が私たちのところにやって来た。若い既婚男性とその妹のインディヘナだった。ふたりともひどい風邪をひいていた。サアベドラ氏によると、このインディヘナは、カンパ族の一派ピチャンゲラ族の者たちだという。サアベドラ氏と彼の息子は、この「無骨なインディヘナ」と少し言葉を交わしていたが、それは私たちの耳には、低いうなり声や息遣い、小声の連続のようにしか聞こえなかった。

▲　クスコのキリスト教司祭（ワマン・ポマ『新しい記録と良き統治』より）

身振り手振りでつなげた話だが、男性の着ている長いポンチョ（チュニック）は、（ピチャンゲラ族の者にとって）ひとり以上の妻がいることを示し、婚前の彼らの服装は、片方の肩に数枚の布をかけて、腰紐で腰をしばっただけのとても簡素なものだという。長いポンチョは、寒い夜に着るには快適な衣服だが、彼らのただ腰巻きをつけただけの姿は、密林での彼ら自身の進歩をさまたげてしまうものかもしれない（ただし、彼らは弓矢を使った狩猟で生活している）。

彼らピチャンゲラ族は、低地にあるゴム農園地帯から山奥の地まで逃れてきたのだという。つまり、彼らはそこが標高4500フィートの寒くて不快な土地であると知っていても、ゴム農園の奴隷でいるよりも、この地で得られる自由を好んだのであった。サアベドラ氏は、自分の農園を「コンセビダヨク」と名づけたが、それは「人を危害から守る場所」を意味するという。そして、それこそが「生きて帰った者はいない」と恐れられた権力者の家の本当の姿だった。

Chapter XV
The Pampa of Ghosts

第15章／幽霊たちのパンパ

二日後、私たちはコンセビダヨクを出発した。サアベドラ氏の息子に導かれながら、パンパコナスのインディヘナが切り開いた道を通ってエスピリトゥ・パンパに向かった。雑木林から抜け出したのは、岬（突起した地形）の近くで、そこから谷を見下ろすことができ、眼下に広がる森林におおわれた沖積扇状地がよく見えた。そのなかに二〜三か所の小さな開拓地があって、「幽霊たちのパンパ」と呼ばれるエスピリトゥ・パンパに暮らすインディヘナの小さな楕円形の小屋があった。渓谷を展望できる岬のうえには、インカの監視塔だと思われる粗石積みの小さな長方形の建物跡が残っていた。ここからエスピリトゥ・パンパまでは、幅約四フィート、長さ約三分の一マイルある（古代インカの）石の階段をたどっていった。それは、粗石でつくられていた。岬で監視任務にあたっていた兵士たちが、余暇を利用して道をつくっていたのかもしれない。

はげしい雷雨が降りはじめたころ、私たちは森林伐採地に到着した。伐採小屋には誰もいなかった。私たちの到来を確認した住人は、密林に消えていったのだろう。招かれてもいないインディヘナの家に入るのはためらわれたが、はげしい土砂降りの雨が降っていたため、私たちの躊躇心は打ち消された。小屋の屋根は急勾配で、壁面は小さな丸太でできていた。壁面の小さな丸太は地面に向かって縦に打ち込まれ、つるで固定してある。そして、部屋の内部には、小さな焚き火の炎が燃えていた。焚き火のそばにはインカ起源の古い黒色の土鍋がふたつあった。小さな農地には、炭化したり、倒れたりしている木の幹のあいだに、キャッサバやコカ、サツマイモなどが無造作に生えていた。それは典型的な中南米で見られる耕作地のミルパ農園であった。開拓地には一八〜二〇軒の円形小屋が、不規則に立つ形跡（遺跡）も見られた。

これがロペス・トーレスの報告にある「インカの都市」ではないか？　と思われた。遺跡のなかにはインカ時代の土器破片がいくつか散らばっていた。建物にはインカ帝国の特徴を示すものは見あたらない。長方形のものが一棟、スペード型（シャベル型）のものが一棟残っていたが、あとはすべて円形だった。建物の直径は一五フィートから二〇フィートほどで、大小さまざまな大きさであった。開口部（入口）は一か所しかない。壁は崩れおちてしまっていて、ていねいに修復された形跡も見られなかった。また、現代のインディヘナに開拓されていない森のなかで、別の円形小屋の壁を発見した。高さ四フィートほどで、わずかに原型をとどめながら残っていた。私たちが訪れたあと、インディヘナたちが開拓（ミルパ農園）を拡大したのなら、倒木でこの壁も損なわれてしまうだろう。このインカ帝国時代の村は、インカ皇帝に忠誠を誓っていた部族のものかもしれないが、建物の構造からして、インカ帝国が建設したものではなさそうだった。

「幽霊たちのパンパ」には、本当にインカ帝国の何か重要なものが残されているのだろうか？　と疑いはじめた。ひどく急な坂の多いペルーでは、この沖積扇状地（平地）は、とても貴重であることは間違いない。何世紀にもわたって、人が住んでいたことも確かだろう。しかし、ここは「インカ帝国の都市」ではないように思われる。インカの人々がここに住んでいたのだろうか？　それともそうではないのだろうか？　そんなことを考えていると、突然、頑丈な弓と長い矢で武装し、竹製の装身具をつけ、ほぼ裸の若いインディヘナが現れた。彼は狩りをしていたようで、自らが射た鳥を見せてくれた。その後、すぐにサアベドラ氏の家にいたインディヘナの大人ふたりが、斜視の目をした友人を連れてやってきた。彼らは私たちを、「（ここは）別の遺跡に案内してくれる」という。彼らの速い足どりについていくのは大変だった。

密林のなかを三〇分ほど登っていくと、パンパコナス川の小さな支流のほとりにあるパンパ（平原）、すなわち自然のテラスに着いた。彼らは、そこをエロムボーニと呼んでいた。ここでは、いくつかの古い人工的なテラスと、一九二フィート×二四フィートの横長の長方形プランをもつ建築物の基礎を見つけた。そしてこの建築は、正面に一二個、後方面に一二個、それぞれ幅三・五フィートの扉があわせて二四個あったと思われる。扉の上部の横材まぐさは見あたらなかった。壁の高さは一フィートしかなく、建築資材はほとんど残っていない。どうやら、この建造物は完成していなかったようだ。近くにはインカ帝国の典型的な噴水が残っていて、石の注ぎ口（導管）が三か所あった。給水所から二〇〇ヤードほど進むと、垂れさがったつる植物と雑木林に隠れて、数フィート先しか視界が届かないほどだった。そしてそこで、インディヘナたちは石づくりの住居の廃墟を見せてくれた。

建物の一棟は、端の片方が丸みを帯びていた。もう一棟は小さなパンパ（平地）の南端にぽつんと立っていて、ドアも、窓もない長方形の建造物であった。四か所または五か所に壁龕（ニッチ）が独特の不規則さで配置されていた。しかもその深さは二フィートほどもあり、その壁龕（ニッチ）は他のインカ帝国の遺跡とくらべても異例の大きさだった。おそらく、これは倉庫だったのであろう。パンパ（平地）の東側には、長さ一二〇フィート、幅二一フィートほどの建物が残っていて、大きさの異なる五部屋からなっていた。壁は粗石を、日干しレンガのアドベで固めたつくりとなっていた。オリャンタイタンボにあるインカ帝国の建物のように、扉のまぐさ（横材）には三、四本の細い切り石が使われていた。壁龕（ニッチ）をもつ部屋もあった。そして、パンパ（平地）の北側には、別の長方形の建築が残っていた。西側には石を敷きつめたテラスの端が伸びていて、その下には部分的に囲みの残る噴水もしくは沐浴場が見られた。そこには石製の注ぎ口とそこからの水を受ける窪みがあった。家屋のかたち、全体的な配置、ニッチ、石づくりの屋根釘やまぐさ（横材）など、すべてがインカ帝国の建築家によるものであることを示している。そして建物のなかから、インカ帝国の土器の破片をいくつか見つけることができた。

同様に興味深く、不可解でもあったのが、赤色に焼かれたスペイン製の粗い六枚の屋根瓦であった。瓦の破

▲左　ビルカバンバ地方の山奥に残る塩田　▲右　密林におおわれたエスピリトゥ・パンパ遺跡［『INCA LAND』掲載写真／1922年発刊］

片をすべて集めても四平方フィートにも満たない。大きさもさまざまで、まるで誰かが、何かの実験をしたように思えた。おそらくクスコの新しい赤瓦(あかがわら)の屋根を見たインカ人が、この密林(ジャングル)のなかで再現しようとしたが、成功しなかったのであろう。

夕暮れどき、私たちは全員でエスピリトゥ・パンパに戻ってきた。顔も、手も、服も、密林(ジャングル)を歩いたことでずたずたに傷つき、疲れて足も痛かった。しかし、この日の探検はとても満足のいくものだったので、夜はゆっくりと休もうと考えていた。ただ、その思いは残念なことにかなわず、私たちは失望することになった。通常はおとなしいものの、鳴き声はやかましい八羽のコンゴウインコを、昼のあいだ、誰かが小屋のなかに連れてきていたからだ。それは敵対するインディヘナやジャガーの襲来をふせぐためなのか？　白人が連れてきた悪魔を祓(はら)うためなのか？　あるいは近くの密林(ジャングル)に隠れている彼らの家族を元気づけるためなのか？　今となってはわからない。

次の日、原住民のインディヘナと私たちの担(かつ)ぎ手のインディヘナは、最高の遺跡エスピリトゥ・パンパ周辺に生い茂った草木をできる限りとりのぞく作業を続けた。その作業中、インディヘナたちも驚きを隠せないようだった。前日、私たちが立っていた「沐浴場(もくよくじょう)」のすぐ下に、壁龕(へきがん)と石の杭(くい)が対称的に配置された、保存状態のよい優れた構造の建物二棟（遺跡）が発見された。これらの建物は、小さな人工テラスのうえに独立して立っていた。そしてその床にはインカ帝国(タワンティン・スウユ)の特徴的な土器の破片が見つかり、そのなかには細い首をもつ球形の大きなアリュバロス型土器の破片もふくまれていた。密林(ジャングル)の茂みの深さから言って、インディヘナたちはしばしばこの立派な壁から五フィート以内に立ち入っていたものの、その壁を「それまで見たことがない」というのも無理はない。この渓谷に点在するなかで、もっとも重要なインカ帝国(タワンティン・スウユ)の遺跡の「発見」に勇気づけられ、私たちは引き続き、探検を続けたが、新たに見つけられたのは小川にかかる精巧(せいこう)な石橋だけだった。サアベドラ氏の息子は、インカ帝国に遺跡の所在について、地元のインディヘナにていねいに尋ねてくれたが、彼らは「他の遺跡は知らない」と答えた。

エスピリトゥ・パンパやエロンボニ・パンパの石づくりの建築は、一体、誰が建てたのだろうか？　ここがカランチャ神父の記した「ビルカバンバ・ビエホ」であり、マルコス修道士やディエゴ修道士が苦しみながら通った「唾棄すべき占い師や神官たちの根城だった、偶像崇拝の大学」の所在地なのだろうか？　以前、（私たちの通った）この悪路にはウンガカチャという場所があって、そこでキリスト教の修道士たちが（裾の長い）修道服をまくりあげて水のなかを歩き、インカ皇帝ティトゥ・クシを楽しませていたのだろうか？　修道士たちはそれを「荒野での三日間」と呼んだ。カランチャ神父の別の記述では、プキウラへの道を「ビルカバンバから二日間の長い旅」と記されている。私たちは、エスピリトゥ・パンパからプキウラにたどり着くまで五日かかったが、現地のインディヘナなら、重荷を背負わずに急げば、三日ほどで行ける距離かもしれない。その道中にはウンガカチャという場所はなかったが、この場所（ウンガカチャ）にあてはめることのできそうな場所も見つけた。それは、この物語の他の章で触れたい。

しかし、インカ皇帝マンコ・インカ・ユパンキと一緒に、寒いクスコから逃れ、亡命先のビルカバンバの奥地で保護されていたインカの神官と太陽の処女たち（彼女らは「偶像崇拝の大学」の構成員であった）が、エスピリトゥ・パンパの熱い谷間に住むことを望んだと考えるのは、私には合理的でないように思う。クスコとエスピリトゥ・パンパの気候の違いは、スコットランドとエジプト、ニューヨークとハバナ（キューバ）の違いくらいある。エスピリトゥ・パンパでは、彼らの口にあう食べものは見つからなかっただろう。さらに彼らの求める隠遁生活、安全な生活はビルカバンバの他の地域、とくにマチュピチュのような地でも可能であっただろう。そこでなら、彼らの好む涼しくてさわやかな気候や彼らが慣れ親しんだ食材に近いものも手に入れられただろう。最後にカランチャ神父は「ビルカバンバ・ビエホ（古いビルカバンバ）」を、この地方で「最大の都市」だとしているが、この言葉はエスピリトゥ・パンパよりも、マチュピチュやチョケキラオにこそふさわしい。

一方で、モンターニャ（森林地帯《ジャングル》）のエスピリトゥ・パンパは、ガルシア大尉の仲間がビルカバンバと呼んだ場所の条件を満たしていることは間違いないようだ。彼らは「エスピリトゥ・パンパこそ、最後のインカ皇帝トゥパク・アマルが、ビトコスの『ワイナ・プカラ（若い要塞）』を失った後に、逃げ込んだ都市と谷である」と語っている。オカンポは、自分の故郷であるスペインによるビルカバンバとの違いを強調したかったのだろう。皇帝トゥパク・アマルの亡命先を「古いビルカバンバ（ビルカバンバ・ビエホ）」と呼んでいる。オカンポが言うところの新たな「ビルカバンバ」は、マルコス修道士とディエゴ修道士がこの地方に暮らしていたころには存在しなかった。カランチャ神父がこれら修道士のメモをもとに『年代記《クロニカ》』を書いたのなら、「古い」という言葉はエスピリトゥ・パンパではなく、オカンポの知るどの場所よりも古くからあったビルカバンバにこそあてはまることになる。

エスピリトゥ・パンパは、インカ帝国《タワンティン・スウユ》末期のもので、それほど長い年月をかけてつくられたものではない。この未完成の建築は、皇帝ティトゥ・クシの治世の後半につくられた可能性がある。修道士ロドリゲス・デ・フィゲロアが、パンパコナスでこの皇帝に会ったのは、皇帝ティトゥ・クシの希望によるものだった。インカ皇帝は、間違いなくモンターニャ（森林地帯《ジャングル》）のビルカバンバから来た模様で、前述のようにロドリゲスに一羽のコンゴウインコと二袋のピーナッツを贈った。

エスピリトゥ・パンパの遺跡は、このインカ皇帝が好んで生活していた宮殿のひとつであった。そして皇帝が少年時代を過ごし、一五六五年にロドリゲスと出会うために出発した地のビルカバンバそのものであった。一五七二年、ガルシア大尉はビルカバンバでインカ帝国《タワンティン・スウユ》に勝利したあと、皇帝トゥパク・アマルの追跡をはじめた。そして「(このインカ皇帝は)シマポンテの谷に向かって内陸部に逃げ込み、好戦的な部族のマチゲンガ族(マナリー族の子孫)とその仲間たちの国へ向かった。そこには彼を逃すための、バルサ(筏)やカヌーが手配されている」ということだった。

現在、私たちが調べた限りでは、この近くにシマポンテと呼ばれる渓谷は存在しない。そしてマチゲンガ族は、ビルカバンバ下流の川岸に住んでいたと言われている。最後の皇帝トゥパク・アマルは、彼らの国へ向かうため、おそらくエスピリトゥ・パンパからパンパコナスを下ったのであろう。「幽霊たちのパンパ(エスピリトゥ・パンパ)」からカヌーで移動するのはほんのわずかの距離だったかもしれないが、皇帝の逃亡を助けた協力者がカヌーのあつかいに長けていたことは明らかであろう。ガルシア大尉のトゥパク・アマル追跡記録によると、密林や川の危険にひるむことなく、五つの筏をつくり、兵士を何人か乗せ、自らも同行して急流をくだったという。その際、何度も水のなかを泳ぐなど、死の危機にも直面したが、なんとかモモリという場所に到着した。スペイン軍の来襲を知ったインカ皇帝は、さらに森の奥深く逃げ込んだという。ガルシア大尉は臆することなく、皇帝トゥパク・アマルたちを追い続けた。トゥパクと彼の配下たちは、川下りのなかでほとんどの食料を失い、ほとんど何も食べずに、裸足でいるところを捕らえられた。スペイン人には苛酷で、インカ人には致命的で、それがこの恐ろしい追跡劇の痛ましい結末であった。

私たちの探検のなかで、パンパコナス川をウルバンバ川との合流点まで行くことができなかったのは、とても残念なことであった。パンパコナス川は、ボウマン博士のカヌー隊が、ビルカバンバの山を水源と考えたシリアロ川(コリベニ川)である可能性があると思われた。こうしたなか、のちの一九一五年の夏になって、パンパコナス川が実際にはコシレーニ川の支流であることがはっきりとわかった。そしてコシレーニ川はかつて(インカ皇帝がスペインの手を逃れるために向かった)「シマポンテ」と呼ばれていたと思われる。コンベルシアト川が「モモリ」であるかどうかは何とも言うことができない。

インカ皇帝トゥパク・アマルとスペインのガルシア大尉の足跡をたどるのは、ヘラー氏、フォード氏、メイナード氏の三人の役割だった。そして、その行程をたどるなかで、ガルシア大尉のトゥパク・アマル追跡記録における、苦々しい体験が誇張された表現でないことに気づいた。ガルシア大尉たちは木の幹にいる赤い小さなアリ(アカカミアリ)、地面に落ちている葉っぱにひそんでいる一インチほどもある黒い大きなアリなど、大量の虫に悩まされたという。アカカミアリに噛まれると、一五分ほど火傷したような痛みが続く。黒アリに足を噛まれた(輿の)担ぎ手のひとりは、何時間も激痛に悩まされたようだった。足先だけでなく、腿や腰にも痛みがくるという。インディヘナは漁師であると同時に、猟師(ハンター)でもあり、網で魚をとり、弓矢で狩猟を行なう。それを示すように、道から数フィート離れたヤシの葉の陰にいたペッカリー(ヘソイノシシ)を狙撃してしまった。ただそのときのインディヘナの狩りは、あまりかんばしい結果にならなかった。三人のインディヘナが一晩中釣りをして、釣った魚はたった一匹、約四ポンドのパーチ(スズキ)だった。気温が高すぎて、ロウソクはすぐに溶けて塊になってしまう。湿度が高すぎるので、革製品にはびっしりと青カビが生えてしまった。またハエや蚊が大量に発生し、密林熱が蔓延する可能性も無視できなかった。

ヘラー氏がコンベルシアト川を進んで、ウルバンバ川との合流点から一リーグも離れていない地点にたどり着いた。コンベルシアト川下流域は、カヌー航行にあたって危険ではないと推測されたが、谷はコシレーニ川の谷よりもずっとせまい。そしてコンベルシアト川の水量はコシレーニ川の二倍であった。気候は非常に厳しい。夜は暑く、虫の害も多い。ヘラー氏によると、「森のなかには針をもたない迷惑な蜂がたくさんいて、だれかれ問わず、人間の顔に巣をつくろうとしていた」という。コンベルシアト川のほとりでは、何組ものインディヘナの家族に出合った。やはり彼らは、皆、熱心な猟師(ハンター)であり、漁師でもあった。彼らの武器は、小さな

▲左　エスピリトゥ・パンパのカンパ族男性[『INCA LAND』掲載写真／1922年発刊]　▲右　カンパ族女性と子供たち、エスピリトゥ・パンパにて[『INCA LAND』掲載写真／1922年発刊]

ヤシの木でつくられた強力な弓と、葦でつくられた螺旋状の矢羽をもつ長い矢であった。

猿もたくさん生息していて、六種類の異なる属（種類）が確認できた。そのなかには、あまり動かず、数マイル先まで聞こえる深い唸り声で、居場所をかんたんに特定できる大型のアカホエザルがいた。またクロクモザル（ブラックスパイダー・モンキー）は、警戒心がとても強く、なにかに怯えると驚くべき速さで木の枝を飛びまわっていく。それに色は黒いが、表情は知的なウーリー・モンキーは、原住民によく飼いならされていた。それらの猿は「ペットとして飼うのも楽しいが、食べものがなくなったとき、食用にすることもある（マキサパという「食用の猿」のこと）」、また「猿の肉は原住民にとってとても貴重で、あまったら燻製にして保存している」という。

コシレーニ川を進むなかでメイナード氏は、インディヘナのガイドのひとりが何かしらの葉っぱを包んでもっていることに気がついた。それを開いてみると、毛のない大きなイモムシが四〇～五〇匹入っていた。そして、そのインディヘナはイモムシの頭を食いちぎり、身体部分を小さな袋に投げ入れて、こう言った。「この虫はこのうえない珍味だ」。

エスピリトゥ・パンパで出会ったインディヘナは、下のほうの谷で見たインディヘナによく似ていた。彼らは皆、頭には何もつけず、裸足姿だった。ふだん、密林のなかで生活しているので、帽子は必要ないのだろう。サンダルや靴をはくと、すべりやすい小道を歩くのがかえって大変になる。彼らは一〇年ほど前から、この谷によそ者が入ってくるのを見たことがないようだった。そして、来訪者を目のあたりにすると、すぐに自分の妻や子どもをうまく隠した。

その後、ヘンドリクセン氏とタッカー氏がエスピリトゥ・パンパの緯度と経度を特定するためにやってきた。タッカー氏は、写真を撮ろうとし、原住民のインディヘナは自分の家族が被写体になることを許可した。しかし、実際のところ、彼らがタッカー氏の行動を理解していたかどうかは疑問が残る。いずれにせよ、インディヘナは逃げも隠れもしなかった。男性と年配の少年たちは皆、白い竹の装身具を身につけていた。既婚男性は顔に絵の具を塗っていて、そのなかのひとりにはカンパ族特有の唇の飾りが見られた。子どものなかには、まったく服を着ていない者もいた。妻たちふたりは、男たち同様に長いポンチョを着ていた。そのうちのひとりは、顔に絵の具を塗っていて、実に未開風の顔をしていた。彼女は装身具(フィレット)を身につけず、最高のポンチョを着て、鮮やかな羽毛をもつ小鳥の皮膚でつくった見事なネックレスをぶらさげていた。そして、女性たちは皆、小さなハンモック(布状の抱っこひも)に赤ん坊を入れて、肩からさげていた。六歳にも満たない少女が、頭からのタンプライン(頭にひもをかけて運ぶ袋のようなもの)を使っていた。森に生きるインディヘナは両手を自由にするため、つねにタンプラインに支えられたハンモックを使って、ふたりの子どもを背負っていることは特筆される。妻のひとりは、他の妻よりも色白で、スペイン人の血をひいているようにも見えた。もっとも野生的な顔立ちの女性は、とてもみすぼらしい服を着ていて、何かの種でつくったネックレスと白い唇飾り、数枚のボロ布を腰巻きとする姿だった。そして、彼女の子どもたちは全員、裸だった。きれいな首飾りをつけた女の子たちは、古いポンチョの切れ端(はし)を身につけていた。そのうちのひとりは母親のお気に入りだったようで、鳥の皮膚と猿の歯でつくった美しい首飾りをかけていた。

彼らはインカ皇帝トゥパク・アマルがビルカバンバから逃れてきたときに、身をよせた人たちの子孫かもしれない。アマゾンのインディヘナは皆、猿の肉を好んで食べるが、ペルー高原地帯の人たちはそれを食さない。そのため、トゥパク・アマルが猿の肉を食べたかどうかは疑わしい。歴史家ガルシラーソ・デ・ラ・ベーガによれば、「インカ皇帝トゥパク・アマルは飢えで死ぬことよりも、スペイン人の手に自らを委(ゆだ)ねることを選んだ」という。インカ皇帝の同盟者であるインディヘナは、猿が多く生息する地域で、何不自由なく生活していた。もし、彼らが皇帝トゥパク・アマルから、彼らの慣れ親しんだ食べもの(猿の肉)をあたえられていたら、あるいはインディヘナはガルシア大尉がインカ皇帝を捕らえることを許さなかったかもしれない。

いずれにしても、私たちの探検で、この谷がインカ帝国(タワンティン・スウユ)最後の領地のなかで、重要な意味をもつことを示唆(しさ)できた。私たちはもっと調査を長びかせたかったけれども、インディヘナの担(かつ)ぎ手たちはパンパコナスに戻りたがっていた。わざわざ猿の肉を食べる必要はないが、彼らはこの地の原住民を恐れ、強力な弓と長い弓がいつ自分たちに向けられるか？　と神経質になっていたのであった。

コンセビダヨクまで戻ると、サアベドラ氏は、親切にも私たちのために砂糖の甘味を用意してくれていた。彼は大きな丸太の側面をうがった穴にシロップを注いでいった。シロップの入った穴に、彼の息子があぶり焼いたピーナッツをひとつかみ入れた。こうしてできあがった「非常食」は、私たちが帰路に着くまでのあいだ、私たちを大いに楽しませてくれた。

サン・フェルナンドまで戻ったとき、ラバの隊列と合流した。熱帯雨林(ジャングル)特有の豪雨が続くなか、翌日、私たちは暑い谷から、パンパコナスの冷たい高原へと向かった。私たちは、汗と雨でびしょ濡(ぬ)れになっていた。村の高台には雪が降っていたほどで、(寒さによる震えで)私たちの歯はカスタネットのように鳴っていた。フート教授はグスマンの小屋に着くと、すぐにグスマン夫人の起こした火を借りて、私たちのティー・ケトル(やかん)を沸かした。グスマンの小屋にたどり着いた者たちのなかで、これほど寒さにやられ、濡(ぬ)れて、ボロボロになった惨(みじ)めな一行は、今までいただろうか？

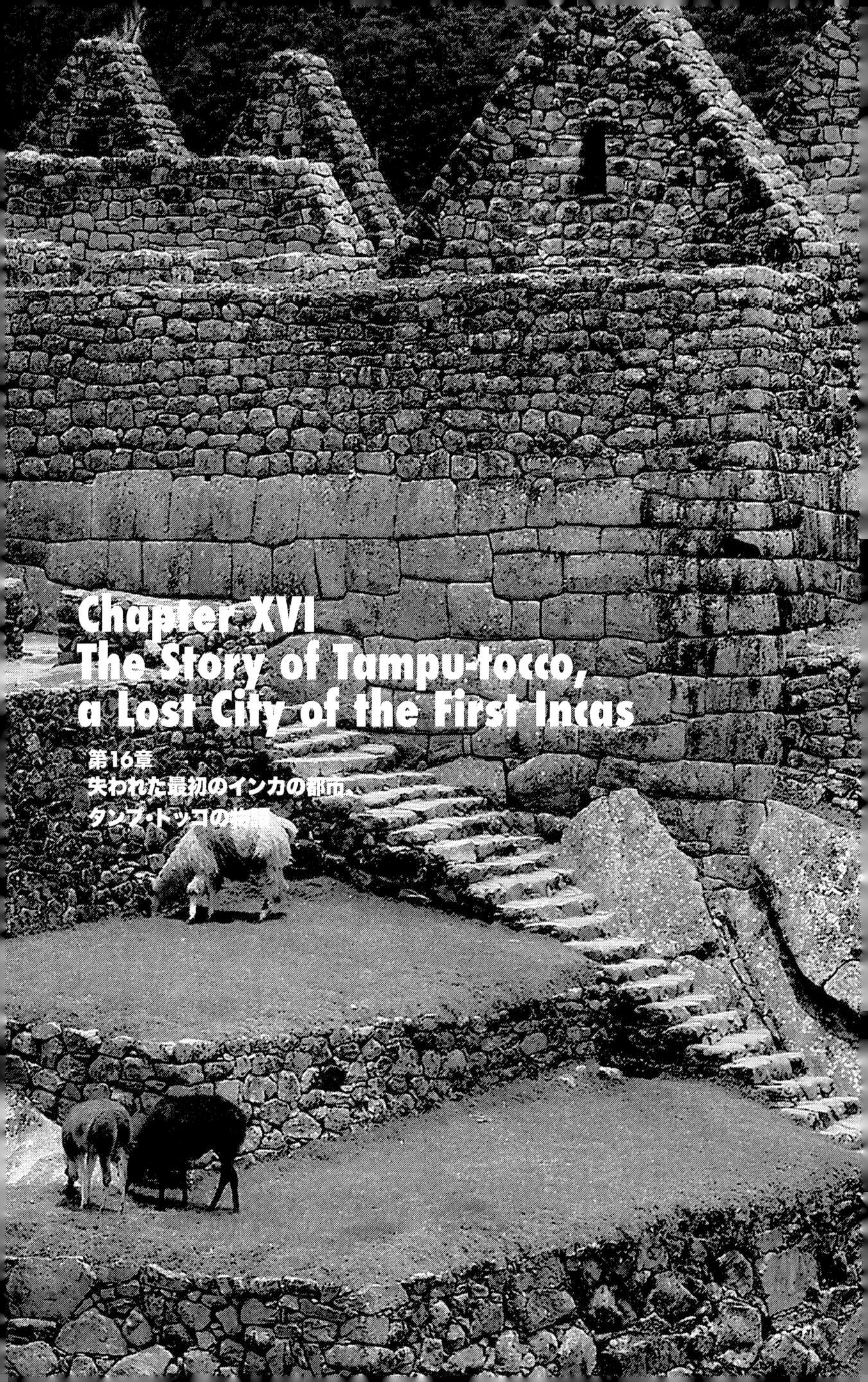

Chapter XVI
The Story of Tampu-tocco, a Lost City of the First Incas

第16章
失われた最初のインカの都市、タンプ・トッコの物語

インカ帝国（タワンティン・スウユ）「最後の都」を探していたとき、私たちは皇帝マンコ・インカ・ユパンキとその息子たちの物語とは、関係のない遺跡群を見つけたことを憶えている。そのなかでもっとも重要なものがマチュピチュであった。その建物の多くは、ローサス・パタ（ビトコス）（バラの丘）やエスピリトゥ・パンパの遺跡よりもはるかに古いものだった。マチュピチュで発見されたものを理解するためには、あるペルーの有名な都市の話をする必要がある。その都市の名前は、タンプ・トッコという。一六世紀のスペインによる征服の際、当時、存在していたインカ帝国（タワンティン・スウユ）の街にもタンプ・トッコという名前はなかった。征服者（コンキスタドール）ピサロや最後のインカ皇帝マンコ・インカ・ユパンキ、その後のスペイン総督トレドやトゥパク・アマルが主人公だった時代から、七〇〇年近くも前に起こった出来事に読者の目を向けさせなければならない。インカ人が最後にビトコス（ビルカバンバ）を支配したのは、一五三六年から一五七二年のあいだのことであった。

古代のペルー高原地帯は、約六〇世代にわたってアマウタ族が支配していた。そして第六章で述べたように、紀元八〇〇年ごろ、南方と東方から侵略者がやってきた。アマウタ族はとてもすばらしい文明を築いていて、通常、インカ帝国（タワンティン・スウユ）の功績とされている農業や土木技術は、実際にはアマウタ族によるところが多かった。アマウタ族最後の支配者は、ラ・ラヤの戦場で、矢を受けて生命を落としたパチャクティ六世であった。古代ペルーに関する歴史家で、神父のモンテシーノス（ハーバード大学のP・A・ミーンズ氏がハクライト協会のために最近、その著作を翻訳した）は「パチャクティ六世の従者（じゅうしゃ）たちが、彼の遺体をたずさえて、タンプ・トッコに逃がれた」と記している。モンテシーノス神父によると、この場所は「健康的な場所」で、アマウタ族の遺体を葬った洞窟が残っていたという。

▲上　パッカリタンプの近くにあるプーマ・ウルコ［『INCA LAND』掲載写真／1922年発刊］　▲下　地形を利用した段々畑のアンデネス

そのあいだ、彼らの都市のなかでもっともすばらしく、そして重要な都市のクスコは略奪されたのだった。

ペルーの古代帝国では、無秩序な状態が続くことが多かった。平和で豊かな古きよき時代は、侵略者を前にして姿を消してしまった。旧帝国の栄光は破壊され、数世紀にわたって復活することはなかった。この暗黒時代のペルーは、ゲルマン民族の移動とローマ帝国の崩壊に続く中世ヨーロッパの状況に似ていて、政治勢力は多数の小さな独立した単位に分割されていた。こうして分割された、ペルーそれぞれの地区は独自の支配者をいただき、近隣の住人に対して略奪行為を働くようになった。その影響は、アンデス山脈の谷間の道を守るために建てられた小さな要塞の跡に、今でも見ることができる。

モンテシーノス神父によると、アマウタ族に真の忠誠を誓っていた人々は少数派であって、敵対する勢力（侵略者）に対抗するだけの力はなかったようだ。そして、彼らの一部、政権を構成していたであろう神官の長、賢者、首長などが、タンプ・トッコに新しい都市を建設した。ここで彼らはアマウタ族の歴史を刻み、それなりに文明的な生活を営んでいた。そのため、当時の社会にはびこった混沌と無秩序、首長や「泥棒男爵（ビンガム時代のアメリカで富をたくわえた資本家の別称）」による専制政治のはびこる地域から、タンプ・トッコに、人々が逃れてくるようになった。そして徐々に都市が形成された。彼らはこの新しい都市タンプ・トッコで、ティティ・トゥルアマン・キチョを王としてあがめた。旧体制の生き残りは、タンプ・トッコでの生活に満足していた。というのは、タンプ・トッコでは地震の心配も、疫病の心配もなかったからだ。そして、たとえ若い新たな王ティティ・トゥルアマンが運悪く死んだとしても、パチャクティ六世の遺体を葬った神聖な洞窟に埋葬することができた。

やがて新王国の創設者たちのもとに、幸運が訪れた。彼らは誰にも干渉されない絶好の場所をあたえられたのだった。新王国の支配者タンプ・トッコ王とその後継者たちには、何世紀にもわたって、記録に残るような大事件は起こらなかった。このあいだ、何人かの王が偉大なるアマウタ族が治めていたクスコに戻って、そこに遷都しようと試みたが、その試みはその都度、断念せざるを得なかったという。

タンプ・トッコのもっとも賢明な統治者のひとりトゥパク・カウリ、すなわちパチャクティ七世という王がいた。彼の時代、人々は文字を覚え、それを木の葉に書くようになっていた。王はペルー高原地帯の各地に使者を送った。そして各部族に偶像や動物の崇拝をやめ、またアマウタ族の滅亡以降に生まれた悪しき習慣をやめて、自分たちの祖先が行なった信仰や慣習をとり戻そうと働きかけた。しかし、王の熱意は冷たくあしらわれた。それどころか、王の使節は殺害され、ほとんど何の変化も起こることはなかった。この改革の試みに失敗して落胆した王トゥパク・カウリ（パチャクティ七世）は、その原因を突きとめようとした。すると預言者から、「神々がもっとも不快に思っていることは、『文字の発明』である」と告げられた。そこで、王は死を覚悟で、文字を書くことを禁止したのであった。この禁止令によって、古代ペルーの人々は二度と文字を使わなくなった。その代わりに紐の結び目で、数や物事を伝える「キープ（結縄）」をもちいることにした。これによって、神々は怒りを鎮め、皆が安心して暮らせるようになったという。そのときペルー人という民族が、どれだけ重要な一歩を踏み出そうとしていたか、誰も気づいてはいなかった。「キープ（結縄）」という不思議で、興味深い伝統は、一六世紀にスペインがペルーを征服する何世紀も前に起こったひとつの出来事に由来するものだった。しかし、それを裏づける証拠は残っていない。

懐疑的な人は、「インカの血をひく人々が、自らの虚栄心に訴えるための話に過ぎない」と片づけてしまうかもしれない。そのことはヨーロッパ人から母親（インカ王族）の祖先の賞賛を得るために書いたという、メスティーソ（混血）のガルシラーソ・デ・ラ・ベーガの歴史書『インカ皇統記』には記されていない。しかし、純血のスペイン人であって、慎重な研究者モンテシーノスの著書にはこの話が書かれている。実際のところ、サムナーの『フォークウェーズ（習俗）』を学んだ学生にとって、この話は真実味を帯びている。
聡明なタンプ・トッコのある若者が、広くなめらかな葉のうえに、ひっかいて記す表意文字を発明した。そして、それはうまくいった。人々は文字による伝達を採用しはじめた。一方、保守的なタンプ・トッコの神官たちは、それを好まなかった。今まで口伝で新入りの神官に伝えられていた貴重な秘密が、公共の財産になってしまう恐れがあった。しかし文字の発明は、非常に便利なものであったことから、広まりつつあった。その後、王トゥパク・カウリ（パチャクティ七世）の使節が殺害されたり、王の計画が頓挫したりと、実に不運な出来事が続いた。その原因ができてまもない表意文字にあると考えるのは、自然のなりゆきかもしれない。その結果、タンプ・トッコの王は、（既得権益者である）神官にそそのかされて、この新しい発明「文字」を禁止しようと決意したのであった。そのときのペルーで、文字の有用性は、まだ確立されていなかった。それどころか、葉が枯れたり、乾燥してひび割れしたり、吹き飛ばされたりして、文字が消えてしまうという不便さがあった。もしも、この新しい発明「文字」がタンプ・トッコでもう少し長いあいだ存在できていたなら、誰かが岩に表意文字を書きはじめていただろう。そうすれば、文字による伝達行為は持続しただろう。しかし、王や神官たちは、貢ぎものや税の重要な記録は、「キープ（結縄）」によって完璧に保存できることを知った。そして、それぞれの文字列が何を意味するのかを判読する人々、つまり新たな職業が生まれた。

結局のところ、（かつてこの地に文字があったという）モンテシーノス神父の話には何の違和感もないように思える。スペインの歴史を見れば、スペイン王室の偏見やキリスト教神父の不寛容さが、しばしば新しいアイディアを潰し、偉大な国の進歩をさまたげてきたことに気づくだろう。モンテシーノス神父によれば、王トゥパク・カウリ（パチャクティ七世）はタンプ・トッコに大学のようなものを設立し、子どもたちに「キープ（結縄）」の使いかた、数えかた、色の違う紐の意味などを教えた。そして、その父兄や兄たちには軍事訓練、つまりスリング（投石

▲　紐や縄の結び目で情報を伝える結縄文書キープ（ワマン・ポマ『新しい記録と良き統治』より）

具）、ボラ（投擲武器）、棍棒、さらには弓矢の練習をさせていたという。

トゥパク・カウリ（パチャクティ七世）のもとには、王の求めに応じて、タンプ・トッコ王国で起こったさまざまな情報が集められていた。その結果、この小さな王国の技術と軍事力が、高い水準に達した時期が訪れたのであった。そして王と王国の評議員たちは、何世紀も前にクスコを本拠地としていた祖先のことを想い、再び、クスコへ進出することを決意したのであった。当時のクスコでは、地震で多くの建物が倒壊するということがあった。川の流れが変わって街は破壊され、続いて悲惨な伝染病が発生した。一方、健康的なタンプ・トッコでは疫病は発生しなかったが、王たちはクスコへの進出計画をあきらめざるを得なかった。彼らの王国は栄え、ますます人口が増え、土地は手ぜまになっていた。タンプ・トッコの人たちは、耕作可能な土地はすべて段々畑（アンデネス）にして耕した。彼らは知性的で、組織化され、規律正しかったが、家族のために充分な食料を調達することはできなかった。そのため、西暦一三〇〇年ごろ、彼らは当時の有能な支配者のもとで、征服によって新たな耕地を確保することを余儀なくされた。その支配者の名を、マンコ・カパックといった。彼はインカ帝国の初代皇帝と言われ、スペインによる征服が進む一五三六年時点のインカ皇帝マンコ・インカ・ユパンキの名前の由来となった支配者でもあった。

初代インカ皇帝マンコ・カパックの台頭については、多くの物語が伝わっている。マンコ・カパックは、人並みに成長すると、新しい土地を確保するために人々を集めた。インカ皇帝の遠い子孫であり、その曽祖父母がスペイン征服時代に生きたインディヘナのパチャクティ・ヤムキ・サルカメイフアは、一六二〇年にペルーの古代についての記録を残している。そしてそこには「初代インカ皇帝マンコ・カパックが、兄弟たちと相談したあと、太陽が昇る丘に向かって、兄弟たちとともに出発した」と書かれている。パチャクティ・ヤムキ・サルカメイフアは、かつてのペルー支配者の子孫に伝えられたインカの歴史について語っている。そこにはマンコ・カ

▲左　マウカラクタに残る最高のインカ帝国時代の壁、パッカリタンプ近郊[『INCA LAND』掲載写真／1922年発刊]　▲右　プーマ・ウルコの洞窟、パッカリータンプの近く[『INCA LAND』掲載写真／1922年発刊]

パックとその兄弟がついに都クスコに到達し、そこに定住したことが記されている。アマウタ族の子孫がクスコに戻ったことから、タンプ・トッコの栄華は終わりを告げた。

マンコ・カパックは自分の血統が絶えないように、また結婚することで他の家族が自らの親族と同等にならないように、自分の妹と結婚した。マンコ・カパックはよい法律をつくり、多くの地方を征服した「インカ帝国の創始者」と見なされている。ペルー高原地帯の人々はマンコ・カパックの支配下に入り、この皇帝に豊かな贈りものを貢ぐことを忘れなかった。マンコ・カパックの名とともに知られるようになったインカ皇帝は、アンデスでもっとも強い首長であり、もっとも勇敢な戦士であり、もっとも神に祝福された戦士であると認められた。

インカ皇帝の兵士たちは勇敢で、よく訓練され、よく武装されていた。皇帝マンコ・カパックの事業はすべて順調に進んでいった。クレメンツ・マーカム卿は次のように記している。「その後、皇帝は自分の生まれた場所に宮殿を建てるように命じた。石づくりの壁に、窓が三つあって、それは皇帝の生まれた父祖の家を象徴していた。最初の窓は、タンプ・トッコと呼ばれていた」。そして、あるスペイン人がタンプ・トッコについて尋ねると、「その場所はクスコの南八～一〇マイルの小さな街パッカリタンプ、またその近くにある」とのことだった。

しかし、私は、その近くに遺跡が非常に少ないことを知っていた。この街には何もない。もっとも重要なのは、数マイル離れたところにあるインカの村マウカラクタの遺跡だろう。遺跡の近くには、いくつかの岩塊と大きな岩からなる岩山がある。そして、そのうちのひとつの表面には台座が彫りこまれていて、そこにはピューマの浮き彫りが見られる（それは「プーマ・ウルコ」と呼ばれている）。岩の下にはいくつかの洞窟が残っていて、「最近、政治亡命者がそこをアジトにしていた」と耳にした。この洞窟とパッカリタンプ周辺の遺跡の特徴

▲　インカ帝国の初代皇帝マンコ・カパック（ワマン・ポマ『新しい記録と良き統治』より）

は、インカ征服時代のスペイン人によって語られた話を裏づけるのに充分なように感じた。

いずれにせよ、タンプ・トッコはクスコから離れた場所で、（その立地による）自然環境によって、クスコ側から攻撃をふせいでいたと思われる。そうでなければ、パチャクティ六世の残党がそこに避難し、南方からの好戦的な侵略者を前に、独立王国を樹立することはできなかっただろう。プーマ・ウルコの洞窟に兵士が隠れることができたとしても、パッカリタンプは天然の要塞とは言えない。この地域へのアクセスは難しくなく、パッカリタンプとクスコ盆地のあいだには断崖絶壁はない。アマウタ族の首都を占領してしまうような侵略者に対して、自然の障壁や防御機能もない。

なおタンプ・トッコのタンプには「一時的な住居」「宿屋」「改良された土地」「街から離れた農場」などの意味があり、トッコとは「窓」を意味する。パッカリタンプ近くのマウカラクタには古い宿屋があるが、「窓の宿屋」や「窓で有名な仮住まい」（「街から離れた農場」）という名にふさわしい窓はなかった。スペインの記録者サルカマイワの記述した、皇帝インカ・マンコ・カパック生誕地の記念碑に対応する「三つの窓をもつ石積みの壁」も存在しない。タンプ・トッコという言葉は、私が調べたどの地図にも載っていないし、パス・ソルダンが編纂したペルー全体を網羅した『地名辞典』にも掲載されてない。

Chapter XVII Machu Picchu

第17章 マチュピチュ

第17章／マチュピチュ

一九一一年七月、私たちは畏敬すべきウルバンバ渓谷に、はじめて足を踏み入れた。ここではウルバンバ川が、花崗岩の巨大な山々を切り裂いて流れている。ちょうどクスコ近郊の寒冷地から、逃れ出る（流れ出す）ところであった。トロントイからコルパニまでは、それまで見たこともないほど、魅力的な土地が続く道のりを進んだ。そこは、カナディアン・ロッキーの雄大さと、ホノルル近郊のヌウアヌ・パリの驚くべき美しさ、クーラウ・ディッチ・トレイルの魅惑的な景観をあわせもっていた。自然がつくる魅力の多様性、そこから訴えかける言葉の魅惑において、私は世界中で、ウルバンバ渓谷に匹敵する場所を知らない。それだけではない。高さ二マイルを超える壮大な雪山の峰々が、雲の上に顔をのぞかせ、色とりどりの花崗岩で組みあげられた巨大な断崖絶壁が切り立っている様子。これらの大自然は、そのなかを泡立ち、キラキラ輝き、轟音をたてて流れ落ちる、ウルバンバ川の急流を見守っているようだった。そして、それとは対照的に、蘭や木のシダ、豊かで贅沢な植生、神秘的な魔力を放つ密林が広がっていた。

ウルバンバ川は、深く曲がりくねった峡谷のなかを流れ、信じられないほどの高さの断崖を通過していく。その驚異の光景に、私たちは絶え間ない驚きを受け、惹きつけられた。そして何よりも、揺れるつる植物や突き出した岩のなかで、過ぎ去りし日に生きた民族が築いた、不揃いな石組みを見つけることに夢中になった。この渓谷は、大昔に抑圧された人々のための聖域として、自然がしつらえた場所に違いなかった。そして、「不朽の美を留める壁をつくりたい」という古代の建築家たちの情熱を、大胆かつ忍耐強く表現できる場所でもあった。建築家たちの困惑するようなロマンを探る楽しみを、私たちは感じていた。刻々と変化する眺望、熱帯雨林、無数のアンデネス（段々畑）、そびえ立つ崖、雲の合間から顔を出す氷河など、その美しさは筆舌に尽くしがたい。

私たちがキャンプ地に選んだのは、ウルバンバ川近くのマンドル・パンパという場所だった。すでに第一〇章でかんたんに紹介したマチュピチュ遺跡の話は、マンドル・パンパの隣の農場経営者メルチョール・アルテアガ氏から聞いたものだった。

それは七月二四日の朝のことで、冷たい霧雨が降っていた。アルテアガ氏は寒さに震え、小屋にこもりたがっていた。私は「もしも遺跡を見せてくれるなら、充分な報酬を支払う」と申し出た。しかし、アルテアガ氏は「こんな雨の日に（遺跡のある丘に）登るのは大変だ」と言って、いったんは私の申し出を断った。しかし、私たちがこのあたりの日雇い労働者の三、四倍のソル（お金）を支払うことがわかると、ようやく遺跡へ案内することを承諾してくれた。ただ、誰も特別に興味深いことがはじまるとは考えていなかったように思う。

カラスコ軍曹につきそわれて、一〇時にキャンプを出発し、川の上流に向かって少し進んだ。その道すがら、最近殺害されたばかりであろう毒蛇を見かけた。この一帯には「毒蛇」がよく出没するというありがたくない評判がある。槍型頭の黄色い毒蛇フェルドランスは、猛毒をもつ蛇で、かなりのバネを使って獲物を追いかける。そして、ウルバンバ渓谷の探検中でもよく現れたものだ。のちに私たちのラバ二頭は、この蛇に噛まれて死んでしまった。

四五分ほど歩いて進むと、アルテアガ氏は幹線道路を離れ、密林のなかを通って川のほとりに降りていった。そして、そこでは川がふたつの大きな岩のあいだを流れていて、轟々と音をたてる急流のもっとも狭い部分に原始的な「橋」がかかっていた。橋は六本の細長い丸太でできていて、そのうち岩のあいだまで到達できない長さのものもあって、それらはつる草でつなぎ合わせて固定してあった。アルテアガ氏とカラスコ軍曹は靴をぬいで、幾分長めの足の指を使って、滑らないように、そおっと渡っていった。もしもこの急流に落ちたら、花崗岩に打ち砕かれ、生命は危ういだろう。正直に言うと、私は両手と両膝をついて、六インチずつ這いながら橋を渡った。対岸に着いてからも、もしも谷の上部に、大雨が降ったらこの「橋」はどうなってしまうのか？そう考えずにはいられなかった。（話は前後するが）その日の夜になって、小雨が降ってきた。ウルバンバ川は増水し、橋は荒れ狂った急流に脅かされていた。これ以上の雨が降ったなら、橋は完全に流されてしまうだろう。そして、それが昼間に起こっていたら、大変なことになったかもしれない。実際、数日後に起きたことだが、私たちに次いである探検家が、この地点で川を渡ろうとしたとき、細長い丸太は一本しか残っていなかったという。

私たちは、ウルバンバ川をあとにし、密林におおわれた川岸の土手を登っていった。すると数分で、断崖絶壁の丘陵斜面の下にたどり着いた。それから一時間二〇分ほどのあいだ、私たちは苛酷な山登りを強いられた。私たちは四つん這いになり、ときには指先で斜面にぶら下がるように登った。あちこちに木の幹を粗く削ってつくった原始的なはしごがおかれていて、それがなければ進めないような斜面さえあった。別の場所では、崖の斜面がすべりやすい草でおおわれていて、手がかりも、足がかりも見つからないほどだった。アルテアガ氏の話では、「ここには蛇がうじゃうじゃと生息している」という。

昼過ぎ、私たちは草むらのなかに立つ小屋に着いた。そこでは気さくなインディヘナたちが、私たちの突然の来訪に驚き、冷たいゴード（ひょうたん）に満杯の飲み水を出して、歓迎してくれた。そして、調理したサツマイモを出してくれたが、これはケチュア語でクマラと呼ばれ、クック氏が指摘した通り、ポリネシアのクマラと同じものだった。ウルバンバ渓谷のすばらしい眺め以外では、涼しい私たちの小屋から、小さな草葺きの小屋といくつかの古い石づくりのテラスが視界に入るだけだった。リチャルトとアルバレスというふたりの陽気なインディヘナが、このイーグル・ネスト（鷲の巣）を彼らの家に選んだのだ。彼らの話では、「ここには作物を育

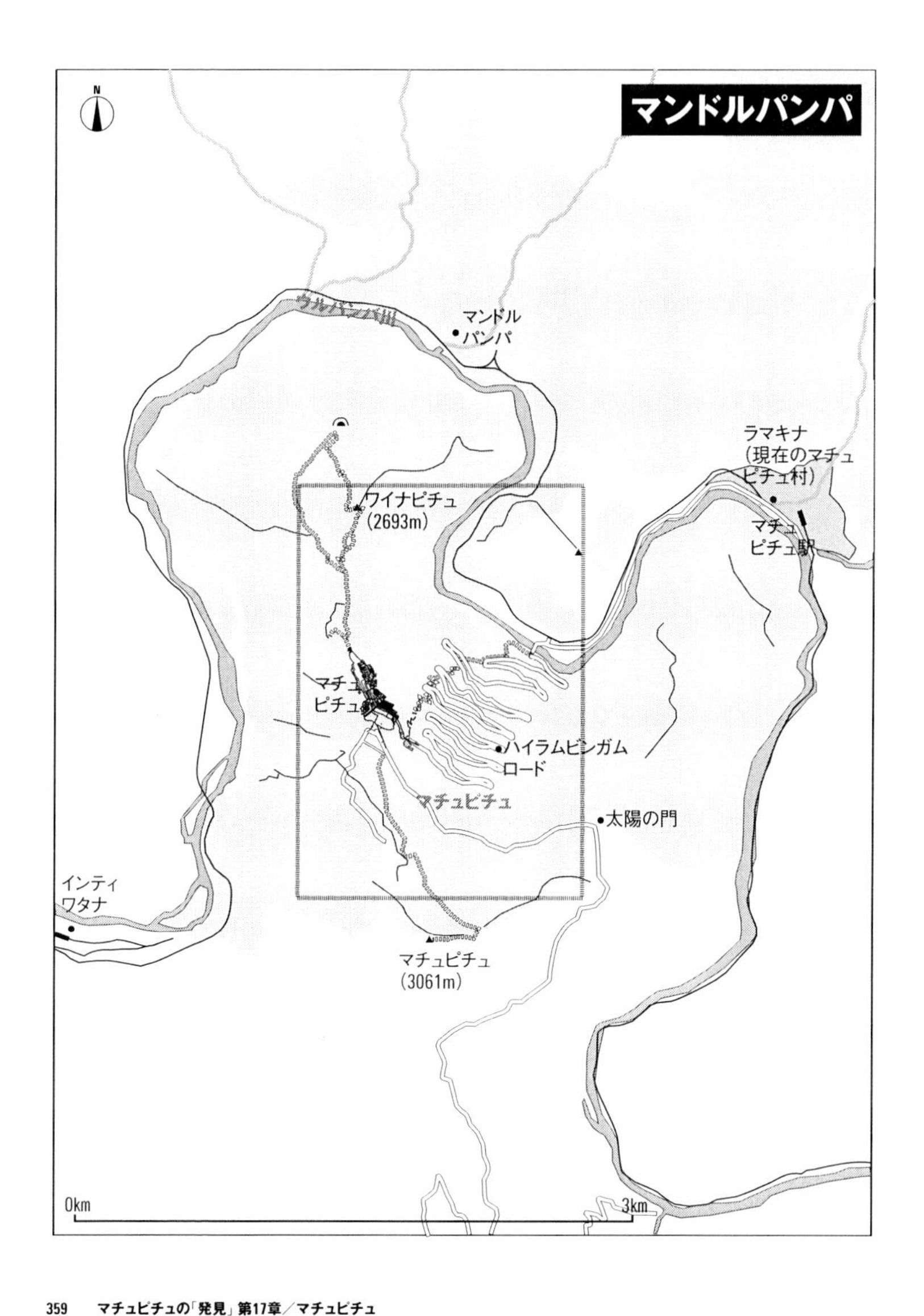
N
マンドルパンパ
ウルバンバ川
マンドル
パンパ
ラマキナ
（現在のマチュ
ピチュ村）
マチュ
ピチュ駅
ワイナピチュ
（2693m）
マチュ
ピチュ
ハイラムビンガム
ロード
マチュピチュ
太陽の門
インティ
ワタナ
マチュピチュ
（3061m）
0km
3km

てるためのアンデネス(段々畑)がたくさんあって、そして招かざる嫌な訪問者はほとんどいない」という。彼らはスペイン語を話せなかったが、カラスコ軍曹を通じて「もう少し先に遺跡がある」ということがわかった。ペルーでは、このような報告が信用に値するかどうかはわからない。「彼は嘘をついているかもしれない」。それはこの地でのすべての伝聞情報につけるべき注意書きかもしれない。そのため、私は必要以上に興奮することもなく、急いで足を進めることもなかった。

まだまだ厳しい暑さで、インディヘナの使う泉の水は冷たくて美味しい。その泉のそばに到着後、やわらかいウールのポンチョがかけられた素朴な木製ベンチに坐るととても快適であった。さらにその景色はとても魅惑的で、緑色の断崖が眼下のウルバンバ川の白い急流に向かって落ちていくのが見える。すぐ目の前の谷の北側には、2,000フィートもの高さの花崗岩の絶壁がそびえている。左手にはワイナピチュの単独峰があり、その周囲は手の届かない切り立った斜面となっていた。峰の四方は、岩の崖に囲まれている。その向こうには、雲におおわれた山々が、何千フィートもの高さでそびえ立っている。インディヘナたちは、「ここから外の世界へ、通じる道は二本ある」と言っていた。(私たちが登ってきたものとは別の)もう一本はより困難な道で、尾根の反対側の岩の断崖を下る危険なものだという。雨季になると、私たちの渡ってきた橋が通行不能になるため、こちらの道が彼らの唯一の脱出手段となった。そう考えると、彼らが家を空けるのは「月に一度程度」と聞いても驚きはしなかった。

リチャルトによると、彼らインディヘナはここに四年住んでいるという。何世紀ものあいだ、この渓谷には人が住んでいなかったが、新しい政府による道路が完成すると、この地域に再び入植者が集まりはじめた。やがて、誰かが断崖絶壁をよじ登ると、海抜9,000フィートの山であるマチュピチュの斜面に、何世紀も前の人工的なアンデネス(段々畑)が築かれていた。それら豊かな土壌は、都合よく配置されていて、気候も良好であった。

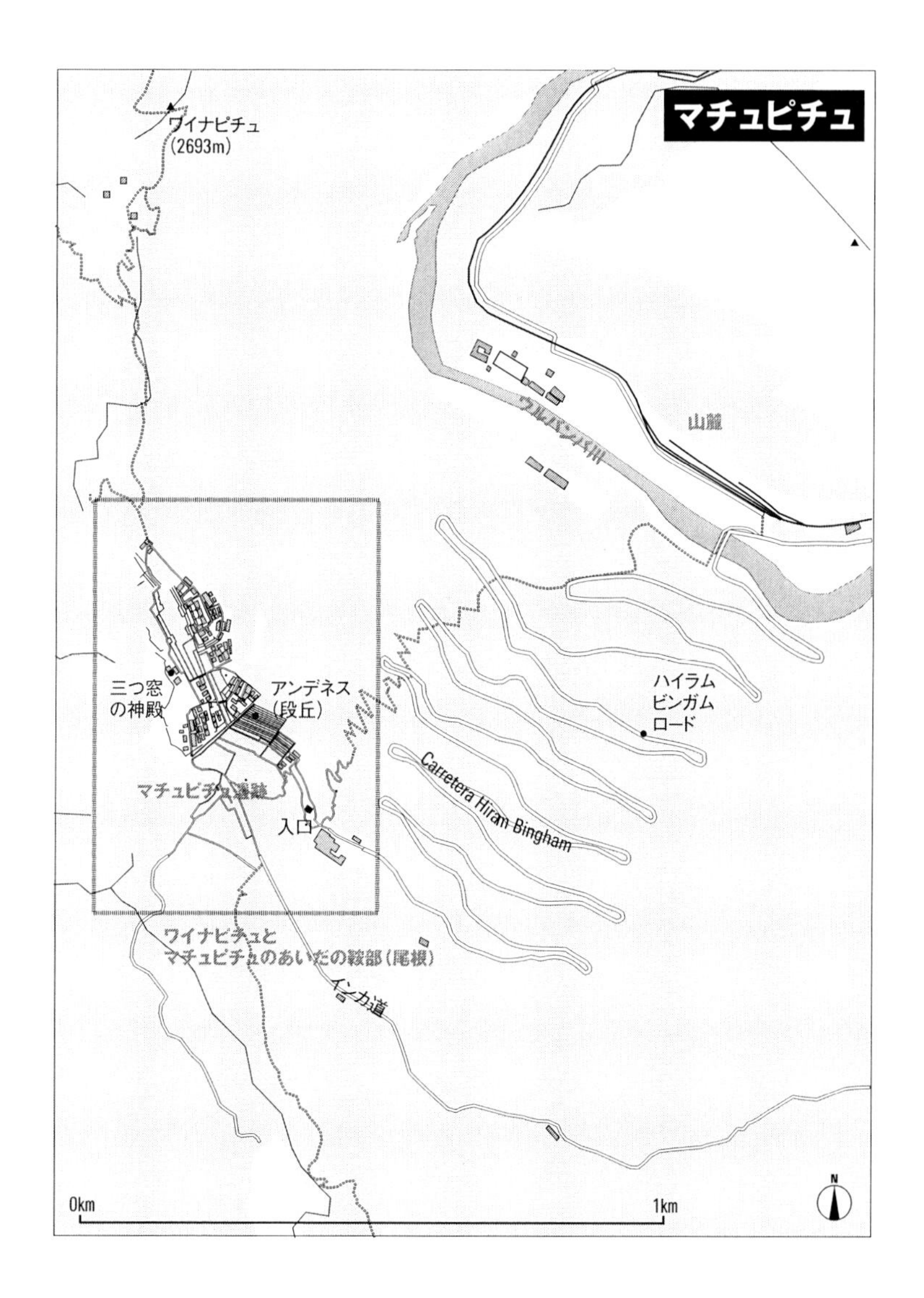
マチュピチュ
ワイナピチュ
(2693m)
ウルバンバ川
山麓
三つ窓
の神殿
アンデネス
(段丘)
マチュピチュ遺跡
入口
ハイラム
ビンガム
ロード
Carretera Hiram Bingham
ワイナピチュと
マチュピチュのあいだの鞍部(尾根)
インカ道
0km
1km
N

ここでインディヘナたちはいくつかの廃墟をとりのぞき、いくつかの段丘を焼いて、トウモロコシ、サツマイモ、サトウキビ、豆、ピーマン、ツリー・トマト（タマリロ）、グーズベリーなどの作物を植えた。そして彼らは、いくつかの古い住居の木や茅の屋根に葺き替えて、新たな家として転用した。しかし、古代の建築のそばには泉も、井戸もなかった。かつて城塞に小さな流れをもたらしたであろう古代の水道橋は、段丘から運ばれた土で埋め尽くされ、とっくに森の下に消えていた。そのため、インディヘナたちは遺跡内の（建築を利用した）仮住まいを捨てた。そして、泉の近くで、自分たちでつくった粗末な茅葺きの小屋で快適に暮らしていたのであった。

July 24, 1911
Machu Picchu Discovered
1911年7月24日　マチュピチュ「発見」

オリャンタイタンボとトロントイのあいだの道のあちらこちらで出合ったような石づくりのアンデネス(段々畑)や二、三軒の石づくりの家の跡、そのぐらいのほかにはおもしろいものが見つかるとは、少しも期待はしていなかった。そして私は涼しい日陰をつくる心地よいインディヘナの小屋を離れて、さらに尾根に向かって登り、山の突き出た部分をまわることにした。アルテアガ氏は「以前、一度ここに来たことがある」というので、「リチャルトとアルバレスと一緒に小屋で休んで、おしゃべりでもしていよう」と言った。そこで、彼らはガイドとして、小さな男の子を私につけてくれた。私とガイドの少年が、山の突き出た部分を一周する間もなく、次第に石造建築群の全体像が見えてきた。

　長さ二〇〇ヤード、高さ一〇フィートほどの美しいアンデネス(段々畑)は、インディヘナが整備して、密林から救い出されたばかりのようだった。森の大木群は切り倒され、密林は焼き払われて、農業用の耕地になっていた。この段丘を越えて、手つかずの森に入ると、そこには花崗岩でつくられた美しい家々が、迷路のように立ちならんでいる。それは、竹やぶやつる植物の茂みに隠れるようにして、何世紀にもわたって木々や苔の繁茂におおわれていた。そして、そのなかで、ところどころに白い花崗岩製の石積みの壁が見られた。窓をもつ建築も多く見受けられる。少なくとも、この遺跡は「街から遠く離れた、窓をもつ、目立つ場所」であることに違いはなかった。

　ガイドの少年は、浮き彫りの見られる岩の下、最高の切り石が美しくならべられた洞窟を見せてくれた。ここはインカ王家の霊廟(「陵墓」)として、つくられたようだった。その岩のうえには半円形の石積み建築(「太陽の神殿」)が建てられている。岩の自然な湾曲にあわせて壁が続き、石目の細かい純白の花崗岩をていねいにあわせて切り石積みにしてある。この「太陽の神殿」の美しい壁は、卓越した芸術家による作品のようであった。壁の内面は、くぼみのある壁龕(ニッチ)と四角い石の杭(突起物)が見られる。外壁はシンプルで飾り気がない。壁の下層部にはとくに大きな積み石が使われ、頑丈そうに組まれている。上層部の積み石はよりうえにいくに連れて、次第に小さくなっていて、石壁の構造に優雅さと繊細さをあたえている。流れるように美しいライン、積み石の対称的な配置、そして石壁（のコース）が表情を変えながら続いていく様子は、古代ヨーロッパの大理石の神殿よりもやわらかく、心地よい効果を生み出している。モルタルが使われていないため、岩と岩のあいだには見苦しい目地（隙き間）がない。飾り気のない表面は、清らかでつかみどころのない美しさをもつ。この石壁が直線、定規、四角形などを知らないインカの石匠の目と、天才的な感覚でつくられたことが理解できる。インカの石匠は精密機器をもっていなかったので、自らの目に頼る以外方法がなかったのだろう。石匠は、芸術の才能に長けた目をもち、シンメトリー（対称性）やフォルム（形態）の美しさを見極めることができた。この作品には、機械性や数学的な正確さがあるわけではない。一見して長方形の岩塊は、実は長方形ではなく、まっすぐに見える石壁（のコース）の線も、本当はまっすぐではない。

　驚くべきことに、この石壁と洞窟のうえにある半円形の神殿（「太陽の神殿」）は、クスコにあるあの有名な「太陽の神殿」の最高級の石細工と同じくらいすばらしかった。私はこの遺跡を歩き、そこで目に入ってくるものから、驚きにつぐ驚きを受け、戸惑うばかりであった。大きな花崗岩の岩塊でつくられた見事な大階段を登り、インディヘナが営んでいる小さな菜園のあるパンパ（平地）を歩くと、小さな広場（「神聖な広場」）に出た。そこでは私がペルーで見たなかで、もっとも優れたふたつの建築の跡が残っていた。美しい粒子で構成された白花崗岩製の、選びぬかれた岩塊でできているだけでなく、壁には長さ一〇フィートになる、人間よりも高い巨石の積み石が使われていた。私はこの光景に圧倒された。それぞれの建物の壁は三方向にしかなく、広場に向かって開放されていた。「主神殿（ピラコチャ神殿）」には精巧につくられた壁龕（ニッチ）がならび、それは両端の高い場所に五か所、後ろの壁に七か所あった。壁の先端には七段からなる石積みが見られた。後ろの壁の七か所ある壁龕（へきがん）の下には、長さ一四フィートの長方形の岩塊（がんかい）が残っていて、これはおそらく犠牲祭壇（さいだん）であろう。この建物には、かつて屋根があったようには見えない。美しく、なめらかな積み石の最上段部はおおわれてはいなかったようだ。

もうひとつの神殿は、パンパ（平地）の東側にある。私はこれを「三つ窓の神殿」と呼んでいる。隣の神殿（「主神殿」）とともに、インカの遺跡のなかでも特筆されるべき存在だろう。城塞を見下ろす東側の壁は、巨大な石でできた骨組みに、ひときわ大きな三つの窓がならんでいる。これは明らかに、特別な意味をもつ儀式用の建物であろう。私の知る限り、ペルーの他の地域に、「三つの窓をもつ石壁」という同様の構造物はないと思う。

このインカの都市遺跡の名前は、遺跡の立つ斜面のある峰の名前をとって呼ばれている。「マチュピチュ（古い峰）」。もしもマチュピチュが、クスコやオリャンタイタンボのように、途切れることなく、誰かしらに占拠され続けていたなら、インカ帝国（タワンティン・スウユ）時代の名前が残っていたのだろう。しかし、この都市の名前は、数世紀にわたって放棄されていたために失われてしまっていた。調べてみると、マチュピチュは本来、人里離れた自然の障害に守られた要塞であり、それを人間がさらに手を加えて、アンデスでもっとも難攻不落（なんこうふらく）の要塞へと完成させたのであった。その後の発掘調査と、一九一二年に行なわれた整地作業によって、ここマチュピチュがビルカバンバの主要な都市であることが明らかになった（※ビンガムは「マチュピチュこそ、インカ帝国（タワンティン・スウユ）の失われた都ビルカバンバである」と信じていた）。

一九一一年七月の雨の日、カラスコ軍曹（ぐんそう）と私がはじめてマチュピチュを見たとき、「ここにとても特別な遺跡がある」と理解するのに、専門家の目は必要としなかった。マチュピチュの位置する尾根（おね）は、インディヘナがトウモロコシ畑をつくるために部分的に切り開かれていたが、遺跡の多くはまだ鬱蒼（うっそう）とした密林（ジャングル）のなかにあった。いくつかの石壁は直径一〇～一二インチの巨木におおわれて、ここに何があるのかをなかなか判断で

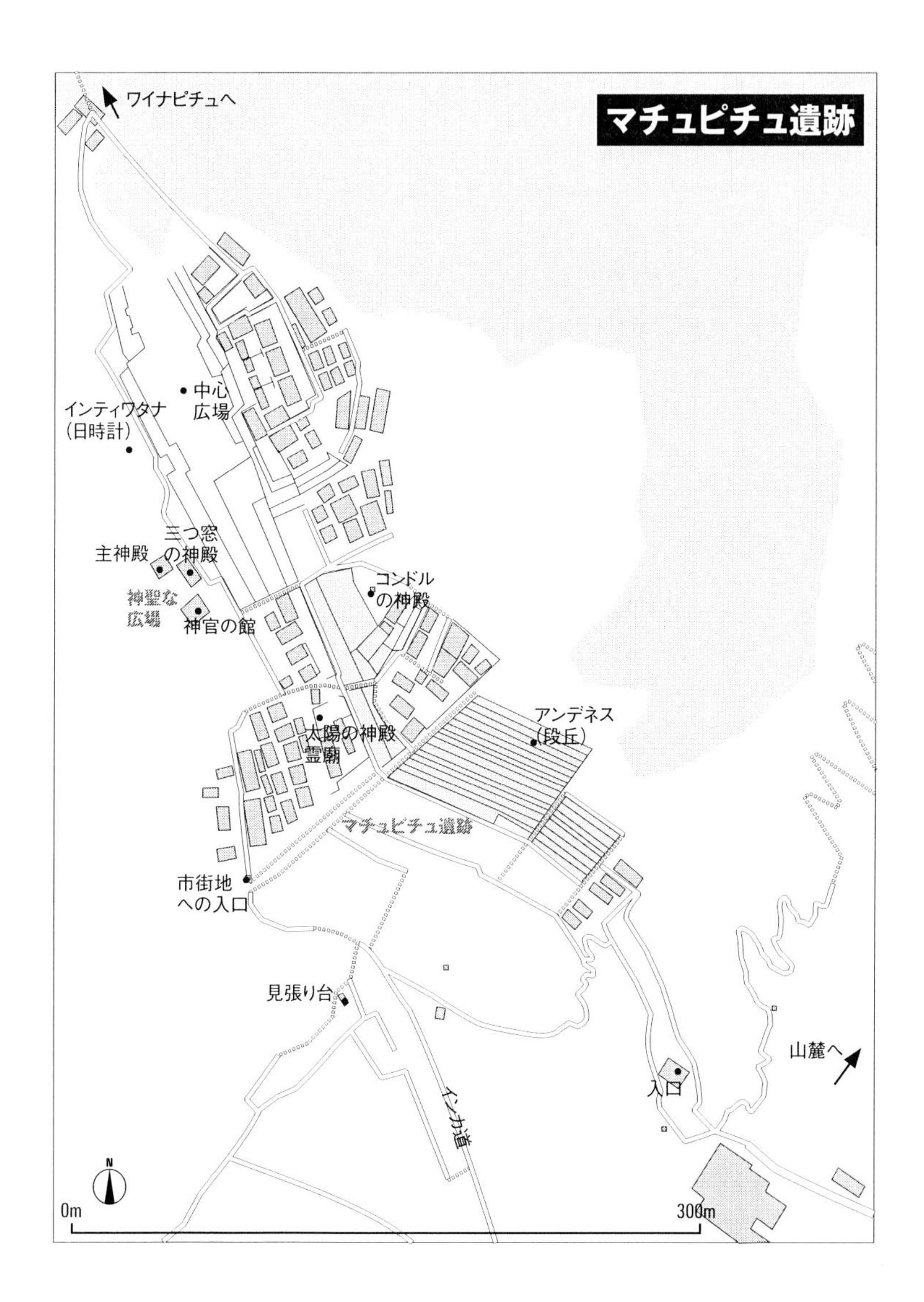
マチュピチュ遺跡
ワイナピチュへ
中心
広場
インティワタナ
（日時計）
三つ窓
の神殿
主神殿
神聖な
広場
神官の館
コンドル
の神殿
アンデネス
（段丘）
太陽の神殿
霊廟
マチュピチュ遺跡
市街地
への入口
見張り台
山麓へ
入口
インカ道
N
0m
300m

▲左　マチュピチュの洞窟内部、懐中電灯を使って撮影［『INCA LAND』掲載写真／1922年発刊］　▲右　マチュピチュの洞窟上に立つ「太陽の神殿」、著者はタンプ・トッコとして推定、提案［『INCA LAND』掲載写真／1922年発刊］

▲左　マチュピチュの「三つ窓の神殿」の外観［『INCA LAND』掲載写真／1922年発刊］　▲右　マチュピチュ主神殿［『INCA LAND』掲載写真／1922年発刊］

きなかった。
私は、ヘンドリクセン氏の仕事を手伝っていたタッカー氏と、ボウマン博士と一緒にウルバンバ川を下ってきたラニウス氏と連絡がとれ次第、マチュピチュ遺跡の地図をつくってもらうことにした。それは困難な仕事であることは承知していたが、タッカー氏はコロプナ山登頂のため、遅くとも一〇月一日にはアレキパで私と合流しなくてはならなかった。（マチュピチュに暮らす）リチャルトとアルバレスの心からの支援を受け、測量士たちは予想以上の成果をあげた。マチュピチュ遺跡に滞在した一〇日間で、彼らはこの遺跡のもろもろの数値を測った。そして、タッカー氏はその後、マチュピチュ遺跡の重要性と、さらなる調査の必要性を、私の言葉以上に雄弁（ゆうべん）に伝える地図を作成した。

クスコには、マチュピチュ遺跡を見たことのある人、その重要性を理解していた人は、あるひとりの探鉱者をのぞいては、誰もいなかった。渓谷の下を走る道を、毎年通っているウルバンバ渓谷下流の農園主たちでさえも、マチュピチュを訪れたことはなかった。クスコから三日足らずの距離にあるこの都市遺跡が、インカ帝国（タワンティン・スウユ）滅亡以来、これほど長いあいだ旅行者に知られず、ペルー人自身にも知られていなかったことは信じがたいことだった。スペインの征服者（コンキスタドール）たちがこのすばらしい場所を見たのであれば、必ず何らかの言及をしただろう。しかし、マチュピチュ遺跡の存在を明確に示すものは何も残っていない。そのため、スペイン語を話す人がいつ、この遺跡を見たのかは定かではない。

一八三四年にサルティゲス伯爵はインカ帝国（タワンティン・スウユ）の遺跡を探して、ワドキニャに滞在したことがあるが、これほど近くにいても、「ここ（マチュピチュの場所）には何もない」と聞いていた。そして、マチュピチュのもっとも美しい建築のひとつの、ある壁に残された乱暴な落書きから、一九〇二年にサン・ミゲル橋のすぐ下の土地の借り手であるリサラガが、このマチュピチュ遺跡を訪れていたことがわかった。これが地元に残るもっとも古い記録だった。なぜなら、一八七五年にフランスの探検家シャルル・ヴィエネルが、オリャンタイタンボで「ワイナピチュ、もしくはマチョピチュに遺跡がある」と耳にしていたからだ。彼はその遺跡を探そうとした。しかし、その試みは失敗した。それはトロントイ峡谷を通る道がなく、パンティカラ峠とルクマヨ渓谷を通って大きく迂回しなければならなかったためだろう。そのルートでは、マチュピチュから二五マイル下流にあるチュキチャカ橋でウルバンバ川に出た。

やがてペルー政府は、ウルバンバ川の下流域を開拓する、進取の精神に富んだ農園主の必要性を認識した。そして大渓谷の河岸にそって、ラバが通れる道の建設を決定した。それは一八九〇年になってからのことだった。この道が開通したことで、ライモンディやサルティゲスらが生々しく描いたベロニカ山やサルカンタイ山の危険な雪道を越えて、貴重な荷物を運ぶ必要がなくなった。しかし、この道の開通の代償はとても高くつき、建設には何年もかかり、頻繁に道路の修理も必要となっている。今でも、雪崩の影響で数日から数週間にわたって通行できないこともあるという。しかし、この新しい道のおかげで、メルチョール・アルテアガ氏はマンドル・パンパの耕地近くに小屋を建て、家族のために農産物を栽培し、食料を得た。そして通りすがりの旅行者に、ささやかな仮住まいを提供することができた。この新しい道が、リチャルトやアルバレス、そして彼らの友人たちをこの未知なる地域にいざなってくれた。そして、何世紀にもわたって眠っていた都市遺跡マチュピチュのテラスに足を踏み入れる機会をあたえ、断崖絶壁のなかを人が通行できるようにしてくれた。そして、私たちをこの古代インカ帝国の遺跡へと誘ってくれた。

一九一一年にオリャンタイタンボとワドキニャのあいだの未開の地への扉を開いてくれたのは、ほかでもないこの新しい道路であった。マチュピチュはインカ人、またはそれに先立つ者たちが、かつてこのアンデス山脈の奥地に暮らしていたことを目の前に見せてくれた。マチュピチュは、一六世紀のスペインによるペルー征服以降に発見されたどの遺跡よりも、興味深く、奥深いものだろう。インカ帝国(タワンティン・スウユ)は、彼らの古代文明の壮大さと、美しさを示す「石の証人」を残してくれていた。

Chapter XVIII
The Origin of Machu Picchu

第18章
マチュピチュのはじまり

第18章／マチュピチュのはじまり

いつの日か、マチュピチュの発掘、そこに生きた市民の生活ぶり、そしてその古代都市がどのようなものだったか、という話をしてみたい。今は、マチュピチュというインカ帝国（タワンティン・スウユ）の都市が実在したことについての議論で満足しておきたいと思う。ここはどんな困難にも耐えうる強靭（きょうじん）な要塞があって、ほんのひと握りの数の守備隊で、大軍の攻撃を防ぐことができた。一体、誰が？　なぜ？　このような近づきがたい場所にマチュピチュを建設してまで、亡命生活を送ろうとしたのであろうか？

マチュピチュの建設者は、「野（フィールド）」を求めていたわけではない。耕地不足から、住民の食料を確保するために、たとえ一平方ヤードずつでもアンデネス（段々畑）をつくり続けなくてはならなかった。快適さや利便性を求めたわけではなかった。「（身の危険を守る）安全を第一」に考えていた。彼らは集約的（しゅうやくてき）な農業を行なうための充分な文明をもち、世界でもっとも優れた石づくりに匹敵（ひってき）する技術をそなえていた。そして繊細（せんさい）なブロンズ像をつくる高い技能を有し、簡素な美を理解する高度な芸術を育んでいた。このようにきわめて不利な条件がそろっているこのアンデス山脈の奥地を、ある人々が主都の建設地として選んだ理由は、強大な敵から逃れるためでなければ、何だったのであろうか？

マチュピチュの「三つ窓の神殿」の話は、「インカ帝国（タワンティン・スウユ）の伝統と古い歴史を子どものころから聞いていた」というインディヘナ作家の言葉と合致する。賢明な読者はすでにそう考えていることだろう。そのなかには、「初代インカ皇帝のマンコ・カパックが、自分の生まれた場所に、祖先の家の象徴であった三つの窓を備えた石壁をつくるように命じた」という、クレメンツ・マーカム卿（きょう）の翻訳書の内容もふくまれている。最初の窓は、「タンプ・トッコ」と呼ばれていた。この『年代記（クロニカ）』以外には、初代インカ皇帝が「自分の出生地に、記念碑的性格をもつ壁を建てるように」と命じた話は見られないが、ほとんどすべての『年代記（クロニカ）』には、「インカ・マンコ・カパックが、タンプ・トッコ（すなわち窓で有名な宿場（しゅくば）、もしくは田舎の場所）と呼ばれる場所から来た」と記されている。そして、クレメンツ・マーカム卿（きょう）は著書『ペルーのインカ人』のなかで、タンプ・トッコを「三つの開口部または窓のある丘」だと述べている。

これまで述べてきたように、すべての記録で、「クスコの南西約九マイルにあるパッカリタンプが、伝統的なタンプ・トッコの場所である」とされている。パッカリタンプには興味深い遺構や洞窟が残っているが、よく調べてみると、洞窟には三つ以上の開口部があるものの、建物には窓がない。一方、マチュピチュの建築群には、ペルーの他の重要な遺跡よりもはるかに多くの窓がある。パッカリタンプの気候は、高原地帯の他の場所と同様に、窓を使うには厳しすぎる。一方、マチュピチュの気候は温暖なので、窓を使用することはとても自然で、好ましいものだった。私の知る限り、ペルーではマチュピチュ以外に、インカの神話に言及されている儀式的な性格をそなえる「三つの窓をもつ石積みの壁」がある遺跡はない。マチュピチュ内でもっとも重要な建築「三つ窓の神殿」こそ、パチャクティ・ヤムキ・サルカメイフアの言う建物であることに間違いないと思われる。

ただ、この説には難点もある。ホルギン『標準ケチュア語辞典』の「tocco」の第一語義が「ベンタナ（スペイン語で「窓」）」または「ウィンドウ（窓）」であり、多くの資料から編纂（へんさん）されたマーカム『改訂ケチュア語辞典』（一九〇八年）においても、「ウィンドウ（窓）」がこの重要な単語にあたえられた唯一の意味であることに違いはない。しかし、ホルギンが示した「tocco」の第二の意味は「アラセナ（棚）」、つまり「壁にとりつけられた戸棚」を意味する。これは間違いなく、インカ建築の住居跡で言うところの「壁龕（へきがん）（ニッチ）」を意味している。クレメンツ・マーカム卿（きょう）が翻訳したサルカメイフアの写本に描かれている絵は粗雑（そざつ）だが、窓ではなく、「壁龕（へきがん）（ニッチ）」の印象が強い。タンプ・トッコは、壁龕（へきがん）をもつタンプ（宿場（しゅくば））を意味するのだろうか？　一方、マチュピチュには美しい壁龕（へきがん）が多く残り、とくに「王家の霊廟（陵墓）」と呼ばれる洞窟にはそれが著しい。

実際のところ、インカ帝国の優れた遺跡のほとんどには優れた壁龕がある。インカ建築には、壁龕がよく見られるので、クレメンツ卿がサルカメイフアの翻訳書のなかで、タンプ・トッコを「三つの開口部または窓のある丘」と呼んだのは間違っていないのかもしれない。いずれにしても、マチュピチュはパッカリタンプよりもはるかに、このタンプ・トッコの神話に適合している。しかし、初期の作家たちは皆、「タンプ・トッコはパッカリタンプにあった」という話を繰り返している。ただパッカリタンプやその周辺の遺跡は、（インカ神話との）条件にあわないので、彼らの記している内容とは矛盾してしまうだろう。

ペルー副王トレドが、最後のインカ皇帝トゥパク・アマルを処刑したときに行なった調査の法的記録が残っている。もしそれがなければ、パッカリタンプをタンプ・トッコであるとすることは容易だったかもしれない。そのときクスコ近郊の重要な塩田ラス・サリナス近くに住んでいた人々の子孫である一五人のインディヘナは、征服者スペインの質問に答えた。「自分たちの父や祖父が、最初のインカ皇帝マンコ・カパックが自分たちの土地を占領したとき、『彼はタンプ・トッコからやって来た』という伝承を繰り返し聞いた」という。このインディヘナたちは、「初代インカ皇帝がパッカリタンプから来た」とは言ってはいない。これがインディヘナたちの一般的な考えであるなら、彼らが口にしたその内容はきわめて自然だと私には思える。

さらに、一五七〇年に行なわれた法廷調査で、最初のスペイン人がやって来る前に生まれたインディヘナたちのさらに古い証言が残っている。九二歳のある首長は、「マンコ・カパックはトッコという洞窟から出てきて、その洞窟の近くの町の領主だった」と証言した。証言者のなかには「初代皇帝インカ・マンコ・カパックは、パッカリタンプから来た」と述べた者はひとりもいなかった。現代の歴史家たちに信じられているように、この洞窟（パッカリタンプ）が本当のタンプ・トッコであるならば、彼らはなぜそう証言しなかったのだろう？　歴史家たちは、パッカリタンプ近くの洞窟を、マンコ・カパックが生まれた場所、そして彼がクスコを征服するためにやってきた場所だと考え、そのことに疑念をもたなかった。ではなぜ、宣誓した証人たちはこんなにも口を閉ざしていたのか？　タンプ・トッコがどこにあったのかを、彼らが忘れる訳がない。インディヘナたちが口を閉ざしている理由は、その居場所がどこであれ、秘密裏にされていたからだろうか？

　インカ帝国初代皇帝マンコ・カパックの宮殿は、（インカ帝国以前の）アマウタ族による政権（旧体制）崩壊後に、パチャクティ六世の従者が王の遺体とともに逃げ込んだあのタンプ・トッコのことであろう。そして、そこは人里離れた僻地の聖地であった。それが、のちのスペイン征服者ピサロの時代に、（マンコ・カパックと同じ名前をもつ）若き皇帝マンコ・インカ・ユパンキがクスコから逃れてきたのと同じ、アンデス山中の山深い場所であることを、インディヘナたちは知っていたのであろうか？　それこそ、彼ら証人（インディヘナ）が口を閉ざす原因だったのかもしれない。

　マチュピチュの場合は、「そこがタンプ・トッコである」という条件が合致している。ウルバンバ大渓谷の強固な自然の防御力は、東方と南方の平原地帯からの異民族の侵略と、それに続く無法と混乱の数世紀のあいだ、アマウタ族の子孫にとって理想的な隠れ家を提供していた。マチュピチュは、タンプ・トッコの特徴である地震の少なさ、そして「健康さ」という条件を満たしている。

　一般の人々によって、マチュピチュの存在がかんたんに隠されていたことは注目したほうがよい。一六世紀にスペインがペルーを征服した時点では、その場所はインカ皇帝と神官だけが知っていたのかもしれない。そのため、歴史家の通説とは異なるが、「マチュピチュ遺跡の最初の名前は、タンプ・トッコであった」と結論づけるのが妥当に思える。この地にパチャクティ六世が埋葬され、アマウタ族からインカ帝国へいたるあいだの数世紀、ペルー文明を発展させた古代人の知恵と技術、最高の伝統をもつ小さな王国の都がここにあった。

クスコの防衛機能は、好戦的な侵略者の猛烈な攻撃を前に、ほとんど役に立たなかった。農民と石工で構成された社会は、木、石、青銅製の原始的な道具を使った、大規模な土木技術によって繁栄を見せていた。しかし、平和に生きる術を知らない侵略者の大軍勢の前にそれらはあえなく崩れ去ってしまった。敗れた指導者たちは、敵の大軍から逃れて安全に暮らせる地を探す必要があった。

マチュピチュ周辺には、熱帯地方の貴重な果物、野菜であるコカ、ユッカ、オオバコを生産するための「低地の谷間」、トウモロコシ、キヌアなどの多くの種類の穀物、サツマイモ、ジャガイモ、オカ、アニュス（マシュア）、ウルーコなどの根菜類の栽培に適した「高地の斜面」など、さまざまな気候をもつ場所が一堂に会していた。ここでは数時間も移動すれば、日中にコカの葉を乾燥させて熟成させるのに十分な暖かさがあり、夜にインディへナのやりかたでジャガイモを凍らせるのに十分な寒さがあった。

そして、マチュピチュは、クスコ近郊の豊かな平原、広くて快適なユカイの谷から逃れてきたインカ貴族や神官、そのわずかな従者たちにとって、難攻不落の要塞であった。技術、建築、農業などの分野で、それなりのレベルに達していた人たちは、本来、定住できる谷や平地を離れなければならなかった。侵略者に対する恐怖と切実な必要性から、険しい山奥の渓谷への移動を余儀なくされたのだった。たしかに安全な避難場所や隠れ家を必要とするという理由以外では、農耕民族の要求を満たす場所のないアンデス山中には移らないだろう。

ここでは賢明なアマウタ族の生き残りが、その能力を発揮した。とてつもない自然の障害に直面しながらも、彼らは古代の技術を駆使して、土を耕し、大地とともに生きた。外界にいるアマゾンの好戦的部族と、上界の高原にいる敵とのあいだに挟まれた彼らは、何世代にもわたって縄張り（境界）をめぐる戦いを続けたのだろう。温暖な気候と、街や都市から数時間登り下りすれば、さまざまな食料を確保できることも手伝って、アマウタ族は強く、活力にあふれた部族となった。そして、やがてその境界を破って豊かなクスコ渓谷に戻り、古代の侵略者の子孫を倒して、クスコを首都とするインカ帝国（タワンティン・スウユ）を樹立した。

初代インカ皇帝マンコ・カパックがクスコに定着したのち、祖先を称えるための立派な神殿を建設したのは当然だろう。インカ帝国（タワンティン・スウユ）では祖先崇拝が一般的であり、「三つ窓の神殿」を建てることほど、理にかなったものはなかった。インカ帝国（タワンティン・スウユ）が力をつけて、クスコ・アマウタ族の古代帝国のようにアンデスに勢力を広げていくと、迷信的な考えもあって、首都クスコに主要な神殿や宮殿を建てはじめた。そして、山深くにあるタンプ・トッコの城塞を維持する必要性はなくなった。クスコが発展し、インカ帝国（タワンティン・スウユ）が繁栄（はんえい）するなかで、タンプ・トッコ（マチュピチュ）は、やがて放棄された。インカ帝国（タワンティン・スウユ）は勢力を伸ばすにつれ、自分たちの起源を説明するために、さまざまな神話を生み出した。そのひとつが、チチカカ湖の島々を祖先とする話であろう。しかし、マンコ・カパックが生まれた場所は、神官やインカ帝国（タワンティン・スウユ）のもっとも神聖な秘密をにぎる人々には知られていたにもかかわらず、一般の人々には忘れ去られていた。

そして、ピサロをはじめとするスペインの偏狂な征服者（コンキスタドール）たちがやってきた。すると、インディヘナの首長（しゅちょう）は、古代の宗教を可能な限り、保存する必要に迫られた。スペイン人は、金や銀を手に入れようと求めた。しかし、インカ帝国（タワンティン・スウユ）のもっとも貴重な財産は像や道具ではなかった。ローマの「ウェスタの処女（しょじょ）」のように、幼いころから偉大な太陽神に仕えるしつけをされてきた神聖な「太陽の処女（しょじょ）」であった。農作物を実らせ、飢えを凌（しの）ぐために太陽の光を必要としていた農耕民族（インカ帝国（タワンティン・スウユ））の立場からは、生贄（いけにえ）を捧げて太陽を喜ばせ、その笑顔による恵みを得ることが何よりも重要だった。もしも、神（太陽）の到来が遅れたり、雲に隠れてしまったりすると、トウモロコシがカビてしまい、穂がうまく熟さなくなる。収穫後、太陽がいつものように輝いていなければ、トウモロコシの穂をきちんと乾燥（かんそう）させて、次の年にもち越すことはできなかった。つまり、太陽がいつもと異なる動きをするということは、飢えや渇きを意味するのであった。そのため、インカ帝国（タワンティン・スウユ）のなかでもっとも美しい娘たちは、太陽に仕えるために奉納され、神殿に暮らし、神官や支配者の求めに応じる「処女」となった。ペルーでは人身供犠が廃止されて久しく、その代わりにこれらの娘たちが捧げられていた。クスコの「太陽の処女」のうち、何人かはスペインの征服者に捕えられた。他の者たちは逃げ出して、皇帝マンコ・インカ・ユパンキとともにビルカバンバの入り組んだ渓谷に入っていった。

カランチャ神父が、この地域で最初のふたりのキリスト教修道士の試練について記録を残しているのを覚えておられるだろう。彼らは命がけで、ビルカバンバ地方で最大の都市「ビルカバンバ・ビエホ（古いビルカバンバ）」にある「偶像崇拝の大学」を見学させてくれるよう、インカ皇帝に頼んだ。マチュピチュはその要求に見事に応えているとも言えるだろう。かつてインカ皇帝ティトゥ・クシが、修道士たちを「聖なる都（ビルカバンバ・ビエホ）」の近くに三週間滞在させた。しかし、インカの神殿や驚くべき宮殿の様子を、彼らに一度たりとも見せなかった。それ（見せないようにすること）はたやすいことだった。皇帝ティトゥ・クシがマルコス修道士とディエゴ修道士を、マチュピチュの崖の下にあるサン・ミゲル橋近くのインティワタナ村に連れていくことも可能だっただろう。ウルバンバ渓谷下流域のサトウキビ栽培者たちは、二〇年ものあいだ、毎年、サン・ミゲル橋を渡っていたが、「そのうえにそびえる尾根に何があるのか」を知らなかった。そのため、キリスト教の修道士たちは、インカの大学の規模や重要性を知らないまま、山の麓の小屋に泊まっていたのかもしれない。プキウラに戻った修道士たちは、「ビルカバンバ・ビエホ」の建築の特徴を知ることができず、したがって友人たちにも説明できなかった。そして、結局、カランチャ神父の報告のような体裁のものになったのだろう。このプキウラから境界を越えての困難な旅は、優に三日はかかったかもしれない。

最後に、イートン博士の研究によると、マチュピチュの最後の住人はほとんどが女性だったという。マチュピチュ周辺で発見された墓穴では、男性の頭蓋骨の割合が非常に高く、穴の空いた頭蓋骨も多い。そのなかに

▲上　「三つ窓の神殿」が見える、マチュピチュ[『INCA LAND』掲載写真／1922年発刊]　▲下　大きく開けた渓谷、山の尾根上にマチュピチュが展開する。花崗岩による城塞は「インカ帝国の王冠」そのもの[『INCA LAND』掲載写真／1922年発刊]

は、戦争で傷ついた兵士が、棍棒やインカ人が好んで使った投石機で、頭蓋骨を砕いたものもあるようだ。二五個以上の頭蓋骨を同時に見つけたとき、そのなかに必ず穴の空いた頭蓋骨（穿頭術の跡）があった。一方、マチュピチュ遺跡の発掘で、遺体の埋葬された洞窟から、一六四四個の頭蓋骨が発見されたが、穿頭術の跡はひとつもなかった。イートン博士が性別を正確に判断できた一三五体のうち、一〇九体は女性だったという。さらに女性の墓からは、すばらしい遺品も発掘され、生前その女性が重要な人物であったことを示していた。マチュピチュの洞窟からは、戦士タイプのたくましい男性の遺骨は一体も見つかっていない。

イートン博士が指摘するもうひとつの驚くべき事実は、女性の遺骨のなかには海岸地帯の出身者がふくまれていることだろう。このことはカランチャ神父が「インカ皇帝ティトゥ・クシは、高原の美しい女性だけでなく、ユンガス族、すなわち暖かい谷から来た女性も使って、キリスト教修道士を誘惑した」と述べていることとも合致する。暖かい谷とは「ゴムの国」のことかもしれないが、クレメンツ・マーカム卿は「海岸地帯のオアシス」を意味していると考えた。

さらにサフォード氏が指摘するように、マチュピチュから発掘された遺物には、神官や占い師が催眠状態を引き起こすために使用していた麻薬の嗅ぎタバコを入れるための筒があったという。この粉は、第一一章で指摘したように、マチュピチュの近くに自生するインカ人が「ヒルカ」、または「ウィルカ（ビルカ）」と呼ぶ木の種からつくられたものであった。この事実は、マチュピチュと、カランチャ神父の記した「ビルカバンバ」が同一であることを示す新たな証拠になると思う。

こうしたことを踏まえると、「マチュピチュ遺跡が偶像崇拝の大学があった最大の都市（ビルカバンバ）の条件を満たしていることは否定できない」と私は思う。この先、プキウラから三日以内の距離にあり、重要な宗教聖地の性格をもち、おもに女性の骨格が残るという別の遺跡を誰かが見つけるかもしれない。その日まで、エスピリトゥ・パンパがオカンポの「ビルカバンバ・ビエホ」であったように、マチュピチュがカランチャ神父のいう「ビルカバンバ・ビエホ」であったと信じたい。

マルコス修道士がスペイン語で記した最後のインカ皇帝ティトゥ・クシについて興味深い記述が残っている。「ティトゥ・クシの父であるマンコ・インカ・ユパンキはクスコから逃れて、まずこの地方すべての首都であるビルカバンバに向かった」という。そして『アナレス・デ・ペルー（ペルー年表）』によると、「フランシスコ・ピサロは皇帝マンコ・インカ・ユパンキが『スペインとの和平を望んでいる』と考え、インカ皇帝を喜ばせるため、とても立派な子馬とその世話をする混血児メスティーソを贈った」という。しかし、インカ皇帝はこの使者に報酬をあたえなかったばかりか、人も、子馬も殺してしまった。このことを聞いたピサロは、皇帝マンコ・インカ・ユパンキに報復するために、皇帝のお気に入りの妻クラ・オクリョを残酷なまでに虐殺した。死の直前、彼女は従者に「遺体は駕籠に入れてユカイ（またはウルバンバ）川の水面に浮かべ、流れに乗せて夫のマンコ・インカ・ユパンキのもとに届けるように」と頼んだ。当時、彼女は「夫がこの川の流れの近くにいる」と信じていたのであろう。そしてマチュピチュは、この川のほとりに位置する。エスピリトゥ・パンパはそうではない。

インカ帝国の皇帝マンコ・インカ・ユパンキは最終的にビトコス（ビルカバンバ）に宮殿を構え、そこでインカ一族の財産をある程度回復させたことはすでに見た。肥沃な渓谷に囲まれ、スペイン人がリマからクスコに向かう際に必ず通った幹線道路から、それほど離れていないため、マンコ・インカ・ユパンキは容易にスペイン人を攻撃することができた。スペインのキャラバン隊から収奪するのも、従者たちに耕作地を提供するのも、マチュピチュほど便利な場所はなかっただろう。

マチュピチュには、かつてインカ人が居住していた。そして、その一部はインカ帝国よりもさらに古い都市遺跡のうえに建設されたという豊富な考古学的証拠も残っている。マチュピチュから出土した陶器の多くは、最後のインカ人たちが使用した、いわゆるクスコ・スタイルのものであることは間違いない。そしてより新しい建築は、後期インカ人が建てたという「太陽の島（チチカカ島）」の建造物に似ている。また一五三七年ごろに皇帝マンコ・インカ・ユパンキが建設したロ－サス・パタ（バラの丘）のビトコス要塞にも似ている。さらにマチュピチュ遺跡は、山奥のビルカバンバ地方にある最大かつ最高の遺跡であり、皇帝ティトゥ・クシが当然のように「国の中心」と語った場所であろう。エスピリトゥ・パンパは、ビルカバンバ地方全体にその名を轟かせるほど重要な場所ではあるが、「最大の都市」であるとまでは言えないはずだ。スペインの征服者ピサロの時代に、クスコを脱出した太陽の処女たちに、皇帝マンコ・インカ・ユパンキがもっとも安全な避難場所として選んだのが、僻遠の場所であり、忘れられていたマチュピチュの要塞であった可能性は十分にあると思う。彼女たちとその従者のために、マンコ・インカ・ユパンキは新しい宮殿や建築を建て、古い建物の一部を修復したのであろう。

彼らはここでインディヘナたちが、「インカの神聖な避難所とその秘密を、スペイン人征服者に漏らすことはない」という安心感をもって、日々、過ごしていた。マチュピチュの高台において、太陽神への崇拝がいつからなくなったのか、それは誰にもわからない。都市遺跡マチュピチュという存在が、これほどまで長いあいだ秘密にされていたことは、アンデスの歴史のなかの驚異のひとつであろう。（マチュピチュが）「タンプ・トッコ」や「ビルカバンバ・ビエホ」と同一視される説をのぞけば、一八七五年にシャルル・ヴィエネルがマチュピチュの存在を知るまで、マチュピチュに関する明確な記述は見られない。いつの日か、一六～一七世紀の文書のなかに、精力的に活動したトレド総督やその同時代のスペイン人がマチュピチュというすばらしい城塞を知り、この地を訪れたことを示す記述を見ることができるかもしれない。シエサ・デ・レオンやポロ・デ・オンデガルドのような作家は、インカ帝国のすべての聖地に関する情報を熱心に収集しているが、いまだに特定できていない多くの場所の名前もあげている。そのなかで、マチュピチュの神殿がようやく特定できるようになってきた。一方で、もしもスペインの兵士や神官、またその他の記録者がマチュピチュを見ていたならば、その主要な建築について、はっきりとした言葉で表現していただろう（記録を残していただろう）。

この都市遺跡をめぐる魅力的な問題に、さらなる光があてられるまで、マチュピチュには最初のインカ皇帝マンコ・カパックが生まれたタンプ・トッコ遺跡と、最後のインカ帝国(タワンティン・スウユ)の聖地（遺跡）があると結論づけるのが妥当(だとう)であろう。花崗岩(かこうがん)でできたこの要塞は、その圧倒的な美しさと、周囲の環境の言い表せないほどの魅力によって、私たちを強く惹(ひ)きつけてやまない。そして、それだけではなく、その歴史もまた興味深いものであった。

この地は西暦八〇〇年ごろ、南方からの侵略者から逃れたアマウタ族（インカ帝国以前の旧体制(タワンティン・スウユ)）の残党によって、もっとも安全な避難場所(ひなんばしょ)として選ばれた。それから新王国の首都となり、ラテン・アメリカでかつて存在しえなかったようなすばらしい社会を誕生させた。そして、この地は一三〇〇年ごろ、ペルー帝国の首都として再びクスコが栄華(えいが)をきわめたときには見捨てられていた。その後、一五三四年に別の外国人侵略者つまりスペイン人が、ヨーロッパからやって来て、インカ帝国(タワンティン・スウユ)で信仰された宗教の痕跡(こんせき)はすべて破壊され、消滅した。そのため再び、この山奥の地がインカ人のために必要となった。最終的にマチュピチュは、インディヘナのもっとも人道的な巫女(みこ)の教団「太陽の処女(しょじょ)」の家と亡命先になっていた。

The Discovery of Machu Picchu
Hiram Bingham
解説 ディスカバリー・オブ・マチュピチュ
ハイラム・ビンガム

解説／ディスカバリー・オブ・マチュピチュ

若きインカ皇帝マンコ・インカ・ユパンキは、スペインのピサロ軍から逃れて、山中のビルカバンバに拠点を構えた。そして、その後、廃墟（はいきょ）となったインカ帝国（タワンティン・スウユ）の宮殿や神殿の痕跡（こんせき）がどこかに残されていないものだろうか？　それが一九一一年のイェール・ペルー遠征隊の前にあった最大の課題だった。ペルー探検のなかで、私たちは、あらゆる人にそのようなものを知らないか？　と尋ねまわった。

ウルバンバ渓谷には、いまだ解明されていない遺跡が残っていることは、クスコの一部の人々、おもにコンベンシオン県の住民のあいだで話されていた。ある友人は、ラバ追いから「サン・ミゲル橋の近くに（未踏（みとう）の）遺跡がある」と聞いたという。彼はこの国の人たちの誇張癖（こちょうへき）を知っていたため、この話をあまり信用せず、何度もその場所を通り過ぎていた。わざわざ調べるまでもないと思い、やり過ごしていたのだった。彼のほか、ビルカバンバ川沿いで砂糖農園を営む友人もまた、漠然（ばくぜん）とインカ帝国（タワンティン・スウユ）の遺跡の噂を耳にしたという。彼は「遺跡が、プキウラの近くにあるという確かな情報を得て、そこに行ってみたが、（遺跡は）見つからなかった」と話した。やがて、おしゃべりで年老いた行商人（ぎょうしょうにん）が「この谷のどこかに、チョケキラオよりも立派な遺跡がある」と言い出した。しかし、ご老人はそこに行ったことがなく、誰も彼の言葉を信用しなかったが、「この話をするときのご老人の熱意や情熱には何か理由があるのだろう」と、少しばかりの期待をしていた。

きわめつきは、一八七五年ごろ、オリャンタイタンボにいたフランスの探検家シャルル・ヴィエネルが記した、すばらしいが信憑性（しんぴょうせい）にかける『ペルーとボリビア』のなかの話だった。ウルバンバ渓谷の下方に「ワイナピチュ」またの名を「マチョピチュ」という興味深い遺跡が残っているという。ヴィエネルは谷を下りて探したが、それを見つけることはできなかった。私たちは、これ以上の情報を望むことはできないのだろうか？

一九一一年七月の中旬ごろ、私はクスコを出発した。そして二日目、空想物語に出てきそうなオリャンタイタンボの渓谷を訪れた。この渓谷については、何年も前にスクワイアが熱っぽく語っていたが、今でもその魅力は失われていない。古代要塞の巨石、ほぼ手の届かないような岩山のあちこちに立っている切妻づくりの建築、今でも豊かな作物が耕作されている壮大なアンデネス（段々畑）の驚異。オリャンタイタンボ遺跡は、過ぎ去りし日の民族の能力と技術の高さを示す記念碑として、何世紀にもわたって存在し続けてきたのであろう。

粘土に小石を混ぜて、表面を漆喰でおおい、壁龕（ニッチ）をぎっしりならべたこぶりな様式が「インカとその民の建築である」と、現在、一般的に考えられている。一方、岩石を緻密に組みあわせて建造した巨大な岩石の要塞は、インカ帝国よりも古い時代のものに属する。これらはクスコ近郊のサクサイワマン要塞と同様に、ボリビアのティアワナコを建設したと思われるプレ・インカの人々、または巨石族の手によるものだと考えられている。

いずれにしても、クスコとオリャンタイタンボは、今では「ロマンと謎に包まれた古代文明の遺跡をもつ」という魅力で共通している。クスコの気候と標高（11,000フィート）では、快適な生活環境は期待できない。しかし、インディヘナが「タンボ（旅籠）」と呼ぶこの場所（オリャンタイタンボ）には、適度に耕された緑の平原、花畑、柳やポプラの木陰を流れる小川、その上空に見える氷河、雪をいただいた山頂、壮大な断崖絶壁など、私たちの目を楽しませてくれるものがすべてそろっている。きっといつの日か、ここは巡礼の地になるだろう。私たちは、一日、二日の休息をとり、崖のうえを懸命によじ登って、いくつかの遺跡群を訪れたあと、ウルバンバ渓谷を北西に向かって下っていった。

オリャンタイタンボの要塞から一リーグほどのところで、道が分かれている。右への道は、急な谷を登り、ハバスパンパとパンティカラという（それほど重要ではない）遺跡の近くを通り、雪におおわれた峠を越えて進む道であった。分岐点から二リーグ先には、断崖絶壁を縫うようにしてウルバンバ川が流れている。ここは（亡命インカ帝国のあった）古代のビルカバンバ地方に入る自然の入口となっている。何世紀ものあいだ、自然の力と人のなせる営みがあいまって、このビルカバンバへの入口は事実上、閉ざされていた。急流は危険で近づくことはできないが、北側の絶壁はなんとか頑張れば登ることができるかもしれない。実際、ビルカバンバ地方へ入る古道は、目もくらむほどの高い場所を通っているようだ。そのため人々は登口になる崖のふもとに、小さいながらも強力な要塞サラプンコを建設したのだろう。渓谷の断崖は、狭い岩棚（平らな岩場）のうえにたくみにつくられた壁によって防御力を高めていた。サラプンコには長いあいだ、人が住んでいない。それはアマゾンの谷から攻めのぼってくる敵から、オリャンタイタンボ渓谷を守るべく築かれた要塞ではないか？　というのが私の第一印象だった。しかしその後、それはオリャンタイタンボから渓谷を攻め降りてくる敵を防ぐためのものではないか？　と思うようになった。つまり、この種の巨岩構造は自然のものではなく、その様式や特徴は、クスコやオリャンタイタンボ周辺の有名な巨岩建造物に似ている。そして、これはインカ皇帝マンコ・インカ・ユパンキがスペイン人の手から逃れるための防衛施設として建造したものではないか？　とも考えられた。もしかしたら、巨石族がビルカバンバへの道（退路）を守るために建てたものかもしれない。これまで、この谷をさらに奥に進んだところに、巨岩の遺跡を発見したという報告はない。インカ建築について詳細に記述された『ペルー』の著者であるスクワイアは、サラプンコのことを知らなかったようであり、クレメンツ・マーカム卿もそのことには触れていない。だから、はるか昔に強い力をもっていたインカ皇帝マンコ・インカ・ユパンキゆかりの地を探すなかで、このようなこと（次のようなサラプンコの性格）が判明するとは思いもよらなかった。サラプンコは、南側の勢力がビルカバンバやアマゾンの好戦的部族に対しておいたものではなく、「ビルカバンバが南側の勢力に対する、防御のためにおいた要塞である」と説明できる。

サラプンコを過ぎて、断崖絶壁を迂回していくと、もっとも胸の高鳴るインカの谷に入った。古代のアンデネス（段々畑）の広大さ、どこまでも続くその連なり、雪をかぶった山々の壮大さ、深くて狭い渓谷の美しさに、私たちは魅了され続けた。次の日、私たちはさらに二〇マイルほど谷を下った。そして、この渓谷のまっただなかにいた。チョケキラオ近くのアプリマックの谷ほど壮大ではなく、また高度に耕作されたヨーロッパのアルプスの谷ほど精巧でもなかったが、トロントイからコラパニまで約三〇マイルほど続くウルバンバの大渓谷は、世界に類を見ないものであった。

　カナディアン・ロッキーのような険しさ、重厚な雰囲気はなく、ライン川のようなロマンチックさもないが、その魅力の多様性、広大さにおいて、ウルバンバ大渓谷に匹敵する場所を私は知らない。雪をかぶった山頂、急流から何千フィートを一気に立ちあがる花崗岩の巨大な断崖、信じられない高さの山々のあいだをぬって流れる深い渓谷。それらが見せる自然の美しさだけではなく、鬱蒼とした熱帯の密林の神秘性と、インカ帝国の遺物が点在するというロマンが加わっている。数え切れないほど無数の段丘（アンデネス）、そびえ立つ崖、手前には密林、奥には氷河というように、刻々とパノラマが変化していく。そしてそれを説明しようとすると、同じ言葉を繰り返してしまい、最上級の形容詞ばかりになってしまって、退屈でおもしろみのない記述になってしまう。また、この渓谷を走る道路の表現も同じく単調な表現になる。「階段状の岩を無茶苦茶に走ったり、ときにはコースをはずれてしまったり、断崖絶壁をまたいでかけられた危なっかしい橋を渡ったり、渦巻く急流のうえに張り出した花崗岩の壁につくられた足場の道を通ったりする」。

　私たちは、「不思議の国」の住人になっているような心地になっていた。インカ帝国やインカ帝国以前の人々は、この狭い耕作地を川の浸食から救い出すために、どれほどの手間をかけたのだろうか！　歴史以前に生きた人々が、ここに、急流のすぐそばまで巨石を積みあげて石垣（擁壁）をつくった。そして硬い岩の壁にはばまれるまで、びっしりとアンデネス（段々畑）のテラスを積みあげていった。彼らはウルバンバ川の湾曲する地、渓谷の上流、下流ともに見渡せる、見晴らしのよい地に大きな石段をもつ神殿を建てた。明らかに乗り越えられない崖にさらに登ることのできないような壁をつくり、そこが実際にも、見た目にも乗り越えられないようにした。テラスの低層部にはバナナやコカを植え、小さな根が多汁の野菜になるユッカという変わった食べものを栽培した。そしてテラスの高層部では、トウモロコシやジャガイモが栽培された。

その日の午後には、旅行者がこの地でよく泊まる「ラ・マキナ」という小屋を通り過ぎた。ここには飼料があるが、熱帯の密林が繁茂していて、山も険しい。平地らしい平地が少なく、人々の生活はとても不安定だった。五時ごろ、（ラ・マキナからそれほど離れていない）マンドル・パンパにあるもう一軒の草葺きの小屋に到着した。ここはこれまで見てきたもの、そしてこれから見るであろうものもあわせて、景色も、道も、もっとも印象深いものだった。私たちは、川のほとりの人里離れた場所を選んで、キャンプを設営した。クスコから派遣されてきたカラスコ軍曹が、メルチョール・アルテアガ氏というキャンプ地の貸し主から話を聞いた。彼は、そのすぐ近くに住むラバ追いだという。

アルテアガ氏の話によると、ここから近くにあるインカ帝国の遺跡が残っている。それは断崖絶壁を登った先の尾根にあるすばらしい遺跡で、名をマチュピチュという。そして私たちのキャンプ地からそう遠くない山頂にあるワイナピチュにも、一般には知られていない遺跡があるという。翌日、小雨が降っていたが、「遺跡にたどり着き、戻ってこられたら一ソル（五〇セント分の金）を支払う約束」で、アルテアガ氏は私をマチュピチュまで案内してくれることになった。

私は、一〇時ごろにマンドル・パンパのキャンプを出て、アルテアガ氏の家から川の上流に向かって少し進んだ。この渓谷はとてもせまく、両側にはほとんど垂直に切り立った硬い花崗岩の断崖が続いている。道すがら、最近、殺されたばかりの蛇の死骸を、横目に通り過ぎた。アルテアガ氏はこの蛇を「ウィボラ」とだけ呼び、それ以上のことは知らなかった。「ウィボラ」は「毒」を意味し、「クレブラ（無毒）」すなわち「無害な蛇」とは区別される。

　私たちのチームの自然科学者は、谷底でその日一日中、昆虫採集をして過ごし、外科医はキャンプの設営で忙しそうにあくせくしていた。そのため、私とカラスコ軍曹、ガイド役のアルテアガ氏だけで遺跡へ向かった。私たちは一〇時四五分、道路をはずれて、密林のなか川岸まで下った。そして轟々と流れる急流の数インチ上にかかる、四本の丸太をつる草で束ねた原始的な橋を渡った。対岸に着いてからは、一時間二〇分ものあいだ、恐ろしく厳しい坂を登り続けた。そのあいだ、私はずっと四つん這いであった。最初は密林のなか、そしてあとから草におおわれた急な斜面を進んでいった。

　暑くてたまらなかったが、密林をぬけるとすばらしい景色が広がっていた。正午過ぎに（尾根の上にある）小屋にたどり着くと、気立てのよいインディヘナたちが出迎えてくれた。彼らはゴード（ひょうたん）に入った冷たくておいしい水と調理したサツマイモを少しずつ分けてくれた。私たちが目のあたりにしたのは、草むらに点在する小さな小屋、そして石垣をもついくつかの段丘だけだった。この陽気なインディヘナの家族は、鷲の巣（イーグル・ネスト）のような家に住んでいた。彼らは「もう少し先に、もっとよい遺跡がある」と話してくれた。この国では、このような報告が信用に値するかどうかはわからない。「彼は嘘をついているかもしれない」というのは、すべての伝聞情報につけるべき脚注であろう。したがって、私たちは過度に期待してはいなかった。また急いで移動しようとも思わなかった。水は冷たく、木製のベンチにはウールのポンチョがかけられている。とても快適だったし、景色もすばらしかった。左右両側は途方もない断崖絶壁で、川が白い急流となって落ちていく光景が視界に入った。（この尾根上にいたるために）私たちの渡ってきた橋が流されてしまう雨季には、インディヘナにとって唯一の交通手段となる（彼ら自身がつくった）危険な崖を下っていく道もある。もうひとつの道は、私たちがすでに経験ずみの丸太橋を渡る道であった。「家（彼らの小屋）を出るのは月に一度くらいだ」というインディヘナの話を聞いても、私たちは驚くことはなかった。

インディヘナの小屋をあとにして、私たちはさらに尾根を登っていった。やがて密林におおわれた迷路のような大小の石壁が見えてきた。セメントを使わずに、白い花崗岩のブロックをていねいに組みあわせてつくった建築の跡らしかった。そして、そこから驚きにつぐ驚きの連続で、私はこれまでペルーで発見されたもののなかで、もっともすばらしい遺跡のまっただなかにいることをすぐに実感した。クスコからわずか五日の旅でたどり着いたこの都市遺跡が、これほど長いあいだ、誰にも、何も語られていないのは信じられないことだった。マチュピチュは、ウルバンバ川を眼下にして、人知れずそこにたたずんでいた。私が調べた限りでは、その麓の四方、いずれの方向からもたどり着けなそうなワイナピチュの峰がマチュピチュの先にそびえている。そして、私たちの背後には、岩だらけの高台が広がっている。

ペルーを征服したスペインの『年代記』には、マチュピチュの存在を思わせるような記述は残っていない。スペインの征服者でさえ、このすばらしい都市遺跡を見たことがないのかもしれない。神殿の石に書かれたいくつかの粗末の落書きから、一九〇二年に地元のラバ追いであるリサラガという人物が、マチュピチュを訪れていたことがわかった。しかし、それ以前にも誰かには知られていたのだろう。前述の通り、一八七五年ごろにオリャンタイタンボにいた探検家ヴィエネルは、「マチョピチュという場所に遺跡がある」と聞いたと話している。しかし、結局、彼はそれを見つけられなかった。

マチュピチュに暮らすインディヘナは「ここに来て、四年になる」という。遺跡のなかや段丘のうえにトウモロコシや野菜を植えていて、一、二家族が、古代の建物跡に屋根をつくって住んでいる。また最近、建てられた三軒の小屋もある。気候はとても心地よい。サツマイモ、ジャガイモ、トウモロコシ、サトウキビ、豆、ピーマン、トマト、そしてグーズベリーの一種が栽培されているようだった。

偉大なカステルノー、華麗なヴィエネル、一風変わったマルクーといった探検家たち。クスコからウルバンバ川を越えて北上してきた彼らにとっても、この遺跡はもっとも興味深いものになるはずだったが、マチュピチュにたどり着くことはできなかった。ウルバンバ川の流れるこの地方は、カヌー航行ができないうえに、険しい崖に周囲を囲まれているため、数年前までは川岸をつたって移動することも不可能だった。カステルノーのような勇敢な探検家でさえ、長いまわり道をして、雪の峠を越えてオコバンバ地域からヤナティリ地域へいたり、そこから谷へと続く道をたどらなければならなかった。オリャンタイタンボからワドキニャの砂糖プランテーションまでのウルバンバ渓谷の厳しく、苛酷な自然が、そこに眠っていたすばらしい処女地を、私たちが発見するまで残しておいてくれた。そして、インカ帝国の皇帝やその先人たちが敵から逃れ、安全な生活を送った場所もまさにこの地だった。

彼らは、熱帯地方の貴重なコカ、ユッカ、オオバコを生産するための深い谷、トウモロコシやジャガイモの栽培に適した高さの斜面、そして夜にジャガイモ（チューニョ）を凍らせるのに十分な寒さまで、あらゆる気候条件がここにあることを知った。そして、周囲を自然の障壁に囲まれて、実質、難攻不落の避難場所（亡命先）を見つけたのであった。

二〇年ほど前、ペルー政府はウルバンバ下流域を開拓していた進取の気質に富んだ農場主たちの要望を聞き入れるかたちで、川岸にそってラバのための道を建設した。この道路の建設には費用がかかったが、需要の多いコカや地酒のアグアルディエンテ（サトウキビの蒸留酒）のクスコへの輸送が、それまでのサンタ・アナ渓谷を経由するルートよりも早く、安くできるようになった。そして（探検家の）マルクーらが生々しく語った危険な雪の峠を越える必要もなくなった。この新しい道によって、私たちはインカ帝国とその先人たちが、このビルカバンバの美しい森のなかに、スペイン征服者時代以降に発見されたどの遺跡よりも興味深く、広範囲にわたる古代文明の「石の証人」を残していることを発見した。

マチュピチュを説明するのは難しい。遺跡は山の尾根上にあり、その先には壮大な山頂がそびえている。そして、その頂上にも「ワイナピチュの遺跡がある」と言われている。都市遺跡マチュピチュの両側は断崖絶壁であり、農業用と思われる多くの段丘（アンデネス）が残っている。また石を敷き詰めた灌漑水路も見られたが、どこから水が運ばれてきたのか、今では判別することが難しい。ここには三つの小さな泉が湧いているが、インディヘナは水が流れ出していることを知らない。マチュピチュのような大きな都市の住民に水を供給するためには、かなりの量の水が必要だったのだろう。灌漑のための溝（水路）が何マイルも山中をさかのぼって、水が供給される山上まで運ばれていたのかもしれない。とても美しくつくられた沐浴場、きれいに切られた石の水門を通って、水は沐浴場に入るように設計されている。沐浴場の近くに立つ巨大な花崗岩のうえには、ほぼ長方形の岩塊をくみあわせてつくられた半円形の建築（「太陽の神殿」）が立っていて、その内側にはきれいに仕上げられた壁龕（ニッチ）が見られる。この巨石の下には、ていねいに加工された石を敷き詰めた洞窟があって、そのなかにもとても大きな壁龕（陵墓）が残っている。それは私が見たもののなかで一番の高さで、最高のものだった。そして花崗岩の岩塊でつくられた多くの階段があり、ある階段は水の受け皿をはめこめるように裂けている。この階段はさらに上方につながっているが、そこには私が「神聖な広場」と呼んでいる場所がある。

「神聖な広場」の東側は、サクサイワマンのように大きな岩をならべたテラスがあり、また半円形の堡塁のようなものが残っている（「三つ窓の神殿」）。ていねいに切られたほぼ長方形の石が建築素材に使われているが、これはよく知られた半円形をしたクスコの「太陽の神殿（現在のドミニカ修道院）」の石に似ている。

一方、「神聖な広場」の南側には、長さ二九フィートの長方形の建物の壁があり、壁龕（ニッチ）や突出した円柱が見られる（「神官の館」）。それはチョケキラオの建物と多くの点で類似している。広場に向かう側には、扉がふたつあるが、窓はない。

「神聖な広場」の北側には、巨石のような驚くべき構造物が立つ。広場に面した側は完全に開放され、他の三面は完全に閉じられている。この建物（「主神殿」）は二五・九×九一フィートほどの規模をもつ。他のすべての建物と同様に、その屋根は失われている。この建物は、白い花崗岩のブロックを段々にならべてできている。下の段の石は、他の段の石よりもかなり大きい。下の段の石の長さは、そのひとつが九・六フィート、もうひとつが一〇・二フィート、三番目は一三・二フィートである。写真を見ればわかるように、これらの石の厚さは人間の身長よりもかなり高く、約二・八フィートである。上層の石はほぼ長方形の岩塊で、とても小さいものだが、絶妙な精度で切られていて、ガラス栓を瓶のボトルにはめこむように、積み石がされている。壁の端が直角ではなく、鈍角になっていることがこの建物の特徴だろう。石の角は削られて、そこに大きな木材の梁が組み込めるようになっている。これは、マンサード屋根（腰折屋根）のように、屋根を支えたり、途中まで降ろしたりするのに使われたものと思われる。この建物には、小さな壁龕がならんでいて、それは手の届かない高さにあり、とてもていねいにつくられていた。後方の壁の中央部、地面に近いところにもっとも大きな石があり、長さは一四・一フィートで、（身分の高い者や神官の使う）上座か祭壇であったと思われる。

「神聖な広場」からは、南側に巨大な森林におおわれ、山頂部に雪をいただく山々が連なり、北側には川が川底をうねるように流れるウルバンバ渓谷が広がり、両側を断崖絶壁の山に守られている様子が見える。流れる川のもっとも高いところには、長方形の岩塊でていねいに組みあわされたこぶりな建築が立っていて、きれいにつくられた壁龕（ニッチ）が残っている。その近くには「インティワタナ石」と呼ばれる大きな岩があって、日時計だったのではないか？　と言われている。この石には階段が刻まれていて、きれいに保存されている。

「神聖な広場」のすぐ下には、テラスが馬蹄形の大きな広場（中心広場）まで続いており、ここがインカ帝国時代の遊び場、あるいは農耕地だったことが伺える。この広場の反対側には、それほど重要ではないものの多くの家が、しっかりとしたつくりで密集して立っている。多くの家の構造はシンプルだが、なかには切妻の家もある。ほとんどの家には壁龕（ニッチ）があって、なかにはクスコで見られるものと同じく、非常に優れた細工がほどこされていた。それらはほぼ一様に、白い花崗岩を素材とする。仕上げはていねいで、岩塊は言葉で言い表せないほど精巧に組みあわされている。この仕事は、スペインの征服者たちが驚嘆したものと、同じクオリティのものだろう。これらの建築群のなかには、クスコの宮殿のようにきれいな正方形の建築もあった。またオリャンタイタンボのものに似た壁龕（ニッチ）も残っていて、壁から突き出た円筒形の石（小さな円柱）は、マチュピチュ建築の内外を問わず、よく見られる。それらは全般的に、チョケキラオのものよりも大きく、たたずまいもはるかに優れている。

マチュピチュ遺跡のところどころは迷宮のようになっている。平面図で見ると、マチュピチュの広さ、その特徴は、言葉で表現できないほどよく理解できる。神聖な広場の東側には、北側のものとよく似た別の建築が立っていて、広場に面した側はすべて開放されている。建物の外側には、壁から突き出た円筒形の石柱が見られる。広場の北側にある建築と同様に、下層部の壁には巨大な石が使われているが、その端（側壁の端）はまた鈍角（斜面）になっている。この側壁の端の角には石に穴が空いているが、それは大きな木の梁をはめこむ穴であることがわかる。建物の端から端へと伸びるこの梁を支えるために、中間にブロックをおき、ブロックの上部を加工して、そこに一本の梁の中央（または二本の梁の端）を、つなぎあわせて載せることができるようになっている。この建物の規模（内部寸法）は、一四・九×三二・七フィートであり、壁にならぶ窓がもっとも目をひく。壁にはめ込まれた、幅三・一フィート、高さ四フィート近くある大きな窓が三つ、密林におおわれた山々の壮大な景色を見渡すことができる。

三つの大きな窓をもつことを最大の特徴とする古代建築を、（マチュピチュ以外の）ペルーのほかでは見たことがない。このユニークな特徴が、すばらしい花崗岩でつくられた都市マチュピチュの謎を解くことになるのだろうか？

クレメンツ・マーカム卿が、ペルーのインカ帝国について記した著作のなかで、「スペイン人の記録者が現地で聞いたというある神話」について一章をさいている。ペルー初期の巨石文明は、南方、おそらくアルゼンチンのパンパ（平原）からの好戦的部族による大規模な侵略で終焉した。そして国中が無政府状態になり、野蛮人による中世ペルーが到来した。一方、高度に文明化された人々の一部は、タンプ・トッコと呼ばれる地に避難した。そこでは古代文明の名残りが、自然の障壁と難攻不落な地形によって侵略者から守られていた。そして亡命者たちは社会を築き、タンプ・トッコの人口も増えていった。彼らの子孫は他の部族よりも文明的、強力であり、やがてタンプ・トッコは繁栄して、より良い広範囲の領土を侵略すべく出撃を開始した。伝説によると、出撃にあたって「三か所の開口部または窓のある丘から三つの部族が飛び出してきた」という。これらの部族が最終的にクスコに定住し、インカ帝国を築くことになった。

タンプは「宿場」、トッコは「窓」を意味する。征服者のスペイン人は、タンプ・トッコはクスコから遠くないパッカリタンプと呼ばれる場所だと信じたが、実際のところタンプ・トッコの正確な場所は不明のままだ。今のところ、神話の記述に合致する場所は見つかっていない。このプレ・インカの亡命部族の避難場所は「ビルカバンバ山中にあった」と推定されている。そして、（その場所は通説の位置とは異なっているが）「マチュピチュこそ、タンプ・トッコである」と考えられている。

たしかに、この地域の自然は、亡命政府（インカ帝国）の避難場所として適していた。間違いなく、マチュピチュには巨石を使っていた証拠がある。そして三つの窓のある「宿場（神殿）」も残っている。この「三つ窓の神殿」を下から見あげると、インカ帝国の起源に関する神話の「三つの窓（開口部）のある丘」は、この神殿だったのではないか？　と思えてくる。私の思い違いかもしれないが、インカ帝国の起源タンプ・トッコの記述にこれほど合致する場所は今のところほかになく、もしもこの先ほかの場所で発見されるなら、それを楽しみに待ちたい。それまでのあいだ、インカ帝国「最後の都」を探す過程で発見されたマチュピチュは、インカ帝国の「最初の都」でもあったと考えることにしよう。やがて南米の大部分を占めるようになった輝かしい帝国への第一歩を歩みはじめた場所、マチュピチュにはそうしたもうひとつの性格があった可能性も残されている。

参考文献

『Inca land : explorations in the Highlands of Peru』(Hiram Bingham/Houghton Mifflin Company)
『Lost city of the Incas; the story of Machu Picchu and its builders』(Hiram Bingham/Phoenix House)
『Machu Picchu : unveiling the mystery of the Incas』(Richard L.Burger・Lucy C.Salazar/Yale University Press)
『インカ―失われた帝国』(H.ビンガム著・大貫良夫訳/文芸春秋)
『マチュピチュ探検記:天空都市の謎を解く』(マーク・アダムス著・森夏樹訳/青土社)
『インカの謎が、やって来る:インカ帝国展:マチュピチュ「発見」100年』(TBSテレビ企画協力/TBSサービス)
「ワマン・ポマ著女澤史恵訳『インカ王族の子孫の記録者による挿絵』インカ帝国民族資料監修」(大場四千男/北海学園大学学術研究会)
『インカ黄金帝国』(ハイラム・ビンガム他著・浜洋訳/大陸書房)
『ラテンアメリカを知る事典 = CYCLOPEDIA OF LATIN AMERICA 新版』(大貫良夫・落合一泰・国本伊代・恒川惠市・松下洋・福嶋正徳監修/平凡社)
『ヨブ記註解 (関根正雄著作集 第9巻)』(関根正雄/新地書房)
The Guaman Poma Website
Det Kgl. Bibliotek | kb.dkhttps://www.kb.dk
The Metropolitan Museum of Art https://www.metmuseum.org/
写真 Pixabay https://pixabay.com
OpenStreetMap
(C)OpenStreetMap contributors

ハイラム・ビンガムによる1911年のマチュピチュ「発見」以後、いくつかの新たな説が提起された。現在では、インカ帝国「最後の都」ビルカバンバは、ビンガムも訪れたエスピリトゥ・パンパに比定されている。マチュピチュがビルカバンバであること、タンプ・トッコがマチュピチュであること、マチュピチュから発掘された遺骨の男女比など、当時においては、学術上の誤りや矛盾点も見られるが、ハイラム・ビンガムが『INCA LAND』を記した当時の原稿や、